Das Buch

»Die Dichter, auch wenn sie sich scheinbar in der Unverbindlich-
keit ästhetischer Räume bewegen, kennen den Punkt, wo die größ-
te Reibung zwischen dem einzelnen und der Geschichte stattfindet ... Sie sind immer betroffen, und niemand nimmt ihnen die
Last ab, diese Betroffenheit in einer Form auszudrücken, die wie
Gelassenheit erscheinen mag«, schrieb Heinrich Böll in einem Aufsatz über Wolfgang Borchert – ein Gedanke, der auch auf sein
eigenes Werk bezogen werden kann. Die Erzählungen dieses Ban-
des behandeln vorwiegend Stationen und Schicksale der Kriegs-
und Nachkriegszeit. Sie machen deutlich, daß sich Bölls Gestal-
tungskraft nicht auf eine bestimmte Form des Realismus einschrän-
ken läßt. In der Erzählung ›Entfernung von der Truppe‹ weigert
sich der Ich-Erzähler, seine Geschichte verbindlich auszuführen.
Er liefert nur Materialien für die Phantasie des Lesers, dem es
überlassen bleibt, die offenen Stellen seinem Geschmack entsprechend auszufüllen. Hinter der Maske des unernsten Spielers verbirgt sich ein konsequenter Wahrheitssucher, der empfindlich auf
alle Vorurteile reagiert.

Der Autor

Heinrich Böll, am 21. Dezember 1917 in Köln geboren, war nach
dem Abitur Lehrling im Buchhandel. Im Krieg sechs Jahre Soldat.
Danach Studium der Germanistik. Seit 1949 veröffentlichte er Erzählungen, Romane, Hör- und Fernsehspiele, Theaterstücke, Es-
says und war auch als Übersetzer aus dem Englischen tätig. 1972
erhielt Heinrich Böll den Nobelpreis für Literatur. Er starb am
16. Juli 1985 in Langenbroich/Eifel.

Heinrich Böll:
Als der Krieg ausbrach
Erzählungen

Deutscher
Taschenbuch
Verlag

1. Auflage November 1965
21. Auflage Februar 1987: 351. bis 358. Tausend
Deutscher Taschenbuch Verlag GmbH & Co. KG,
München
Lizenzausgabe mit freundlicher Genehmigung des Verlages
Kiepenheuer & Witsch, Köln · Berlin
Umschlaggestaltung: Celestino Piatti
Gesamtherstellung: C. H. Beck'sche Buchdruckerei,
Nördlingen
Printed in Germany · ISBN 3-423-00339-1

Inhalt

lag ich im Fenster, hatte die Hemdsärmel hochgekrempelt, blickte über Toreinfahrt und Wache hinweg in die Telefonzentrale des Regimentsstabes und wartete darauf, daß mein Freund Leo mir das verabredete Zeichen geben würde: ans Fenster kommen, die Mütze abnehmen, wieder aufsetzen; ich lag, sooft ich konnte, im Fenster und telefonierte, sooft ich konnte, auf Heereskosten mit einem Mädchen in Köln und mit meiner Mutter – und wenn Leo ans Fenster kam, die Mütze abnahm, wieder aufsetzte, würde ich auf den Kasernenhof hinunterlaufen und in der öffentlichen Telefonzelle warten, bis es klingelte.

Die anderen Telefonisten saßen barhaupt da, im Unterhemd, und wenn sie sich vorbeugten, um einzustöpseln, auszustöpseln, eine Klappe hochzuschieben, baumelte aus dem offenen Unterhemd die Erkennungsmarke heraus und fiel wieder zurück, wenn sie sich aufrichteten. Leo hatte als einziger die Mütze auf, nur, damit er sie abnehmen konnte, um mir das Zeichen zu geben. Er hatte einen schweren, rosigen Kopf, weißblonde Haare, war Oldenburger, das erste Gesicht, das man an ihm bemerkte, war treuherzig; das zweite war: unglaublich treuherzig, und keiner beschäftigte sich mit Leo lange genug, um mehr als diese beiden Gesichter zu sehen; er wirkte langweilig wie die Jungengesichter auf Käsereklamen.

Es war heiß, Nachmittag; die seit Tagen während Alarmbereitschaft war schon abgestanden, verwandelte alle verstreichende Zeit in mißglückte Sonntagsstunden; blind lagen die Kasernenhöfe da und leer, und ich war froh, daß ich wenigstens meinen Kopf aus der Zimmerkameraderie heraushalten konnte. Drüben stöpselten die Telefonisten ein, aus, schoben Klappen hoch, wischten sich den Schweiß ab, und Leo saß da zwischen ihnen, die Mütze auf seinem dichten, weißblonden Haar.

Plötzlich merkte ich, daß der Rhythmus, in dem ein- und ausgestöpselt wurde, sich veränderte; die Armbewegungen verloren das routiniert Mechanische, wurden ungenau, und Leo warf dreimal die Arme über den Kopf: ein Zeichen, das wir nicht verabredet hatten, aus dem ich aber ablesen konnte, daß etwas Außerordentliches geschehen war; dann sah ich, wie ein Telefonist seinen Stahlhelm vom Klappenschrank nahm und ihn aufsetzte; er sah lächerlich aus, wie er da saß, schwitzend im Unterhemd, die Erkennungsmarke baumelnd, mit dem Stahlhelm auf dem Kopf – aber ich konnte nicht über ihn lachen; mir fiel ein, daß Stahlhelmaufsetzen so etwas wie ›gefechtsbereit‹ bedeutete, und ich hatte Angst.

Die hinter mir im Zimmer auf den Betten gedöst hatten, standen auf, steckten sich Zigaretten an und bildeten die beiden bewährten Gruppen; drei Lehramtskandidaten, die immer noch hofften, sie würden aus ›volkserzieherischen Gründen‹ freigestellt, fingen ihr Gespräch über Ernst Jünger wieder an; die beiden anderen, ein Krankenpfleger und ein Kaufmannsgehilfe, fingen ein Gespräch über den weiblichen Körper an; sie machten keine schmutzigen Witze darüber, lachten nicht, sie sprachen darüber, wie zwei ausnehmend langweilige Geographielehrer über die möglicherweise interessante Topographie von Wanne-Eickel gesprochen hätten. Beide Gesprächsthemen interessierten mich nicht. Es mag für Psychologen, für psychologisch Interessierte und für solche, die gerade einen Volkshochschulkursus in Psychologie absolvieren, interessant sein, zu erfahren, daß mein Wunsch, mit dem Mädchen in Köln zu telefonieren, heftiger wurde als je in den Wochen vorher; ich ging an meinen Schrank, nahm meine Mütze heraus, setzte sie auf, legte mich mit der Mütze auf dem Kopf ins Fenster: das Zeichen für Leo, daß ich ihn dringend zu sprechen verlangte. Als Zeichen dafür, daß er mich verstanden hatte, winkte er mir zu, und ich zog meine Jacke an, ging aus dem Zimmer, die

Treppe hinunter und wartete am Eingang des Regiments-
gebäudes auf Leo.

Es war noch heißer, noch stiller, die Kasernenhöfe waren
noch leerer, und nichts hat je meiner Vorstellung von Hölle
so entsprochen wie heiße, stille, leere Kasernenhöfe. Leo
kam sehr rasch; auch er hatte jetzt den Stahlhelm auf und
zeigte eins der fünf weiteren Gesichter, die ich an ihm
kannte: gefährlich für alles, was er nicht mochte; mit diesem
Gesicht saß er, wenn er Spät- oder Nachtdienst hatte, am
Klappenschrank, hörte geheime Dienstgespräche ab, teilte
mir deren Inhalt mit, riß plötzlich Stöpsel heraus, trennte geheime Dienstgespräche, um ein dringend geheimes nach
Köln zustande zu bringen, damit ich mit dem Mädchen sprechen konnte; später übernahm ich dann die Vermittlung,
und Leo telefonierte erst mit seinem Mädchen im Oldenburgischen, dann mit seinem Vater; zwischendurch schnitt Leo
von dem Schinken, den seine Mutter ihm geschickt hatte,
daumendicke Scheiben ab, schnitt diese in Würfel, und wir
aßen Schinkenwürfel. Wenn wenig zu tun war, lehrte Leo
mich die Kunst, an der Art, wie die Klappe fiel, den Dienstgrad des Telefonierenden zu erkennen; erst glaubte ich, es
genüge, an der bloßen Heftigkeit den jeweiligen Dienstgrad
sich steigernd abzulesen: Gefreiter, Unteroffizier usw., aber
Leo wußte genau zu unterscheiden, ob ein dienstbesessener
Gefreiter oder ein müder Oberst eine Verbindung verlangte;
sogar die Unterschiede zwischen ärgerlichen Hauptleuten
und gereizten Oberleutnants – sehr schwer zu erkennende
Unterschiede – las er von der herunterfallenden Klappe ab,
und im Laufe des Abends kamen seine anderen Gesichter
zum Vorschein: entschlossener Haß; uralte Tücke; mit diesen Gesichtern wurde er plötzlich pedantisch, sprach sein
»Sprechen Sie noch«, seine »Jawolls« ganz korrekt aus und
wechselte mit beunruhigender Geschwindigkeit die Stöpsel
so aus, daß ein Dienstgespräch über Stiefel zu einem über
Stiefel und Munition wurde, das andere über Munition zu

einem über Munition und Stiefel, oder in das Privatgespräch eines Hauptfeldwebels mit seiner Frau sprach plötzlich ein Oberleutnant hinein: »Ich bestehe auf Bestrafung, ich bestehe darauf.« Blitzschnell wechselte Leo dann die Stöpsel wieder so aus, daß die Stiefelpartner wieder beide über die Stiefel, die anderen wieder über Munition sprachen und die Hauptfeldwebelsfrau mit ihrem Mann wieder über ihre Magenbeschwerden sprechen konnte. Wenn der Schinken aufgegessen war, Leos Ablösung kam und wir über den stillen Kasernenhof auf unser Zimmer gingen, war Leos letztes Gesicht da: töricht, auf eine Weise unschuldig, die ganz anders war als kindliche Unschuld.

Zu jeder anderen Zeit hätte ich über Leo gelacht, wie er da vor mir stand, mit dem Stahlhelm, dem Symbol ungeheurer Wichtigkeit, auf dem Kopf. Er blickte an mir vorbei, über den ersten, den zweiten Kasernenhof, zu den Pferdeställen hin; seine Gesichter wechselten von drei auf fünf, von fünf auf vier, und mit seinem letzten Gesicht sagte er zu mir: »Es ist Krieg, Krieg, Krieg – sie habens geschafft.« Ich sagte nichts, und er sagte: »Du willst natürlich mit ihr sprechen?«

»Ja«, sagte ich.

»Mit meiner hab ich gesprochen«, sagte er, »sie kriegt kein Kind, ich weiß nicht, ob ich mich darüber freuen soll. Was meinst du?« – »Sei froh«, sagte ich, »ich glaube, es ist nicht gut, im Krieg Kinder zu haben.«

»Generalmobilmachung«, sagte er, »Gefechtsbereitschaft, bald wird es hier wimmeln – und es wird lange dauern, bis wir wieder mit den Rädern wegkönnen.« (Wenn wir dienstfrei hatten, waren wir mit den Rädern über Land, in die Heide gefahren, hatten uns von den Bauersfrauen Spiegeleier braten und Schmalzbrote machen lassen.) »Der erste Kriegswitz ist schon passiert«, sagte Leo: »Ich bin wegen besonderer Befähigung und besonderer Verdienste um das Telefonwesen zum Unteroffizier befördert – geh jetzt in die

Öffentliche, und wenn es in drei Minuten nicht klingelt, degradiere ich mich wegen Unfähigkeit.«

In der Telefonzelle stützte ich mich auf das Telefonbuch ›Oberpostdirektion Münster‹, steckte mir eine Zigarette an und blickte durch eine Lücke in der Drahtglaswand über den Kasernenhof; es war nur eine Hauptfeldwebelsfrau zu sehen, ich glaube, in Block 4; sie begoß aus einer gelben Kanne ihre Geranien; ich wartete, blickte auf die Armbanduhr: eine Minute, zwei, und ich erschrak, als es wirklich klingelte, erschrak noch mehr, als ich sofort die Stimme des Mädchens in Köln hörte: »Möbelhaus Maybach, Schubert . . .«, und ich sagte: »Ach, Marie, es ist Krieg, Krieg« – und sie sagte: »Nein.« Ich sagte: »Doch«, dann blieb es eine halbe Minute still, und sie sagte: »Soll ich kommen?«, und noch bevor ich spontan, meiner Stimmung gehorchend: »Ja, ja, ja« gesagt hatte, schrie die Stimme eines wahrscheinlich ziemlich hohen Offiziers: »Munition brauchen wir, wir brauchen dringend Munition.« Das Mädchen sagte: »Bist du noch da?« Der Offizier brüllte: »Schweinerei«; inzwischen hatte ich Zeit gefunden, darüber nachzudenken, was mir an der Stimme des Mädchens fremd, fast unheimlich gewesen war: sie hatte so nach Ehe geklungen, und ich wußte plötzlich, daß ich keine Lust hatte, sie zu heiraten. Ich sagte: »Wir rücken wahrscheinlich heute nacht noch aus.« Der Offizier brüllte: »Schweinerei, Schweinerei« (es schien ihm nichts Besseres einzufallen), das Mädchen sagte: »Ich könnte den Vier-Uhr-Zug noch kriegen und gegen sieben dort sein«, und ich sagte rascher, als höflich gewesen wäre: »Es ist zu spät, Marie, zu spät« – dann hörte ich nur noch den Offizier, der offenbar nahe dran war, verrückt zu werden. Er schrie: »Kriegen wir nun die Munition oder nicht?« Und ich sagte mit steinharter Stimme (das hatte ich von Leo gelernt): »Nein, nein, Sie bekommen keine Munition, und wenn Sie verrecken.« Dann legte ich auf.

Es war noch hell, als wir Stiefel von Eisenbahnwaggons auf Lastwagen luden, aber als wir Stiefel von Lastwagen auf Eisenbahnwaggons luden, war es dunkel, und es war immer noch dunkel, als wir wieder Stiefel von Eisenbahnwaggons auf Lastwagen luden, dann war es wieder hell, und wir luden Heuballen von Lastwagen auf Eisenbahnwaggons, und es war immer noch hell, und wir luden immer noch Heuballen von Lastwagen auf Eisenbahnwaggons; dann aber war es wieder dunkel, und genau doppelt so lange, wie wir Heuballen von Lastwagen auf Eisenbahnwaggons geladen hatten, luden wir Heuballen von Eisenbahnwaggons auf Lastwagen. Einmal kam eine kriegsmäßig aufgemachte Feldküche, wir bekamen viel Gulasch und wenig Kartoffeln, und wir bekamen richtigen Kaffee und Zigaretten, die wir nicht zu bezahlen brauchten; das muß im Dunkeln gewesen sein, denn ich erinnere mich, eine Stimme gehört zu haben, die sagte: Bohnenkaffee und Zigaretten umsonst, das sicherste Zeichen für Krieg; ich erinnere mich nicht des Gesichts, das zu dieser Stimme gehörte. Es war wieder hell, als wir in die Kaserne zurückmarschierten, und als wir in die Straße einbogen, die an der Kaserne vorüberführte, begegnete uns das erste ausrückende Bataillon. Voran marschierte eine Musikkapelle, die ›Muß i denn, muß i denn‹ spielte, dann kam die erste Kompanie, deren Gefechtswagen, dann die zweite, die dritte und schließlich die vierte mit den schweren Maschinengewehren. Auf keinem, nicht auf einem einzigen Gesicht sah ich eine Spur von Begeisterung; es standen natürlich Leute an der Straße, auch Mädchen, aber ich sah nicht einmal, daß jemand einem Soldaten einen Blumenstrauß ans Gewehr steckte; es lag auch nicht der Hauch einer Spur von Begeisterung in der Luft.

Leos Bett war unberührt; ich öffnete seinen Spind (eine Stufe der Vertraulichkeit mit Leo, die die Lehramtskandidaten kopfschüttelnd als ›zu weit gehend‹ bezeichneten); es war alles an seinem Platz: das Foto des oldenburgischen

Mädchens, sie stand, auf ihr Fahrrad gelehnt, vor einer Birke; die Fotos von Leos Eltern; deren Bauernhof. Neben dem Schinken lag ein Zettel: ›Ich bin zum Divisionsstab versetzt, du hörst bald von mir, nimm den Schinken ganz, ich habe noch welchen. Leo.‹ Ich nahm nichts von dem Schinken, schloß den Spind wieder zu; ich hatte keinen Hunger, und auf dem Tisch waren die Rationen für zwei Tage gestapelt: Brote, Leberwurst in Büchsen, Butter, Käse, Marmelade und Zigaretten. Einer von den Lehramtskandidaten, der mir am wenigsten angenehme, verkündete, daß er zum Gefreiten befördert und für die Dauer von Leos Abwesenheit zum Stubenältesten ernannt sei; er fing an, die Rationen zu verteilen; es dauerte sehr lange; mich interessierten nur die Zigaretten, und die verteilte er zuletzt, weil er Nichtraucher war. Als ich die Zigaretten endlich hatte, riß ich die Packung auf, legte mich in den Kleidern aufs Bett und rauchte; ich sah den anderen zu, wie sie aßen. Sie schmierten sich die Leberwurst fingerdick aufs Brot und sprachen über die ›vorzügliche Qualität der Butter‹, dann zogen sie die Verdunkelungsrollos herunter und legten sich in die Betten; es war sehr heiß, aber ich hatte keine Lust, mich auszukleiden; die Sonne schien durch ein paar Ritzen ins Zimmer, und in einem dieser Lichtstreifen saß der zum Gefreiten Beförderte und nähte sich seinen Gefreitenwinkel an. Es ist gar nicht leicht, einen Gefreitenwinkel anzunähen: der muß in einem bestimmten, vorgeschriebenen Abstand von der Ärmelnaht sitzen, auch darf keine Verzerrung der beiden offenen Schenkel des Winkels entstehen; der Lehramtskandidat mußte den Winkel ein paarmal wieder abtrennen, er saß mindestens zwei Stunden lang da, trennte ab, nähte an, und es sah nicht so aus, als ob er die Geduld verlieren würde; draußen kam in Abständen von je vierzig Minuten die Musikkapelle vorbeimarschiert, und ich hörte das ›Muß i denn, muß i denn‹ von Block 7, Block 2, von Block 9, dann von den Pferdeställen her, näher kommen, sehr laut, dann wieder leiser werden; es dauerte fast genau drei ›Muß i denns‹

lang, bis der Gefreite seinen Winkel angenäht hatte, und er
saß immer noch nicht gerade; dann war ich mit meinen Zigaretten zu Ende und schlief ein.

Am Nachmittag brauchten wir weder Stiefel von Lastwagen auf Eisenbahnwaggons noch Heuballen von Eisenbahnwaggons auf Lastwagen zu laden; wir mußten dem Re-
gimentsbekleidungsfeldwebel helfen; er hielt sich für ein
Organisationsgenie; er hatte so viele Hilfskräfte angefor-
dert, wie Bekleidungs- und Ausrüstungsstücke auf der Liste
standen; nur für die Zeltbahnen brauchte er zwei und außerdem einen Schreiber. Die beiden mit den Zeltbahnen gingen
voran, legten säuberlich geradegezupft und ausgerichtet die
Zeltbahnen auf den Betonboden des Pferdestalls; sobald die
Zeltbahnen ausgebreitet waren, ging der erste los, legte auf
jede Zeltbahn zwei Kragenbinden; der zweite zwei Taschentücher, dann kam ich mit den Kochgeschirren, und während
alle Gegenstände, bei denen, wie der Feldwebel sagte, die
Maße keine Rolle spielen, verteilt wurden, bereitete er mit
dem intelligenteren Teil des Kommandos die Dinge vor, bei
denen die Maße eine Rolle spielten: Röcke, Stiefel, Hosen
und so weiter; er hatte ganze Stapel von Soldbüchern dort
liegen, suchte nach Körpergröße und Gewicht die Röcke,
Hosen und Stiefel heraus, und er schwor uns, daß alles passen müsse, »wenn nur die Scheißkerle im Zivilleben nicht
zu fett geworden sind«; es mußte alles sehr rasch gehen,
Zug um Zug, und es ging auch rasch, Zug um Zug, und
wenn alles ausgelegt war, kamen die Reservisten herein,
wurden vor ihre Zeltbahn geführt, banden deren Enden zusammen, nahmen ihr Bündel auf den Rücken und gingen
auf ihre Zimmer, um sich umzukleiden. Es kam sehr selten
vor, daß jemand etwas umtauschen mußte, und immer nur
dann, wenn einer im Zivilleben zu fett geworden war. Es
kam auch selten vor, daß irgendwo etwas fehlte: eine Schuhbürste oder ein Eßbesteck, und jedesmal stellte sich heraus,
daß ein anderer dann zwei Schuhbürsten oder zwei Eßbe-

stecke hatte, eine Tatsache, die dem Feldwebel seine Theorie bestätigte, daß wir nicht mechanisch genug arbeiteten, unser »Gehirn noch zu viel betätigten«. Ich betätigte mein Gehirn gar nicht, und so fehlte niemals jemand ein Kochgeschirr.

Während der erste der jeweils ausgestatteten Kompanie sein Bündel über die Schulter nahm, mußten die ersten von uns schon wieder die nächste Zeltbahn auslegen; es ging alles reibungslos; inzwischen saß der frisch beförderte Gefreite am Tisch und schrieb alles in die Soldbücher ein; er brauchte fast nur Einsen in die Soldbücher reinzuschreiben, nur bei den Kragenbinden, den Socken, den Taschentüchern, den Unterhemden und Unterhosen eine Zwei.

Es entstanden trotz allem tote Minuten, wie der Feldwebel sie nannte, die durften wir dazu benutzen, uns zu stärken; wir hockten in einer Pferdepflegerkoje, aßen Brote mit Leberwurst, manchmal Brote mit Käse oder Brote mit Marmelade, und wenn der Feldwebel selber einmal ein paar tote Minuten hatte, kam er zu uns und klärte uns auf über den Unterschied zwischen Dienstgrad und Dienststellung; er fand es ungeheuer interessant, daß er selbst Bekleidungsunteroffizier war – »das ist meine Dienststellung« – und doch im Rang eines Feldwebels stand, »das ist mein Dienstgrad«, so könnte zum Beispiel, sagte er, ein Gefreiter durchaus Bekleidungsunteroffizier sein, ja sogar ein einfacher Soldat; er konnte von dem Thema gar nicht genug kriegen und konstruierte dauernd neue Fälle, von denen einige eine fast schon hochverräterische Phantasie voraussetzten: »Es kann zum Beispiel durchaus vorkommen«, sagte er, »daß ein Gefreiter Kompaniechef wird, sogar Bataillonskommandeur.«

Zehn Stunden lang legte ich Kochgeschirre auf Zeltbahnen, schlief sechs Stunden und legte noch einmal zehn Stunden lang Kochgeschirre auf Zeltbahnen; dann schlief ich wieder sechs Stunden und hatte immer noch nichts von Leo gehört. Als die dritten zehn Stunden Kochgeschirrauslegen begannen, fing der Gefreite an, überall, wo eine Eins hätte stehen müssen, eine Zwei hinzuschreiben und überall, wo eine Zwei hätte stehen müssen, eine Eins. Er wurde abgelöst, mußte jetzt Kragenbinden auslegen, und der zweite Lehramtskandidat wurde zum Schreiber ernannt. Ich blieb auch während der dritten zehn Stunden bei den Kochgeschirren, der Feldwebel meinte, ich hätte mich überraschend gut bewährt.

Während der toten Minuten, wenn wir in den Kojen hockten und Brot mit Käse, Brot mit Marmelade, Brot mit Leberwurst aßen, wurden jetzt merkwürdige Gerüchte kolportiert. Eine Geschichte wurde von einem ziemlich berühmten, pensionierten General erzählt, der telefonisch Bescheid bekommen hatte, sich auf einer Hallig einzufinden, um dort ein besonders geheimes, besonders wichtiges Kommando zu übernehmen; der General hatte seine Uniform aus dem Schrank geholt, Frau, Kinder, Enkel geküßt, seinem Lieblingspferd einen Abschiedsklaps gegeben, war mit dem Zug zu irgendeiner Nordseestation gefahren, von dort mit einem gemieteten Motorboot zu jener Hallig; törichterweise hatte er das Motorboot zurückgeschickt, bevor er sich seines Kommandos vergewissert hatte; er war von der steigenden Flut abgeschnitten gewesen und hatte – so hieß es – den Halligbauern mit vorgehaltener Pistole gezwungen, ihn unter Lebensgefahr an Land zurückzurudern. Nachmittags hatte die Geschichte schon ihre Variante: da hatte im Boot zwischen General und Halligbauer eine Art Zweikampf stattgefunden, beide waren über Bord gespült worden und ertrunken. Unheimlich war mir, daß diese Geschichte – und einige andere – zwar als verbrecherisch, aber auch als komisch empfunden wurde, während ich sie weder als das eine noch als das andere empfand; ich konnte weder die düstere, anklägerische Vokabel Sabotage annehmen, die als eine Art moralischer Stimmgabel fungierte, noch konnte ich in das Lachen einstimmen oder mit ihnen grinsen. Der Krieg schien dem Komischen seine Komik zu nehmen.

Zu jeder anderen Zeit hätte ich die ›Muß i denns‹, die

meine Träume, meinen Schlaf und die wenigen wachen Minuten erfüllten, hätte auch die Unzähligen, die mit ihren Pappkartons von der Straßenbahn her in die Kaserne gerannt kamen und sie eine Stunde später mit ›Muß i denn‹ wieder verließen; sogar die Reden, die wir manchmal mit halbem Ohr hörten, Reden, in denen immer das Wort Zusammenschweißen vorkam – alles hätte ich als komisch empfunden, aber alles, was vorher komisch gewesen wäre, war nicht mehr komisch, und über das, was lächerlich gewesen wäre, konnte ich nicht mehr lachen oder lächeln; nicht einmal über den Feldwebel und nicht über den Gefreiten, dessen Winkel immer noch schief saß und der manchmal drei statt zwei Kragenbinden auf die Zeltbahnen legte.

Es war immer noch heiß, immer noch August, und daß dreimal sechzehn Stunden nur achtundvierzig sind, zwei Tage, zwei Nächte, wurde mir erst klar, als ich sonntags gegen elf wach wurde und zum ersten Mal, seitdem Leo versetzt war, wieder im Fenster liegen konnte; die Lehramtskandidaten waren schon in Ausgehuniform zum Kirchgang bereit und blickten mich halbwegs auffordernd an, aber ich sagte nur: »Geht schon, ich komme nach«, und es war deutlich zu merken, daß sie froh waren, endlich einmal ohne mich gehen zu können. Immer, wenn wir zur Kirche gegangen waren, hatten sie mich angeblickt, als hätten sie mich am liebsten exkommuniziert, weil irgend etwas an mir oder meiner Uniform ihnen nicht korrekt genug war: Schuhputz, Sitz der Kragenbinde, Koppel oder Haarschnitt; sie waren nicht als Mitsoldaten über mich empört (wozu sie objektiv meinetwegen ein Recht gehabt hätten), sondern als Katholiken; es wäre ihnen lieber gewesen, wenn ich gar nicht auf so eindeutige Weise bekundet hätte, daß wir tatsächlich in ein und dieselbe Kirche gingen; es war ihnen peinlich, aber sie konnten einfach nichts machen, weil ich im Soldbuch stehen hatte: r. k.

An diesem Sonntag waren sie so froh, daß sie ohne mich gehen konnten, daß ichs ihnen direkt ansah, wie sie da sauber, aufrecht und flink an der Kaserne vorbei in die Stadt marschierten. Manchmal, wenn ich Anfälle von Mitgefühl für sie hatte, pries ich sie glücklich darum, daß Leo Protestant war; ich glaube, sie hättens einfach nicht ertragen, wenn Leo auch noch katholisch gewesen wäre.

Der Kaufmannsgehilfe und der Krankenpfleger schliefen noch; wir brauchten erst nachmittags um drei wieder im Pferdestall zu sein. Ich blieb noch eine Weile im Fenster liegen, bis es Zeit war, zu gehen, um rechtzeitig nach der Predigt in die Kirche zu kommen. Dann, während ich mich anzog, öffnete ich noch einmal Leos Spind und erschrak: er war leer, bis auf einen Zettel und ein großes Stück Schinken; Leo hatte den Spind nur wieder abgeschlossen, damit ich den Zettel und den Schinken finden sollte. Auf dem Zettel stand: ›Sie haben mich geschnappt und nach Polen geschickt – du hast doch von mir gehört?‹ Ich steckte den Zettel ein, schloß den Spind wieder ab und zog mich fertig an; ich war ganz benommen, als ich in die Stadt ging, in die Kirche trat, und nicht einmal die Blicke der drei Lehramtskandidaten, die sich nach mir umsahen, sich dann kopfschüttelnd wieder dem Altar zuwandten, weckten mich richtig auf. Wahrscheinlich hatten sie rasch feststellen wollen, ob ich nicht doch *nach* Beginn der Opferung gekommen war, und wollten meine Exkommunikation beantragen; aber ich war wirklich *vor* der Opferung gekommen, sie konnten nichts machen, ich wollte auch gern katholisch bleiben. Ich dachte an Leo und hatte Angst, ich dachte auch an das Mädchen in Köln und kam mir ein bißchen gemein vor, aber ich war ganz sicher, daß ihre Stimme nach Ehe geklungen hatte. Um meine Zimmergenossen zu ärgern, öffnete ich noch in der Kirche meinen Kragen.

Nach der Messe lehnte ich mich draußen an die Kirchenmauer in einer schattigen Ecke zwischen Sakristei und Ausgang, nahm meine Mütze ab, steckte mir eine Zigarette an und ließ die Gläubigen an mir vorüberziehen; ich dachte darüber nach, wie ich wohl an ein Mädchen käme, mit dem ich spazierengehen, Kaffee trinken und vielleicht ins Kino gehen könnte; ich hatte noch drei Stunden Zeit, bis ich wieder Kochgeschirre auf Zeltbahnen legen mußte. Ich wünschte, das Mädchen sollte nicht allzu albern und ein bißchen hübsch sein. Ich dachte auch an mein Mittagessen in der Kaserne, das jetzt verfiel, und daß ich vielleicht doch dem Kaufmannsgehilfen hätte sagen sollen, er könnte sich mein Kotelett und den Nachtisch holen.

Ich stand zwei Zigaretten lang da, sah, wie die Gläubigen in Gruppen stehenblieben, sich wieder trennten, und als ich eben die dritte Zigarette an der zweiten anzündete, fiel ein Schatten von der Seite über mich, und als ich nach rechts blickte, sah ich, daß die Person, die den Schatten warf, noch schwärzer war als der Schatten selbst: es war der Kaplan, der die Messe gelesen hatte. Er sah sehr freundlich aus, noch nicht alt, vielleicht gerade dreißig, blond und ein kleines bißchen zu gut ernährt. Er blickte zuerst auf meinen offenen Kragen, dann auf meine Stiefel, dann auf meinen unbedeckten Kopf und schließlich auf meine Mütze, die ich neben mir auf einen Sockel gelegt hatte, von dem herunter sie auf das Pflaster gerutscht war; zuletzt blickte er auf meine Zigarette, dann in mein Gesicht, und ich hatte den Eindruck, daß alles, was er sah, ihm sehr mißfiel. »Was ist denn los?« sagte er schließlich, »haben Sie Sorgen?« Und als ich noch kaum als Antwort auf diese Frage genickt hatte, sagte er: »Beichten?« Verdammt, dachte ich, die haben nichts als Beichten im Kopf und auch davon nur einen bestimmten Teil. »Nein«, sagte ich, »beichten will ich nicht.« – »Also?« sagte er, »was haben Sie denn auf dem Herzen?« Es klang so, daß er statt Herz genausogut hätte Darm sagen können. Er war offenbar sehr ungeduldig, blickte auf meine Mütze, und ich spürte, daß es ihn ärgerte, daß ich die Mütze noch nicht aufgehoben hatte. Ich hätte seine Ungeduld gerne in Geduld verwandelt, aber schließlich hatte ja nicht ich ihn, sondern er mich angesprochen, und so fragte ich – dummerweise stockend –, ob

er nicht ein nettes Mädchen wüßte, das mit mir spazierengehen, Kaffee trinken und vielleicht am Abend ins Kino
gehen würde; sie brauche nicht gerade eine Schönheitsköni-
gin zu sein, aber doch ein bißchen hübsch und möglichst
nicht aus gutem Hause, denn diese Mädchen seien meistens
so albern. Ich könnte ihm die Adresse eines Kaplans in Köln
geben, wo er sich erkundigen, den er notfalls anrufen könne,
um sich zu vergewissern, daß ich aus gutkatholischem Haus
sei. Ich sprach viel, zuletzt etwas flüssiger, und beobachtete,
wie sein Gesicht sich veränderte: zuerst war es fast milde, es
war nahe daran, fast lieb auszusehen, das war im Anfangs-
stadium, wo er mich noch für einen besonders interessanten,
vielleicht sogar liebenswürdigen Fall von Schwachsinn hielt
und mich psychologisch ganz belustigend fand. Die Über-
gänge von milde zu fast lieb, von fast lieb zu belustigt waren
nur sehr schwer festzustellen, aber dann wurde er ganz
plötzlich – und zwar in dem Augenblick, als ich von den
körperlichen Vorzügen, die das Mädchen haben sollte,
sprach – knallrot vor Wut. Ich erschrak, denn meine Mutter
hatte mir einmal gesagt, daß es schlimm ist, wenn überer-
nährte Leute plötzlich knallrot im Gesicht werden. Dann
fing er an, mich anzubrüllen, und Brüllen hat mich immer
schon in gereizte Stimmung versetzt. Er brüllte, wie schlam-
pig ich aussähe, mit offener ›Feldbluse‹, ungeputzten Stiefeln, die Mütze neben mir ›im Dreck, ja im Dreck‹, und wie
haltlos ich sei, eine Zigarette nach der anderen zu rauchen,
und ob ich vielleicht einen katholischen Priester mit einem
Kuppler verwechsle. In meiner Gereiztheit hatte ich schon
längst keine Angst mehr um ihn, ich war nur noch wütend.
Ich fragte ihn, was ihn denn meine Kragenbinde, meine Stiefel, meine Mütze angingen, ob er wohl glaube, er müsse meinen Unteroffizier vertreten, und: »Überhaupt«, sagte ich,
»da sagt ihr dauernd, man soll mit seinen Sorgen zu euch
kommen, und wenn man euch seine Sorgen erzählt, werdet
ihr wütend.« – »Euch, ihr?« sagte er keuchend vor Wut,
»haben wir vielleicht Brüderschaft getrunken?« – »Nein«,

sagte ich, »getrunken haben wir sie nicht«, aber er hatte natürlich von Theologie keine Ahnung. Ich hob meine Mütze auf, setzte sie, ohne sie anzusehen, auf den Kopf und ging quer über den Kirchplatz weg. Er rief mir nach, ich solle doch wenigstens die Kragenbinde zumachen, und ich solle doch nicht so verstockt sein; ich war nahe daran, mich umzudrehen und ihm zuzubrüllen, *er* sei verstockt, aber dann erinnerte ich mich daran, daß meine Mutter mir gesagt hatte, man könne einem Priester schon die Wahrheit sagen, müsse aber möglichst Frechheiten vermeiden – und so ging ich, ohne mich noch einmal umzudrehen, in die Stadt. Ich ließ die Kragenbinde einfach weiter baumeln und dachte über die Katholiken nach; es war Krieg, aber sie blickten einem zuerst auf die Kragenbinde, dann auf die Stiefel. Sie sagten, man solle ihnen seine Sorgen erzählen, und wenn man sie ihnen erzählte, wurden sie wütend.

Ich ging langsam durch die Stadt, auf der Suche nach einem Café, in dem ich niemand hätte grüßen müssen; die blöde Grüßerei verdarb mir die ganze Lust am Café; ich blickte alle Mädchen an, die mir begegneten, ich blickte ihnen auch nach, sogar auf die Beine, aber es war keine darunter, deren Stimme nicht nach Ehe geklungen hätte. Ich war verzweifelt, ich dachte an Leo, an das Mädchen in Köln, ich war drauf und dran, ihr ein Telegramm zu schicken; ich war fast bereit, eine Ehe zu riskieren, nur, um mit einem Mädchen mal allein zu sein. Ich blieb vor dem Schaufenster eines Fotoateliers stehen, um in Ruhe über Leo nachzudenken. Ich hatte Angst um ihn. Im Schaufenster sah ich mich da stehen – mit der offenen Kragenbinde und den stumpf-schwarzen Stiefeln, hob schon die Hände, um den Kragen zuzuknöpfen, aber dann fand ich es doch zu lästig und ließ die Hände wieder sinken. Die Fotos im Schaufenster des Ateliers waren sehr deprimierend. Es hingen fast nur Soldaten in Ausgehuniform da; manche hatten sich sogar im Stahlhelm fotografieren lassen, und ich überlegte gerade, ob

ich die mit Stahlhelm deprimierender fand als die mit Schirm-
mütze, da trat ein Feldwebel mit einem gerahmten Foto aus
dem Laden; das Foto war ziemlich groß, mindestens sechzig
mal achtzig Zentimeter, der Rahmen war silbrig lackiert,
und das Foto zeigte den Feldwebel in Ausgehuniform und
Stahlhelm; er war noch jung, nicht viel älter als ich, höchstens einundzwanzig; er wollte erst an mir vorbeigehen,
stutzte dann, blieb stehen, und ich zögerte noch, ob ich die
Hand hochheben und ihn grüßen sollte, da sagte er: »Laß
nur – aber die Kragenbinde würde ich doch zuknöpfen, auch
die Feldbluse, es könnte einer kommen, der es genauer
nimmt als ich.« Dann lachte er und ging weg, und seit diesem
Vorfall ziehe ich die, die sich im Stahlhelm fotografieren
lassen (relativ natürlich), denen vor, die sich in Schirm-
mützen fotografieren lassen.

Leo wäre der richtige gewesen, mit mir vor dem Fotoladen zu stehen und die Bilder anzusehen; es waren auch
Brautpaare zu sehen, Erstkommunikanten und farbentragende Studenten mit Schleifen um den Bauch und Bier-
zipfeln, und ich überlegte lange, warum sie wohl keine
Schleife im Haar trugen; das hätte manchen von ihnen gar
nicht übel gestanden. Ich brauchte Gesellschaft und hatte
keine.

Wahrscheinlich hatte der Kaplan geglaubt, ich litte an
sexueller Not oder ich sei ein antiklerikaler Nazi; aber ich litt
weder an sexueller Not noch war ich antiklerikal oder ein
Nazi. Ich brauchte einfach Gesellschaft und keine männliche,
und das war so einfach, daß es wahnsinnig kompliziert war;
es gab ja auch leichte Mädchen in der Stadt, sogar käufliche
(es war eine katholische Stadt), aber die leichten und die
käuflichen Mädchen waren auch immer gleich beleidigt,
wenn man nicht an sexueller Not litt.

Ich blieb lange vor dem Fotoladen stehen; bis auf den
heutigen Tag sehe ich mir in fremden Städten immer die
Fotoläden an; es ist so ziemlich überall gleich und überall
gleich deprimierend, obwohl es nicht überall farbentragende

Studenten gibt. Es war schon fast eins, als ich endlich weiter-
ging, auf der Suche nach einem Café, wo ich niemand hätte
zu grüßen brauchen, aber in allen Cafés saßen sie mit ihren
Uniformen herum, und es endete damit, daß ich doch ins
Kino ging, in die erste Vorstellung um Viertel nach eins. Ich
erinnere mich nur der Wochenschau: sehr unedel aussehende
Polen malträtierten sehr edel aussehende Deutsche; es war
so leer im Kino, daß ich ungefährdet während der Vorstellung rauchen konnte; es war heiß am letzten Sonntag im
August 1939.

   Als ich in die Kaserne zurückkam, war es längst drei vorüber; aus irgendeinem Grund war der Befehl, um drei wieder
Zeltbahnen auszulegen, Kochgeschirre und Kragenbinden
draufzulegen, widerrufen worden; ich kam noch rechtzeitig,
um mich umzuziehen, Brot mit Leberwurst zu essen, ein
paar Minuten im Fenster zu liegen, Bruchstücke des Ge-
sprächs über Ernst Jünger, des anderen über den weiblichen
Körper zu hören; beide Gespräche waren noch ernster, noch
langweiliger geworden; der Krankenpfleger und der Kaufmannsgehilfe flochten jetzt sogar lateinische Ausdrücke in
ihre Betrachtungen ein, und das machte die Sache noch
widerwärtiger, als sie ohnehin schon war.
   Um vier wurden wir rausgerufen, und ich hatte schon geglaubt, wir würden wieder Stiefel von Lastwagen auf Waggons oder von Waggons auf Lastwagen laden, aber diesmal
luden wir Persilkartons, die in der Turnhalle gestapelt waren,
auf Lastwagen, und von den Lastwagen luden wir sie in die
Halle des Paketpostamts, wo sie wieder gestapelt wurden.
Die Persilkartons waren nicht schwer, die Adressen drauf
waren maschinegeschrieben; wir bildeten eine Kette, und so
wanderte Karton um Karton durch meine Hände; wir machten das den ganzen Sonntagnachmittag bis spät in die Nacht
hinein, und es gab kaum tote Minuten, in denen wir etwas
hätten essen können; wenn ein Lastwagen vollgeladen war,
fuhren wir zur Hauptpost, bildeten wieder eine Kette und

luden die Kartons ab. Manchmal überholten wir eine Muß-i-denn-Kolonne oder begegneten einer; sie hatten inzwischen drei Musikkapellen, und es ging alles rascher. Es war schon spät, nach Mitternacht, als wir die letzten Kartons weggebracht hatten – und meine Hände erinnerten sich der Anzahl der Kochgeschirre und stellten nur eine geringe Differenz zwischen Persilkartons und Kochgeschirren fest.

Ich war sehr müde und wollte mich in den Kleidern aufs Bett werfen, aber es lag wieder ein großer Haufen Brot und Leberwurstbüchsen, Marmelade und Butter auf dem Tisch, und die anderen bestanden darauf, daß er verteilt werde; ich wollte nur die Zigaretten, und ich mußte warten, bis alles genau verteilt war, denn der Gefreite verteilte natürlich die Zigaretten wieder zuletzt; er machte besonders langsam, vielleicht, um mich zu Maß und Zucht zu erziehen und um mir seine Verachtung über meine Gier zu bekunden; als ich endlich die Zigaretten hatte, legte ich mich in den Kleidern aufs Bett und rauchte und sah ihnen zu, wie sie sich ihre Leberwurstbrote schmierten, hörte, wie sie die vorzügliche Qualität der Butter lobten und sich auf eine sehr gemäßigte Weise darüber stritten, ob die Marmelade aus Erdbeeren, Äpfeln und Aprikosen oder ob sie nur aus Erdbeeren und Äpfeln sei. Sie aßen sehr lange, und ich konnte nicht einschlafen; dann hörte ich Schritte über den Flur kommen und wußte, daß sie mir galten: ich hatte Angst und war doch erleichtert, und es war merkwürdig, daß sie alle, die am Tisch saßen, der Kaufmannsgehilfe, der Krankenpfleger und die drei Lehramtskandidaten, im Kauen innehielten und auf mich blickten, während die Schritte näher kamen; jetzt hielt es der Gefreite für angebracht, mich anzubrüllen; er stand auf und schrie: »Verflucht, ziehen Sie doch die Stiefel aus, wenn Sie sich aufs Bett legen.«

Es gibt Dinge, die man nicht glauben will, und ich glaube es bis heute nicht, obwohl meine Ohren sich gut erinnern, daß er mit einemmal Sie zu mir sagte; mir wärs überhaupt lieber gewesen, wenn wir von vornherein Sie zueinander gesagt hätten, aber dieses plötzliche Sie klang so komisch, daß ich zum ersten Mal, seitdem Krieg war, wieder lachen mußte. Inzwischen war die Zimmertür aufgerissen worden, und der Kompanieschreiber stand schon vor meinem Bett; er war ganz aufgeregt, und vor lauter Aufregung brüllte er mich, obwohl er Unteroffizier war, nicht an, weil ich in Stiefeln und Kleidern rauchend auf dem Bett lag. Er sagte: »Sie, in zwanzig Minuten feldmarschmäßig in Block vier, verstanden?« Ich sagte: »Ja« und stand auf. Er sagte noch: »Melden Sie sich dort beim Hauptfeldwebel«, und ich sagte wieder ja und fing an, meinen Schrank auszuräumen. Ich hatte gar nicht gemerkt, daß der Kompanieschreiber noch im Zimmer war; ich steckte gerade das Foto des Mädchens in meine Hosentasche, da hörte ich ihn sagen: »Es ist eine traurige Mitteilung, die ich Ihnen machen muß, traurig, und doch ein Grund, stolz zu sein; der erste Gefallene des Regiments war Ihr Stubenkamerad Unteroffizier Leo Siemers.« Ich hatte mich während der letzten Hälfte des Satzes umgedreht, und sie alle, auch der Unteroffizier, blickten mich jetzt an; ich war ganz blaß geworden, und ich wußte nicht, ob ich wütend oder still sein sollte; dann sagte ich leise: »Es ist ja noch gar kein Krieg erklärt, er kann ja gar nicht gefallen sein – und er wäre auch nicht gefallen«, und ich brüllte plötzlich: »Leo fällt nicht, er nicht ... ihr wißt es genau.« Keiner sagte etwas, auch der Unteroffizier nicht, und während ich meinen Schrank ausräumte und den vorgeschriebenen Krempel in meinen Tornister packte, hörte ich, daß er das Zimmer verließ. Ich packte das ganze Zeug auf dem Schemel zusammen, damit ich mich nicht umzudrehen brauchte; von den anderen hörte ich nichts, ich hörte sie nicht einmal kauen. Ich hatte das Zeug sehr schnell gepackt; das Brot, die Leberwurst, den Käse und die Butter ließ ich im Schrank und schloß ihn ab. Als ich mich umdrehen mußte, sah ich, daß es ihnen gelungen war, lautlos in die Betten zu kommen; ich warf dem Kaufmannsgehilfen meinen Schrankschlüssel aufs

Bett und sagte: »Räum alles raus, was noch drin ist, es gehört dir.« Er war mir zwar unsympathisch, aber von den fünfen doch der Sympathischste; später tat es mir leid, daß ich doch nicht ganz wortlos gegangen war, aber ich war noch nicht zwanzig Jahre alt. Ich knallte die Tür zu, nahm draußen mein Gewehr vom Ständer, ging die Treppe hinunter und sah unten auf der Uhr an der Schreibstube, daß es schon fast drei war. Es war still und immer noch warm an diesem letzten Montag des Augusts 1939. Ich warf den Schlüssel von Leos Spind irgendwo auf den Kasernenhof, als ich zu Block vier hinüberging. Sie standen schon alle da, die Musikkapelle schwenkte schon vor die Kompanie, und irgendein Offizier, der die Zusammenschweißrede gehalten hatte, ging gerade quer über den Hof, er nahm seine Mütze ab, wischte sich den Schweiß von der Stirn und setzte die Mütze wieder auf. Er erinnerte mich an einen Straßenbahner, der an der Endstation seine Pause macht.

Der Hauptfeldwebel kam auf mich zu und sagte: »Sind Sie der Mann vom Stab?«, und ich sagte: »Ja.« Er nickte; er sah bleich aus und sehr jung, ein bißchen ratlos; ich blickte an ihm vorbei auf die dunkle, kaum erkennbare Masse; ich konnte nur die blinkenden Trompeten der Musikkapelle erkennen. »Sie sind nicht zufällig Telefonist?« fragte der Hauptfeldwebel, »es ist nämlich einer ausgefallen.« – »Doch«, sagte ich rasch und mit einer Begeisterung, die ihm überraschend vorzukommen schien, denn er blickte mich fragend an. »Doch«, sagte ich, »ich bin praktisch zum Telefonisten ausgebildet.« – »Gut«, sagte er, »Sie kommen mir wie gerufen, reihen Sie sich irgendwo am Ende ein, unterwegs wird sich alles klären.« Ich ging nach rechts hinüber, wo das dunkle Grau ein wenig heller wurde; beim Näherkommen erkannte ich sogar Gesichter. Ich stellte mich ans Ende der Kompanie. Irgend jemand schrie: »Rechtsum – im Gleichschritt marsch!«, und ich hatte kaum meinen Fuß hochgehoben, da stimmten sie ihr ›Muß i denn‹ schon an.

Es wurde gerade hell, als wir an die deutsche Grenze kamen: links ein breiter Fluß, rechts ein Wald, an dessen Rändern man sogar erkannte, wie tief er war; es wurde still im Waggon; langsam fuhr der Zug über zurechtgeflickte Gleise, an zerschossenen Häusern vorbei, zersplitterten Telegrafenmasten. Der Kleine, der neben mir hockte, nahm seine Brille ab und putzte sie sorgfältig.

»Mein Gott«, flüsterte er mir zu, »hast du die geringste Ahnung, wo wir sind?«

»Ja«, sagte ich, »der Fluß, den du eben gesehen hast, heißt bei uns Rhein, der Wald, den du da rechts siehst, heißt Reichswald – und jetzt kommt Kleve.«

»Bist du von hier?«

»Nein.« Er war mir lästig; die ganze Nacht hindurch hatte er mich mit seiner dünnen Primanerstimme verrückt gemacht, mir erzählt, wie er heimlich Brecht gelesen habe, Tucholsky, Walter Benjamin, auch Proust und Karl Kraus; daß er Soziologie studieren wolle, auch Theologie, und mithelfen würde, Deutschland eine neue Ordnung zu geben, und als wir dann im Morgendämmer in Nijmwegen hielten und irgend jemand sagte, jetzt komme die deutsche Grenze, hatte er ängstlich rundgefragt, ob jemand Garn gegen zwei Zigarettenstummel tausche, und als niemand sich meldete, hatte ich mich erboten, meine Kragenembleme, die – glaube ich – Spiegel genannt wurden, abzureißen und in dunkelgrünes Garn zu verwandeln; ich zog den Rock aus und sah ihm zu, wie er sorgfältig mit einem Stück Blech die Dinger abtrennte, sie dann auseinanderzupfte und dann tatsächlich anfing, sich damit seine Fahnenjunkerlitzen um die Schulterklappen herum anzunähen. Ich fragte ihn, ob ich diese Näharbeit auf den Einfluß von Brecht, Tucholsky, Benjamin oder Karl Kraus zurückführen dürfe oder ob es vielleicht ein un-

27

eingestandener Einfluß von Jünger sei, der ihn veranlasse, mit des Däumerlings Waffe seinen Rang wiederherzustellen; er war rot geworden und hatte gesagt, mit Jünger wäre er fertig, habe er abgerechnet; nun, als wir in Kleve einfuhren, unterbrach er seine Näharbeit, hockte neben mir, mit des Däumerlings Waffe in der Hand.

»Zu Kleve fällt mir nichts ein«, sagte er, »gar nichts. Dir?«

»Ja«, sagte ich, »Lohengrin, die Margarinemarke ›Schwan im Blauband‹ und Anna von Cleve, eine der Frauen Heinrichs des Achten –«

»Tatsächlich«, sagte er, »Lohengrin – aber wir aßen zu Hause Sanella. Willst du die Stummel nicht haben?«

»Nein«, sagte ich, »nimm sie deinem Vater mit. Ich hoffe, er wird dich ohrfeigen, wenn du mit den Litzen auf der Schulter nach Hause kommst.«

»Das verstehst du nicht«, sagte er, »Preußen, Kleist, Frankfurt/Oder, Potsdam, Prinz von Homburg, Berlin.«

»Nun«, sagte ich, »Kleve war, glaube ich, ziemlich früh schon preußisch – und irgendwo drüben auf der anderen Rheinseite liegt eine kleine Stadt, die Wesel heißt.«

»Gott ja«, sagte er, »natürlich, Schill.«

»Über den Rhein sind die Preußen nie so recht rübergekommen«, sagte ich, »sie hatten nur zwei Brückenköpfe: Bonn und Koblenz.«

»Preußen«, sagte er.

»Blomberg«, sagte ich. »Brauchst du noch Garn?« Er wurde rot und schwieg.

Der Zug fuhr langsam, alle drängten sich an die offene Waggontür und blickten auf Kleve; englische Posten auf dem Bahnhof: lässig und zäh, gleichgültig und doch wachsam: noch waren wir Gefangene; an der Straße ein Schild: nach Köln. Lohengrins Burg oben zwischen herbstlichen Bäumen. Oktober am Niederrhein, holländischer Himmel; die Kusinen in Xanten, die Tanten in Kevelaer; der breite Dialekt und das Schmugglergeflüster in den Kneipen; Martinszüge, Weckmänner, Breughelscher Karneval, und überall roch es, auch wenn es nicht danach roch, nach Printen.

»Versteh mich doch«, sagte der Kleine neben mir.

»Laß mich in Ruhe«, sagte ich; obwohl er noch gar kein Mann war, er würde wohl bald einer sein, und deshalb haßte ich ihn; er war beleidigt und hockte sich hin, um die letzten Stiche an seinen Litzen zu tun; ich hatte nicht einmal Mitleid mit ihm: ungeschickt, mit blutverschmiertem Daumen, bohrte er die Nadel in das blaue Tuch seiner Fliegerjacke; seine Brillengläser waren so beschlagen, daß ich nicht feststellen konnte, ob er weinte oder ob es nur so schien; auch ich war nahe am Weinen: in zwei Stunden, höchstens drei, mußten wir in Köln sein, und von dort aus war es nicht weit bis zu der, die ich geheiratet, deren Stimme nie nach Ehe geklungen hatte.

Die Frau kam plötzlich hinter dem Güterschuppen heraus, und bevor die Posten zur Besinnung gekommen waren, stand sie schon vor unserem Waggon und wickelte aus dem blauen Tuch aus, was ich zunächst für ein Kind gehalten hatte: ein Brot; sie reichte es mir, und ich nahm es; es war schwer, ich wankte einen Augenblick lang und fiel fast vornüber aus dem anfahrenden Zug; das Brot war dunkel, noch warm, und ich wollte ›danke, danke‹ rufen, aber das Wort kam mir zu dumm vor, und der Zug fuhr jetzt schneller, und so blieb ich knien mit dem schweren Brot im Arm; bis heute weiß ich nicht mehr von der Frau, als daß sie ein dunkles Kopftuch trug und nicht mehr jung war.

Als ich mit dem Brot im Arm aufstand, war es noch stiller im Waggon als vorher; sie blickten alle auf das Brot, das unter ihren Blicken immer schwerer wurde; ich kannte diese Augen, kannte die Münder, die zu diesen Augen gehörten, und ich hatte monatelang darüber nachgedacht, wo die Grenze zwischen Haß und Verachtung verläuft, und hatte die Grenze nicht gefunden; eine Zeitlang hatte ich sie in Annäher und Nichtannäher eingeteilt, als wir von einem amerikanischen Lager (wo das Tragen von Rangabzeichen verboten war) in ein englisches (wo das Tragen von Rangabzeichen erlaubt war) überstellt worden waren, und mit den Nichtannähern hatte mich eine gewisse Sympathie verbunden, bis ich feststellte, daß sie gar keine Ränge gehabt hatten, deren Zeichen sie hätten annähen können; einer von ihnen, Egelhecht, hatte sogar versucht, eine Art Ehrengericht zusammenzutrommeln, das mir die Eigenschaft, ein Deutscher zu sein, hätte absprechen sollen (und ich hatte mir gewünscht, dieses Gericht, das nie zusammentrat, hätte die Macht gehabt, mir diese Eigenschaft tatsächlich abzusprechen). Was sie nicht wußten, war, daß ich sie, die Nazis und Nichtnazis, nicht wegen ihrer Näherei und ihrer politischen Ansichten haßte, sondern weil sie Männer waren, Männer, vom gleichen Geschlecht wie die, mit denen ich sechs Jahre lang zusammen hatte sein müssen; die Begriffe Mann und dumm waren für mich fast identisch geworden.

Im Hintergrund sagte Egelhechts Stimme: »Das erste deutsche Brot – und ausgerechnet er bekommt es.«

Seine Stimme war nahe am Schluchzen, auch ich war nahe dran, aber die würden nie verstehen, daß es nicht nur wegen des Brotes war, nicht nur, weil wir die deutsche Grenze nun überschritten hatten, hauptsächlich deshalb, weil ich zum ersten Mal seit acht Monaten für einen Augenblick die Hand einer Frau auf meinem Arm gespürt hatte.

»Du«, sagte Egelhecht leise, »wirst wahrscheinlich sogar dem Brot noch die Eigenschaft absprechen, deutsch zu sein.«

»Ja«, sagte ich, »ich werde einen typischen Intellektuellentrick anwenden und mich fragen, ob das Mehl, aus dem dieses Brot gebacken worden ist, nicht vielleicht holländischer, englischer oder amerikanischer Herkunft ist. Komm her«, sagte ich, »teil es, wenn du Lust hast.«

Die meisten von ihnen haßte ich, viele waren mir gleichgültig, und der Däumerling, der sich nun als letzter an die Annäherfront begeben hatte, fing an, mir lästig zu werden, und doch schien es mir angebracht, dieses Brot mit ihnen zu teilen, ich war sicher, daß es nicht für mich allein bestimmt gewesen war.

Egelhecht kam langsam nach vorn: er war groß und mager, so groß und so mager wie ich, und er war sechsundzwanzig Jahre alt, so alt wie ich; er hatte mir drei Monate lang klarzumachen versucht, daß ein Nationalist kein Nazi sei, daß die Worte Ehre, Treue, Vaterland, Anstand nie ihren Wert verlieren könnten – und ich hatte seinem gewaltigen Wortaufwand immer nur fünf Worte entgegengesetzt: Wilhelm II., Papen, Hindenburg, Blomberg, Keitel, und es hatte ihn rasend gemacht, daß ich nie von Hitler sprach, auch nicht, als am 1. Mai der Posten durchs Lager lief und durch einen Schalltrichter ausposaunte: »Hitler is dead, dead is he.«

»Los«, sagte ich, »teil das Brot.«

»Abzählen«, sagte Egelhecht. Ich gab ihm das Brot, er zog seinen Mantel aus, legte ihn mit dem Futter nach oben auf den Boden des Waggons, zog das Futter glatt, legte das Brot drauf, während rings um uns abgezählt wurde. »Zweiunddreißig«, sagte der Däumerling, dann blieb es still. »Zweiunddreißig«, sagte Egelhecht und blickte mich an, der ich hätte dreiunddreißig sagen müssen; aber ich sagte die Zahl nicht, wandte mich ab und blickte nach draußen: die Landstraße mit den alten Bäumen: Napoleons Pappeln, Napoleons Ulmen, unter denen ich mit meinem Bruder gerastet hatte, wenn wir von Weeze mit den Rädern an die holländische Grenze fuhren, um billig Schokolade und Zigaretten zu kaufen.

Ich spürte, daß die hinter mir furchtbar beleidigt waren; ich sah die gelben Schilder an der Straße: nach Kalkar, nach Xanten, nach Geldern, hörte hinter mir die Geräusche von Egelhechts Blechmesser, spürte, wie das Beleidigtsein wie eine dicke Wolke anwuchs; sie waren immer aus irgendeinem Grund beleidigt, sie waren es, wenn ihnen ein englischer Posten eine Zigarette schenken wollte, und sie waren beleidigt, wenn er ihnen keine schenken wollte; sie waren

beleidigt, wenn ich auf Hitler schimpfte, und Egelhecht war
tödlich beleidigt, wenn ich nicht auf Hitler schimpfte, der
Däumerling hatte heimlich Benjamin und Brecht, Proust,
Tucholsky und Karl Kraus gelesen, und als wir über die deutsche Grenze fuhren, nähte er sich seine Fahnenjunkerlitzen an.
Ich zog die Zigarette aus der Tasche, die ich für meinen
Stabsgefreitenwinkel bekommen hatte, drehte mich um und
setzte mich neben den Däumerling. Ich sah zu, wie Egelhecht das Brot teilte: halbiert, dann die Hälften geviertelt,
jedes Viertel wieder in acht Teile. So würde für jeden ein
schöner dicker Brocken herausspringen, ein dunkler Brot-
würfel, den ich auf sechzig Gramm schätzte.

Egelhecht war jetzt dabei, das letzte Achtel zu vierteln,
und jeder, jeder wußte, daß die, die Mittelscheiben bekamen,
mindestens zehn bis fünf Gramm mehr bekommen würden,
weil das Brot in der Mitte gewölbt gewesen war und Egelhecht die Scheiben gleich dick geschnitten hatte. Dann aber
schnitt er die Wölbung der beiden Mittelscheiben ab und
sagte: »Dreiunddreißig – der Jüngste fängt an.« Der Däumerling blickte mich an, wurde rot, beugte sich rüber, nahm
ein Stück Brot und steckte es sofort in den Mund; es ging
alles reibungslos, bis Bouvier, der immer von seinen Flug-
zeugen gesprochen und mich halb verrückt damit gemacht
hatte, sein Stück Brot genommen hatte; jetzt wäre ich an der
Reihe gewesen, nach mir Egelhecht, aber ich rührte mich
nicht. Ich hätte die Zigarette gern angezündet, aber ich hatte
keine Hölzer, und niemand bot mir eins an. Die ihr Brot
schon hatten, hielten erschrocken im Kauen inne; die ihr
Brot noch nicht hatten, wußten gar nicht, was vor sich ging,
und begriffen doch: ich wollte das Brot nicht mit ihnen teilen; sie waren beleidigt, während die anderen (die ihr Brot
schon hatten) nur verlegen waren; ich versuchte nach draußen zu sehen: auf Napoleons Pappeln, Napoleons Ulmen, auf
diese lückenhafte Allee, in deren Lücken holländischer
Himmel hing, aber dieser Versuch, mich unbeteiligt zu geben, mißlang; ich hatte Angst vor der Schlägerei, die jetzt

kommen mußte; ich war kein guter Raufer, und selbst wenn ichs gewesen wäre, es hätte nicht viel geholfen, sie hätten mich zusammengeschlagen wie damals in dem Lager bei Brüssel, als ich gesagt hatte, ich wäre lieber ein toter Jude als ein lebender Deutscher. Ich nahm die Zigarette aus dem Mund, teils, weil sie mir lächerlich vorkam, teils, weil ich sie heil durch die Schlägerei bringen wollte, und ich blickte auf den Däumerling, der mit knallrotem Kopf neben mir hockte. Dann nahm Gugeler, der nach Egelhecht an der Reihe gewesen wäre, sein Stück Brot, steckte es sofort in den Mund, und die anderen nahmen ihres; es waren noch drei Stücke Brot da, als der nach vorne kam, den ich noch gar nicht richtig kannte; er war erst in dem Lager bei Brüssel in unser Zelt gekommen; er war schon alt, fast fünfzig, klein, mit einem dunklen, narbigen Gesicht, und er hatte, wenn wir anfingen, uns zu streiten, nie etwas gesagt, er war aus dem Zelt hinausgegangen und am Stacheldrahtzaun entlanggelaufen wie einer, der diese Art von Herumlaufen kennt. Ich kannte nicht einmal seinen Vornamen; er trug irgendeine sehr verbliebene Tropenuniform und ganz zivile Halbschuhe. Er kam aus dem Hintergrund des Waggons direkt auf mich zu, blieb vor mir stehen und sagte mit einer überraschend sanften Stimme: »Nimm das Brot« – und als ichs nicht nahm, schüttelte er den Kopf und sagte: »Ihr habt ein verteufeltes Genie, aus allem eine symbolische Handlung zu machen. Es ist Brot, nichts als Brot, und die Frau hat es dir geschenkt, die Frau – komm.« Er hob ein Stück Brot auf, drückte es mir in die rechte Hand, die hilflos herunterhing, und drückte meine Hand um das Brot herum fest. Seine Augen waren ganz dunkel, nicht schwarz, und sein Gesicht sah nach vielen Gefängnissen aus. Ich nickte, setzte meine Handmuskeln in Bewegung, das Brot festzuhalten; es ging ein tiefes Seufzen durch den Waggon, Egelhecht nahm sein Brot, dann der Alte in der Tropenuniform. »Verdammt«, sagte der Alte, »ich bin schon zwölf Jahre aus Deutschland weg, aber langsam fange ich an, hinter euch Verrückte zu kommen.« Noch bevor ich das Brot in den Mund stecken konnte, hielt der Zug, und wir stiegen aus.

Freies Feld, Rübenäcker, keine Bäume; ein paar belgische Posten mit dem flandrischen Löwen auf Mütze und Kragen liefen am Zug entlang und riefen: »Raus, alle raus!«

Der Däumerling blieb neben mir; er putzte seine Brille, blickte auf das Stationsschild, sagte: »Weeze – fällt dir auch dazu was ein?«

»Ja«, sagte ich, »liegt nördlich von Kevelaer und westlich von Xanten.«

»Ach«, sagte er, »Kevelaer, Heinrich Heine.«

»Und Xanten: Siegfried, falls du's vergessen hast.«

Tante Helene, dachte ich. Weeze. Warum waren wir nicht bis Köln durchgefahren? Von Weeze war nicht mehr viel zu sehen außer ein paar ziegelroten Restklecksen zwischen Baumwipfeln. Tante Helene in Weeze hatte einen großen Laden gehabt, einen richtigen Dorfladen, und jeden Morgen steckte sie uns Geld zu, damit wir auf der Niers Kahn fahren konnten oder mit den Rädern nach Kevelaer; sonntags die Predigten in der Kirche: deftig klang es über Schmuggler- und Ehebrecherhäupter hin.

»Los«, sagte der belgische Posten, »mach doch voran, oder willst du nicht nach Hause?«

Ich ging ins Lager rein. Zuerst mußten wir an einem englischen Offizier vorbei, der gab uns einen Zwanzigmarkschein, den empfangen zu haben wir quittieren mußten. Dann mußten wir zum Arzt; der war ein Deutscher, war jung und grinste; er wartete, bis zwölf oder fünfzehn von uns im Zimmer waren, dann sagte er: »Wer so krank ist, daß er nicht heute, heute noch nach Hause fahren kann, braucht nur die Hand hochzuheben«, und dann lachten ein paar von uns über diesen wahnsinnig witzigen Witz; dann gingen wir einzeln an seinem Tisch vorbei, bekamen einen Stempel auf unseren Entlassungsschein und gingen zur anderen Tür hinaus. Ich blieb ein paar Augenblicke an der offenen Tür

34

stehen, hörte, wie er sagte: »Wer so krank ist, daß –«, dann ging ich weiter, hörte das Lachen, als ich schon am anderen Ende des Flures war, und ging zur nächsten Station: das war ein englischer Feldwebel, der stand im freien Feld neben einer nicht überdachten Latrine. Der Feldwebel sagte: »Zeigt eure Soldbücher her und alles, was ihr noch an Papieren habt.« Er sagte das auf deutsch, und wenn sie dann ihr Soldbuch herauszogen, zeigte er auf die Latrine und forderte sie auf, es in die Latrine zu werfen. Dabei sagte er, ebenfalls auf deutsch: »Hinein ins Vergnügen«, und dann lachten die meisten über diesen Witz. Ich hatte überhaupt festgestellt, daß die Deutschen plötzlich Sinn für Witz zu haben schienen, wenn es Ausländerwitz war: sogar Egelhecht hatte im Lager über den amerikanischen Hauptmann gelacht, der auf den Drahtverhau gezeigt und gesagt hatte: »Boys, nehmt es nicht tragisch, jetzt seid ihr endlich frei.«

Der englische Feldwebel fragte auch mich nach Papieren, aber ich hatte keine außer dem Entlassungsschein; mein Soldbuch hatte ich gegen zwei Zigaretten einem Amerikaner verkauft; ich sagte also: »Keine Papiere« – und das machte ihn so ärgerlich, wie der amerikanische Feldwebel gewesen war, dem ich auf die Frage: »Hitlerjugend, SA oder Partei?« geantwortet hatte: »No.« Er hatte mich angebrüllt und mir Strafdienst aufgebrummt, er hatte mich verflucht und meine Großmutter irgendwelcher sexueller Vergehen bezichtigt, deren Natur ich in Ermangelung amerikanischer Slang-kenntnisse nicht herausbekommen hatte; es machte sie wütend, wenn etwas nicht in ihr Klischee paßte. Der englische Feldwebel wurde rot vor Wut, stand auf und fing an, mich abzutasten, und er brauchte nicht lange zu tasten, bis er mein Tagebuch gefunden hatte: es war dick, aus Papiersäcken zurechtgeschnitten, mit Drahtklammern zusammengeheftet, und ich hatte darin alles verzeichnet, was mir von Mitte April bis Ende September begegnet war: von meiner Gefangennahme durch den amerikanischen Sergeanten Stevenson bis zu der letzten Eintragung, die ich im Zug noch gemacht hatte, als wir durch das düstere Antwerpen fuhren und ich auf Mauern las: Vive le Roi! Es waren mehr als hundert Seiten Sackpapier, dicht beschrieben, und der wütende Feldwebel nahm es mir ab, warf es in die Latrine und sagte: »Didn't I ask you for papers?« Dann durfte ich gehen.

Wir standen dicht gedrängt am Lagertor und warteten auf die belgischen Lastwagen, von denen es hieß, daß sie uns nach Bonn fahren sollten. Bonn? Warum ausgerechnet nach Bonn? Irgend jemand erzählte, daß Köln gesperrt, weil von Leichen verseucht sei, und ein anderer erzählte, daß wir dreißig, vierzig Jahre lang würden Schutt schaufeln müssen, Schutt, Trümmer, »und sie werden uns nicht einmal Loren geben, wir müssen den Schutt in Körben wegtragen«. Zum Glück stand niemand in meiner Nähe, mit dem zusammen ich im Zelt gelegen hatte oder im Waggon gefahren war. Das Gequatsche aus Mündern, die ich noch nicht kannte, war eine Spur weniger ekelhaft, als es aus den Mündern, die ich kannte, gewesen wäre. Irgendwo vor mir sagte jemand: »Aber von dem Juden hat er dann das Brot genommen«, und ein anderer sagte: »Ja, das sind die Typen, die den Ton angeben werden.« Von hinten stieß mich einer an und fragte: »Hundert Gramm Brot gegen eine Zigarette, wie wärs?«, und er hielt mir die Hand von hinten vors Gesicht, und ich sah, daß es eins der Brotstücke war, die Egelhecht im Waggon verteilt hatte. Ich schüttelte den Kopf. Ein anderer sagte: »Die Belgier verkaufen Zigaretten das Stück zu zehn Mark.« Das kam mir sehr billig vor: im Lager hatten die Deutschen Zigaretten das Stück für hundertzwanzig Mark gehandelt. »Will einer Zigaretten?« – »Ja«, sagte ich und gab meinen Zwanzigmarkschein in eine anonyme Hand.

Alle trieben mit allen Handel. Es war das einzige, was sie ernsthaft interessierte. Für zweitausend Mark und eine verschlissene Uniform bekam jemand einen Zivilanzug, Tausch und Umziehen wurden irgendwo vollzogen in der wartenden Menge, und ich hörte plötzlich jemand schreien: »Die

Unterhose gehört dazu, das ist doch klar. Auch die Krawatte.« Jemand verkaufte seine Armbanduhr für dreitausend
Mark. Der Haupthandelsgegenstand war Seife. Die in amerikanischen Lagern gewesen waren, hatten viel Seife, manche
zwanzig Stück, denn es hatte jede Woche Seife gegeben,
aber nie Wasser zum Waschen, und die in englischen Lagern
gewesen waren, hatten überhaupt keine Seife. Die grünen
und roten Seifenstücke gingen hin und her. Manche hatten
an der Seife ihren bildnerischen Ehrgeiz entdeckt, Hünd-
chen, Kätzchen, Gartenzwerge daraus gemacht, und jetzt
stellte sich heraus, daß der bildnerische Ehrgeiz den Handels-
wert herabgemindert hatte: ungeformte Seife stand höher im
Kurs als geformte, bei der Gewichtsverlust zu befürchten
war.

Die anonyme Hand, in die ich den Zwanzigmarkschein
gelegt hatte, tauchte tatsächlich wieder auf und drückte mir
zwei Zigaretten in meine Linke, und ich war fast gerührt
über so viel Ehrlichkeit (aber nur so lange war ich fast gerührt, bis ich erfuhr, daß die Belgier die Zigaretten für fünf
Mark verkauften; offenbar galten hundert Prozent Gewinn
als honoriger Satz, besonders unter ›Kameraden‹). Wir standen etwa zwei Stunden da, eingepfercht, und ich erinnere
mich nur an Hände: handeltreibende Hände, die Seife von
rechts nach links, von links nach rechts weitergaben, Geld
von links nach rechts und von rechts wieder nach links; es
war, als wäre ich in ein Schlangennest geraten; Hände von
allen Seiten bewegten sich nach allen Seiten, reichten über
meine Schultern und über meinen Kopf hinweg Ware und
Geld in alle Richtungen.

Es war dem Däumerling gelungen, wieder in meine Nähe
zu kommen. Er hockte neben mir auf dem belgischen Lastwagen, der auf Kevelaer zu, durch Kevelaer hindurch, auf
Krefeld zu, um Krefeld herum nach Neuß fuhr; es war still
über den Feldern, in den Städten, wir sahen kaum Menschen, wenig Tiere, und der dunkle Herbsthimmel hing

niedrig; links von mir saß der Däumerling, rechts der belgische Posten, und wir blickten über die Plache hinweg auf die Landstraße, die ich so gut kannte: mein Bruder und ich, wir waren sie oft entlanggefahren. Der Däumerling setzte immer wieder an, um sich zu rechtfertigen, aber ich schnitt ihm jedesmal das Wort ab, und er setzte immer wieder an, um geistreich zu erscheinen; er konnte es nicht lassen. »Aber zu Neuß«, sagte er, »kann dir doch einfach nichts einfallen. Was kann einem zu Neuß denn einfallen?«

»Novesia-Schokolade«, sagte ich, »Sauerkraut und Quirinus, aber von der Thebäischen Legion hast du sicher noch nie gehört.«

»Nein«, sagte er und wurde schon wieder rot.

Ich fragte den belgischen Posten, ob es wahr sei, daß Köln gesperrt, von Leichen verseucht sei, und er sagte: »Nein – aber es sieht schlimm aus, stammst du von da?«

»Ja«, sagte ich.

»Mach dich auf was gefaßt . . . hast du noch Seife?«

»Ja«, sagte ich.

»Komm her«, sagte er und zog ein Paket Tabak aus der Tasche, öffnete es und hielt mir den hellgelben, frischen Feinschnitt unter die Nase, »für zwei Stück Seife gehört es dir – ist das ein faires Angebot?«

Ich nickte, suchte in meiner Manteltasche nach der Seife, gab ihm zwei Stück und steckte den Tabak ein. Er gab mir seine Maschinenpistole zu halten, während er die Seife in seinen Taschen versteckte; er seufzte, als ich sie ihm zurückgab. »Diese verfluchten Dinger«, sagte er, »werden wir wohl noch eine Weile halten müssen. Euch gehts gar nicht so schlecht, wie ihr glaubt. Warum weinst du denn?«

Ich zeigte nach rechts: der Rhein. Wir fuhren auf Dormagen zu. Ich sah, daß der Däumerling den Mund aufmachen wollte, und sagte rasch: »Sei um Gottes willen still, sei endgültig still.« Wahrscheinlich hatte er mich fragen wollen, ob mir zum Rhein was einfiele. Gott sei Dank war er jetzt tief beleidigt und sagte bis Bonn nichts mehr.

Von Köln standen tatsächlich noch einige Häuser; irgendwo sah ich sogar eine fahrende Straßenbahn, auch Menschen, sogar Frauen: eine winkte uns zu; wir bogen von der Neußer Straße in die Ringe ein und fuhren die Ringe entlang, und ich wartete die ganze Zeit über auf die Tränen, aber sie kamen nicht; sogar die Versicherungsgebäude auf den Ringen waren zerstört, und vom Hohenstaufenbad sah ich noch ein paar hellblaue Kacheln. Ich hoffte die ganze Zeit über, der Lastwagen würde rechts irgendwo abbiegen, denn wir hatten auf dem Karolingerring gewohnt; aber der Wagen bog nicht ab, er fuhr die Ringe hinunter: Barbarossaplatz, Sachsenring, Salierring, und ich versuchte nicht hinzusehen, und ich hätte nicht hingesehen, wenn die Lastwagenkolonne sich nicht vorne am Chlodwigplatz gestaut und wir nicht vor dem Haus gehalten hätten, in dem wir gewohnt hatten, und ich blickte also hin. Der Begriff ›total zerstört‹ ist irreführend; es gelingt nur in Ausnahmefällen, ein Haus total zu zerstören: es muß dreimal, viermal getroffen werden, und am sichersten ist, wenn es anschließend noch brennt; das Haus, in dem wir gewohnt hatten, war wirklich im Sinne amtlicher Termini total zerstört, aber es war es nicht im technischen Sinne. Das heißt, ich konnte es noch erkennen: den Eingang und die Klingelknöpfe, und ich möchte meinen, daß ein Haus, an dem man noch den Eingang und die Klingelknöpfe erkennen kann, nicht im strengen Sinne des technischen Terminus total zerstört ist; an dem Haus, in dem wir gewohnt hatten, war aber noch mehr zu erkennen als die Klingelknöpfe und der Eingang: zwei Räume im Souterrain waren noch fast heil, im Hochparterre absurderweise sogar drei: ein Mauerrest stützte den dritten Raum, der wahrscheinlich die Prüfung durch eine Wasserwaage nicht bestanden hätte; von unserer Wohnung in der ersten Etage war noch ein Raum heil, aber nach vorne, zur Straße hin aufgeknackt, darüber türmte sich ein hoher, schmaler Giebel, kahl, mit leeren Fensterhöhlen; das Interessante aber waren zwei Männer, die sich in unserem Wohnzimmer umherbewegten, als wäre es vertrauter Boden für ihre Füße; der eine nahm ein Bild von der Wand, den Terborchdruck, den mein Vater so geliebt hatte, ging mit dem Bild nach vorne und zeigte es einem dritten Mann, der unten vor dem Haus stand, aber dieser dritte Mann schüttelte den Kopf wie jemand, den ein versteigerter Gegenstand nicht interessiert, und der Mann oben ging mit dem Terborch wieder zurück und hängte ihn wieder an die Wand; er rückte das Bild sogar gerade; mich rührte dieser Zug zur Präzision – er trat sogar zurück, um festzustellen, ob das Bild wirklich gerade hing, dann nickte er befriedigt. Inzwischen nahm der zweite das andere Bild von der Wand: einen Kupferstich von Lochners Dombild, aber auch dieses schien dem dritten Mann, der unten stand, nicht zu gefallen; schließlich kam der erste, der den Terborch wieder hingehängt hatte, nach vorne und bildete mit seinen Händen einen Schalltrichter und rief: »Klavier in Sicht«, und der Mann unten lachte, nickte, bildete seinerseits mit seinen Händen einen Schalltrichter und rief: »Ich hole die Gurte.« Ich konnte das Klavier nicht sehen, wußte aber, wo es stand: rechts in der Ecke, die ich nicht einsehen konnte und wo gerade der Mann mit dem Lochnerbild verschwand.

»Wo hast du denn in Köln gewohnt?« fragte der belgische Posten.

»Oh, irgendwo«, sagte ich und machte eine vage Geste in Richtung auf die westlichen Vororte.

»Gott sei Dank, es geht weiter«, sagte der Posten. Er nahm seine Maschinenpistole wieder auf, die er vor sich auf den Boden des Wagens gelegt hatte, und rückte sich seine Mütze zurecht. Der flandrische Löwe auf seiner Mütze vorne war ziemlich schmutzig. Als wir in den Chlodwigplatz einbogen, konnte ich die Ursache der Stauung entdecken: eine Art Razzia schien hier im Gang gewesen zu sein. Überall standen Autos der englischen Militärpolizei, darauf Zivilisten mit hocherhobenen Händen und ringsum eine regelrechte Menschenmenge, still und doch aufgeregt: über-

raschend viele Menschen in einer so stillen, zerstörten
Stadt.

»Das ist der Schwarzmarkt«, sagte der belgische Posten,
»hin und wieder räumen sie mal hier auf.«

Noch bevor wir Köln verlassen hatten, auf der Bonner
Straße schon, fiel ich in Schlaf, und ich träumte von der
Kaffeemühle meiner Mutter: die Kaffeemühle wurde an
einem Gurt heruntergelassen von dem Mann, der den Terborch vergebens angeboten hatte, aber der Mann unten verwarf die Kaffeemühle; der andere zog sie wieder hoch, öffnete
die Dielentür und versuchte die Kaffeemühle dort anzu-
schrauben, wo sie gehangen hatte: gleich links hinter der
Küchentür, aber es war keine Wand mehr da, an der er sie
hätte festschrauben können, und trotzdem versuchte es der
Mann immer wieder (dieser Zug zur Ordnung rührte mich
sogar im Traum). Er suchte mit dem Zeigefinger der rechten
Hand nach den Dübeln, fand sie nicht und drohte zornig mit
der Faust in den grauen Herbsthimmel hinauf, der der Kaffeemühle keinen Halt bot; schließlich gab er es auf, band den
Gurt wieder um die Mühle, ging nach vorne, ließ die Kaffeemühle hinunter und bot sie dem dritten an, der sie wiederum
verwarf, und der andere zog sie wieder hoch, wickelte den
Gurt ab und verbarg die Kaffeemühle wie eine Kostbarkeit
unter seiner Jacke; dann fing er an, den Gurt aufzuwickeln,
rollte ihn zu einer Art Scheibe zusammen und warf ihn dem
dritten Mann da unten ins Gesicht. Die ganze Zeit über beunruhigte mich die Frage, was aus dem Mann geworden sein
konnte, der den Lochner vergebens angeboten hatte, aber
ich konnte ihn nicht entdecken; irgend etwas hinderte mich,
in die Ecke zu blicken, wo das Klavier stand, der Schreibtisch meines Vaters, und ich war unglücklich über die Vorstellung, daß er in den Notizbüchern meines Vaters lesen
könnte. Der Mann mit der Kaffeemühle stand jetzt an der
Wohnzimmertür und versuchte die Kaffeemühle an der Tür-
füllung festzuschrauben, er schien fest entschlossen, der

Kaffeemühle Platz und Dauer zu verleihen, und ich fing an, ihn gern zu haben, noch bevor ich entdeckte, daß er einer von unseren vielen Freunden war, die meine Mutter unter der Kaffeemühle getröstet hatte, einer, der schon im Anfang des Krieges bei einem Bombenangriff getötet worden war.

Noch vor Bonn weckte mich der belgische Posten. »Komm«, sagte er, »reib dir die Augen, die Freiheit ist nahe«, und ich setzte mich zurecht und dachte an die vielen, die unter meiner Mutter Kaffeemühle gesessen hatten: Schulschwänzer, denen sie die Angst vor Klassenarbeiten nahm, Nazis, die sie zu belehren, Nichtnazis, die sie zu stärken versuchte: sie alle hatten auf dem Stuhl unter der Kaffeemühle gesessen, Trost und Anklage, Verteidigung und Aufschub erlangt, mit bitteren Worten waren ihre Ideale zerstört und mit milden Worten ihnen angeboten worden, was die Zeiten überdauern würde: Gnade den Schwachen, Trost den Verfolgten.

Alter Friedhof, Markt, Universität. Bonn. Durchs Koblenzer Tor in den Hofgarten. »Adieu«, sagte der belgische Posten, und der Däumerling sagte mit müdem Kindergesicht: »Schreib mir doch mal.« – »Ja«, sagte ich, »ich schick dir meinen ganzen Tucholsky.«

»Fein«, sagte er, »auch den Kleist?«

»Nein«, sagte ich, »nur, was ich doppelt habe.«

Vor dem Stacheldrahtgatter, durch das wir endgültig entlassen wurden, stand ein Mann zwischen zwei großen Waschkörben; in dem einen Waschkorb hatte er sehr viele Äpfel, in dem anderen ein paar Stück Seife; er rief: »Vitamine, Kameraden, ein Apfel – ein Stücke Seife.« Und ich spürte, wie mir das Wasser im Mund zusammenlief; ich hatte gar nicht mehr gewußt, wie Äpfel aussehen; ich gab ihm ein Stück Seife, bekam einen Apfel und biß sofort hinein; ich blieb stehen und sah zu, wie die anderen herauskamen; er brauchte gar nichts mehr zu rufen: es war ein stummer Handel; er nahm einen Apfel aus dem Korb, bekam ein Stück

Seife und warf das Stück Seife in den leeren Korb: es klang
dumpf und hart, wenn die Seife aufschlug; nicht alle nahmen
Äpfel, nicht alle hatten Seife, aber die Abfertigung ging so
rasch wie in den Selbstbedienungsläden, und als ich meinen
Apfel gerade aufgegessen hatte, hatte er seinen Seifenkorb
schon halb voll. Es ging alles rasch und reibungslos und
ohne Worte, und selbst die, die sehr sparsam und sehr be-
rechnend gewesen waren, konnten dem Anblick der Äpfel
nicht widerstehen, und ich fing an, Mitleid mit ihnen zu
haben. Die Heimat begrüßte ihre Heimkehrer so liebevoll
mit Vitaminen.

Es dauerte lange, bis ich in Bonn ein Telefon gefunden
hatte; schließlich erzählte mir ein Mädchen im Postamt, daß
nur Ärzte und Priester Telefon bekämen, und auch die nur,
wenn sie keine Nazis gewesen wären. »Sie haben so schreckliche Angst vor den Werwölfen«, sagte das Mädchen. »Sie
haben nicht zufällig 'ne Zigarette für mich?« Ich nahm mein
Paket Tabak aus der Tasche und sagte: »Soll ich Ihnen eine
drehen?«, aber sie sagte nein, das könne sie schon, und ich
sah ihr zu, wie sie Zigarettenpapier aus ihrer Manteltasche
nahm und sich sehr geschickt und rasch eine volle Zigarette
drehte. »Wen wollen Sie denn anrufen?« sagte sie, und ich
sagte: »Meine Frau«, und sie lachte und sagte, ich sähe gar
nicht verheiratet aus. Ich drehte mir auch eine Zigarette und
fragte sie, ob es vielleicht irgendeine Möglichkeit gäbe, ein
Stück Seife zu verkaufen; ich brauchte Geld, Fahrgeld, und
besäße keinen Pfennig. »Seife«, sagte sie, »zeigen Sie her.«
Ich suchte ein Stück Seife aus meinem Mantelfutter heraus,
und sie riß es mir aus der Hand, roch daran und sagte: »Mein
Gott, echte Palmolive – die kostet, kostet – ich gebe Ihnen
fünfzig Mark dafür.« Ich blickte sie erstaunt an, und sie
sagte: »Ja, ich weiß, sie geben bis zu achtzig dafür, aber ich
kann mir das nicht leisten.« Ich wollte die fünfzig Mark
nicht haben, aber sie bestand darauf, daß ich sie nähme,
sie schob mir den Schein in die Manteltasche und lief aus

dem Postamt raus; sie war ganz hübsch, von einer hungrigen Hübschheit, die den Mädchenstimmen eine bestimmte Schärfe verleiht.

Was mir am meisten auffiel, im Postamt und als ich weiter durch Bonn schlenderte, war die Tatsache, daß nirgendwo ein farbentragender Student zu sehen war, und es waren die Gerüche: alle Leute rochen schlecht, und in allen Räumen roch es schlecht, und ich verstand, wie verrückt das Mädchen auf die Seife gewesen war; ich ging zum Bahnhof, versuchte herauszukriegen, wie ich nach Oberkerschenbach kommen könnte (dort wohnte die, die ich geheiratet hatte), aber niemand konnte es mir sagen; ich wußte von dem Nest nur, daß es irgendwo nicht sehr weit von Bonn in der Eifel lag; es gab auch nirgendwo Landkarten, auf denen ich hätte nachsehen können; wahrscheinlich waren sie der Werwölfe wegen verboten. Ich habe immer gern genau gewußt, wo ein Ort liegt, und es machte mich unruhig, daß ich von diesem Oberkerschenbach nichts Genaues wußte und nichts Genaues erfahren konnte. Ich wälzte alle Bonner Adressen, die ich kannte, hin und her, fand aber keinen Arzt und keinen Priester darunter; endlich fiel mir ein Theologieprofessor ein, den ich kurz vor dem Krieg mit einem Freund besucht hatte; er hatte irgend etwas mit Rom und dem Index gehabt, und wir waren einfach zu ihm gegangen, unsere Sympathie zu bekunden; ich wußte den Namen der Straße nicht mehr, wußte aber, wo sie lag, und ging die Poppelsdorfer Allee hinunter, dann links, noch einmal links, fand das Haus und war erleichtert, als ich den Namen an der Tür las. Der Professor kam selbst an die Tür; er war sehr alt geworden, mager, gebeugt und sehr weißhaarig. Ich sagte: »Sie kennen mich sicher nicht mehr, Herr Professor, ich war damals bei Ihnen, als Sie den Stunk mit Rom und mit dem Index hatten – kann ich Sie einen Augenblick sprechen?« Er lachte, als ich Stunk sagte, sagte: »Bitte«, als ich fertig war, und ging mir voraus in sein Studierzimmer; was mir auffiel war, daß es nicht mehr nach Tabak roch, sonst war es unverändert mit all den Büchern, den Zettelkästen und den Gummibäumen. Ich sagte dem Professor, ich hätte gehört, daß nur Priester und Ärzte Telefon hätten, und ich müßte unbedingt mit meiner Frau telefonieren; er ließ mich – was sehr selten ist – ganz ausreden und sagte dann, er sei zwar Priester, aber keiner von denen, die Telefon hätten, denn: »Sehen Sie«, sagte er, »ich bin kein Seelsorger.« »Vielleicht sind Sie ein Werwolf«, sagte ich; ich bot ihm Tabak an, und er tat mir leid, als ich sah, wie er auf meinen Tabak blickte; es tut mir immer leid, wenn alte Leute auf etwas verzichten müssen, was sie gern haben. Seine Hände zitterten, als er sich eine Pfeife stopfte, und sie zitterten nicht nur, weil er alt war. Als er sie endlich angezündet hatte – ich hatte keine Streichhölzer und konnte ihm nicht dabei helfen –, sagte er zu mir, nicht nur Ärzte und Priester hätten Telefon, auch »diese Tingeltangel, die man überall aufmacht, wo Soldaten sind«, und ich sollte es doch in einem dieser Tingeltangel versuchen; es sei einer gleich um die Ecke. Er weinte, als ich ihm zum Abschied noch ein paar Pfeifen Tabak auf den Schreibtisch legte, und er fragte mich unter Tränen, ob ich auch wisse, was ich tue, und ich sagte, ja, ich wüßte es, und ich forderte ihn auf, die paar Pfeifen Tabak als einen verspäteten Tribut entgegenzunehmen für die Tapferkeit, die er damals mit Rom bewiesen habe. Ich hätte ihm gern noch ein Stück Seife geschenkt, ich hatte noch fünf oder sechs Stück im Mantelfutter, aber ich fürchtete, es würde ihm vor Freude das Herz brechen; er war so alt und schwach.

›Tingeltangel‹ war sehr vornehm ausgedrückt; aber das störte mich weniger als der englische Posten vor der Tür dieses Tingeltangels. Er war noch jung und sah mich streng an, als ich bei ihm stehenblieb. Er zeigte auf das Schild, das Deutschen das Betreten dieses Tingeltangels verbot, aber ich sagte ihm, meine Schwester sei drinnen beschäftigt, ich sei gerade heimgekehrt ins teure Vaterland und meine Schwester habe den Hausschlüssel. Er fragte mich nach dem

Namen meiner Schwester, und es schien mir als das sicherste, den deutschesten aller deutschen Mädchennamen zu nennen, und ich sagte: »Gretchen«; ja, sagte er, das sei die Blonde, und er ließ mich rein; ich erspare mir die Beschreibung des Hausinneren, indem ich auf die einschlägige ›Fräulein‹-Literatur, auf Film und Fernsehen verweise; ich erspare mir sogar die Beschreibung von Gretchen (siehe oben); wichtig ist nur, daß Gretchen von einer erstaunlich schnellen Auffassungsgabe war und bereit, gegen ein Honorar von einem Stück Palmolive eine Telefonverbindung mit dem Pfarramt in Kerschenbach (von dem ich hoffte, daß es überhaupt existierte) herzustellen und die, die ich geheiratet hatte, ans Telefon rufen zu lassen. Gretchen sprach fließend englisch ins Telefon und erklärte mir, daß ihr Freund es über die Dienstleitung versuchen werde, das ginge schneller. Ich bot ihr, während wir warteten, Tabak an, aber sie hatte Besseres; ich wollte ihr das Stück Seife als verabredetes Honorar als Vorschuß auszahlen, aber sie sagte, nein, sie verzichte darauf, sie wolle nichts dafür nehmen, und als ich auf der Auszahlung bestand, fing sie an zu weinen und beichtete mir, daß einer ihrer Brüder in Gefangenschaft sei, der andere tot, und ich hatte Mitleid mit ihr, denn es ist nicht schön, wenn Mädchen wie Gretchen weinen; sie gestand mir sogar, daß sie auch katholisch sei, und als sie gerade ihr Erstkommunionsbild aus irgendeiner Schublade ziehen wollte, läutete das Telefon, und Gretchen nahm den Hörer ab und sagte: »Herr Pfarrer«, aber ich hatte schon gehört, daß es keine männliche Stimme war. »Moment«, sagte Gretchen und reichte mir den Hörer. Ich war so aufgeregt, daß ich den Hörer nicht halten konnte, er fiel mir tatsächlich aus der Hand, zum Glück auf Gretchens Schoß; die nahm ihn auf, hielt ihn mir ans Ohr, und ich sagte: »Hallo – bist du's?«

»Ja,« sagte sie, »– du, wo bist du?«

»Ich bin in Bonn«, sagte ich, »der Krieg ist aus – für mich.«

»Gott«, sagte sie, »ich kann es nicht glauben. Nein – es ist nicht wahr.«

»Doch«, sagte ich, »es ist wahr – hast du meine Karte damals bekommen?«

»Nein«, sagte sie, »welche Karte?«

»Als ich in Gefangenschaft kam – da durften wir eine Karte schreiben.«

»Nein«, sagte sie, »ich weiß seit acht Monaten nichts von dir.«

»Diese Schweine«, sagte ich, »diese verfluchten Schweine – ach, sag mir nur noch, wo Kerschenbach liegt.«

»Ich« – sie weinte so heftig, daß sie nicht mehr sprechen konnte, ich hörte sie schluchzen und schlucken, bis sie endlich flüstern konnte: » – am Bahnhof in Bonn, ich hole dich ab«, dann hörte ich sie nicht mehr, irgend jemand sagte auf englisch etwas, das ich nicht verstand.

Gretchen nahm den Hörer ans Ohr, lauschte einen Augenblick, schüttelte den Kopf und legte auf. Ich blickte sie an und wußte, daß ich ihr die Seife nicht mehr anbieten konnte. Ich konnte auch nicht ›danke‹ sagen, das Wort kam mir dumm vor. Ich hob hilflos die Arme und ging hinaus.

Ich ging zum Bahnhof zurück, mit der Frauenstimme im Ohr, die noch nie nach Ehe geklungen hatte.

Fink ging auf den Seiteneingang der Kirche zu. Rechts und
links von der defekten Asphaltierung waren winzige Vor-
gartendreiecke, von schwarzen Eisengittern umzäunt:
schwärzliche, saure Erde und zwei Buchsbaumsträucher,
deren Blätter zäh und welk wie Leder erschienen. Er drückte
mit der Schulter eine braungepolsterte Tür auf und fand sich
in einem muffigen Windfang, in dem er wieder eine gepol-
sterte Tür aufstoßen mußte. Diesmal puffte er die Faust dagegen und las, bevor er in die Kirche trat, auf einem Sperr-
holzbrett flüchtig einen Anschlag: »Dritter Orden des heiligen Franziskus – Ankündigungen . . .«

In der Kirche herrschte grünlicher Dämmer, und Fink
entdeckte an einer ölgestrichenen Wand, deren Farbe nicht
zu erkennen war, ein leuchtend weißes Pappschild mit einer
schwarzgemalten Hand, die senkrecht nach unten wies.
Oberhalb des sehr steifen und viel zu langen Zeigefingers
stand: Beichtklingel. In braunen Haltern darunter waren
Klingelknöpfe von dunklem Elfenbein und Schilder mit
Namen. Er nahm sich nicht die Mühe, die Namen zu entziffern, sondern drückte blindlings auf einen der Knöpfe,
und er hatte das Gefühl, etwas Unwiderrufliches, Endgülti-
ges zu tun. Dann lauschte er – nichts zu hören.

Er tauchte den Finger in ein muschelförmiges, rosig bemaltes Weihwasserbecken aus Gips, das im Dämmer wie ein
großer künstlicher Gaumen erschien, dem ein paar Ecken
ausgeschlagen waren. Langsam bekreuzte er sich und ging
ins Mittelschiff. Auf jeder Seite sah er zwei dunkle Beichtstühle mit zugezogenen rötlichen Vorhängen, und er entdeckte jetzt, daß die Stuckgewölbe zwischen den gotischen
Pilastern eingestürzt waren: das häßliche Mauerwerk aus
gelblichen Backsteinen war nackt, es erinnerte ihn irgendwie
an eine altmodische Badeanstalt. Der ehemalige Eingang

vorn war mit rohen Steinen zugemauert, mitten ins Mauerwerk gequetscht ein schiefer alter Fensterrahmen, von dem
die weiße Farbe abgebröckelt war.

Fink kniete im Mittelschiff nieder und versuchte zu beten,
aber über die gefalteten Hände hinweg mußte er die vier
Beichtstühle beobachten, immer wieder ins Halbdunkel
starren, um den Priester, der irgendwo auftauchen könnte,
nicht zu verfehlen. Wahrscheinlich würde er durch die
Sakristei kommen, von vorn, wo Fink im Dämmer eine
Messingglocke mit rotem Samtseil neben dem ewigen Licht
erkannte. Zur Mitte hin wurde die Kirche heller, und er sah
jetzt, daß das ganze Mittelschiff erneuert war; das zerstörte,
ausgezackte Mauerwerk trug einen provisorischen, sehr
flachen Dachstuhl, der mit schmutzigen alten Brettern zu-
genagelt war – manche Bretter waren dunkel von Fußboden-
farbe –, und die Heiligen an den Säulen waren alle kopflos,
ein hilfloses, erschütterndes Doppelspalier merkwürdiger
Gipsgestalten, denen die Köpfe abgeschlagen und die Sym-
bole aus den Händen gerissen waren, stumpfe, dunkelgetönte
Torsi, die mit verstümmelten Händen zu ihm herabzuflehen
schienen.

Fink wollte Reue und Vorsatz erwecken, es gelang ihm
nicht, er war zu unruhig; und es entstand in seinem Innern
ein Durcheinander abgehackter, flehender Stoßgebete,
unterbrochen von Erinnerungen und dem immer wieder
auftauchenden Wunsch, die Sache schnell hinter sich zu bringen und abzufahren, schnell wieder weg aus dieser Stadt.

Er spürte es: das, was er beichten wollte, fing schon an
Erinnerung zu werden und Glanz zu bekommen, es erhob
sich unmerklich aus der Ebene eines mühseligen und drecki-
gen Alltags, und es schien, als würde es eines Tages, bald
schon – irgendwie über ihm schweben: ein schönes, sünd-
haftes Abenteuer, während in Wirklichkeit – auch das wußte
er – er nur aus einer Art Höflichkeit jene Spielregeln befolgt
hatte, deren erdrückende Selbstverständlichkeit und töd-
licher Ernst ihn mit Schrecken erfüllten. Schon vorher hatte

ihn Widerwillen gepackt, aber er hatte mitgespielt, indem er sich einredete, es sei ja nur ein mechanischer Akt, ein naturnotwendiger Vorgang, während er insgeheim wußte, daß der Pfeil auf dem Bogen schon zitterte, der Schuß losgehen und ihn unfehlbar in jenes Unsichtbare treffen würde, für das ihm kein anderes Wort als Seele einfiel.

Er seufzte und fing an, ungeduldig zu werden; in seinem Innern schwebten diese Bilder – das sich langsam vergoldende und das wirkliche – nebeneinander, untereinander, verschmolzen für Augenblicke miteinander, und seine Augen gingen in qualvoller Erwartung an den kopflosen Säulenheiligen vorbei zu jenem Samtseil neben der Glocke.

Er dachte daran, daß die Glocke vielleicht gar nicht funktionierte oder der Pater, dessen Namen zu lesen ihm belanglos erschienen war, abwesend war. Er kannte diese Art von Beichten nicht, früher hatten sie darüber gespottet. Als er aufstehen wollte, um noch einmal zu den Klingelknöpfen zu gehen, sah er im starren Bild der leeren Kirche eine dunkle Gestalt, die aus der Sakristei trat, vor dem Altar niederkniete und auf die Beichtstühle der rechten Seite zuging. Er beobachtete den Mönch gespannt; seine Gestalt war groß und schlank, und der Kranz von Haaren, den die Tonsur ihm gelassen hatte, war dicht und schwarz.

Fink versuchte, schnell noch einmal Reue und Vorsatz zu erwecken, er leierte im Innern jene Formel herunter, die er schon zwanzig Jahre auswendig wußte, und stand auf. Er stolperte, als er auf den Gang trat; irgendwo in dem rotweißen lilienförmigen Muster der Fliesen mußte eine schadhafte Stelle sein; er fing sich an einer Kniebank und hörte, wie der Pater das winzige Lämpchen ausknipste und den Vorhang beiseite zog. Als er niederkniete in diesem muffigen, dunklen und sehr unbequemen Winkel und das weiße Ohr hinter dem Gitter erkannte, spürte er, daß sein Herz bis zum Halse klopfte; er konnte vor Erregung nicht sprechen.

»Gelobt sei Jesus Christus«, sagte eine Stimme, die sehr gleichgültig klang.

Er preßte heraus »In Ewigkeit Amen« und schwieg. Der Schweiß rann ihm über den Rücken und heftete sein Hemd an die Haut, dicht und unbarmherzig, als sei es in Wasser getaucht; es schien kein Raum zum Atmen zu bleiben. Der Priester räusperte sich.

»Ich habe die Ehe gebrochen«, stammelte Fink, und er wußte, daß er damit fast alles getan hatte, was er tun konnte.

»Sind Sie verheiratet?«

»Nein.«

»Aber die Frau?«

»Ja.«

»Wie oft?« Die Frage ernüchterte ihn mit einem Schlag. Alles, was vor seinen Augen verschwommen war, dieses weißliche große Ohr, das ihm riesig erschien, und das Gitter – von einem seltsamen, knusperigen Braun wie die Gitter über den Apfelkuchen –, alles sah er nun deutlich, ganz wirklich, und er blickte in den herabfallenden Ärmel des aufgestützten Priesterarmes hinein, eine dunkle Höhlung zwischen der Kutte und der weißlichen, hell behaarten Haut.

»Einmal«, und ein tiefer Seufzer, den er nicht unterdrücken konnte, kam aus seiner Brust.

»Wann?« Diese Fragen kamen kurz, knapp, ohne jede persönliche Note, wie die eines Arztes bei der Musterung.

»Heute«, sagte er. Tatsächlich hatte es ihm schon unendlich weit entfernt geschienen, aber sein Wort holte es heran wie eine Kamera, die nach ihrem Ziel schießt, um es festzulegen. Man war gezwungen, etwas nah zu sehen, was man nicht nah sehen wollte.

»Meiden Sie den Umgang mit dieser Frau.«

Jetzt erst fiel Fink ein, daß er sie wiedersehen würde; eine hübsche kleine Bürgerin mit feistem Hals und in einem roten Morgenrock, Augen, die zugleich langweilig und traurig waren, und er stellte sie sich so intensiv vor, daß er die Frage des Priesters fast überhörte.

»Lieben Sie sie?«

Er konnte nicht nein sagen; ja zu sagen erschien ihm noch

ungeheuerlicher. Er dachte nach, während er spürte, daß sich der Schweiß heiß und brennend über seinen Brauen sammelte. »Nein«, sagte er schnell, und er fügte hinzu: »Ich kann schlecht den Umgang mit ihr meiden.«

Der Priester schwieg, und Fink sah für einen Augenblick die niedergeschlagenen Lider hochzucken, ein paar sehr ruhige graue Augen.

»Ich bin Vertreter einer Firma für Fertighäuser«, sagte er, »und die – die Dame hat ein Haus bei uns bestellt.«

»Und Sie haben diesen Bezirk?«

»Ja.« Er dachte daran, daß er Verhandlungen mit ihr führen mußte, Pläne vorlegen, Kalkulationen besprechen, Einzelheiten beraten, unzählige Einzelheiten, die man, wenn man wollte, über Monate hinauszögern konnte.

»Sie müssen sich versetzen lassen.«

Fink schwieg.

Die Stimme wurde eindringlicher. »Sie müssen alles versuchen, sie nicht wiederzusehen. Die Gewohnheit ist stark, sehr stark. Sie haben den aufrichtigen Wunsch und Vorsatz, die Frau nicht wiederzusehen?«

»Ja«, sagte Fink sofort, und er wußte, daß er zum erstenmal wirklich die Wahrheit sagte.

»Versuchen Sie es; tun Sie alles. Denken Sie an das Schriftwort: Wenn deine linke Hand dich ärgert, hau sie ab. Nehmen Sie materielle Nachteile in Kauf.« Er schwieg einen Augenblick. »Ich weiß, es ist nicht leicht, aber die Hölle macht es uns nicht leicht.«

Seine Stimme verlor wieder den persönlichen Klang, als er sagte: »Sonst noch was?«

Fink zuckte zusammen. Er kannte diese Art von Beichte nicht, obwohl er inzwischen gemerkt hatte, daß sie ernst war, ungeheuer ernst, ernster als jene gewohnheitsmäßige Hygiene, die er dreimonatlich zu Hause beim Kaplan vornahm.

»Sonst noch was?« fragte die Stimme ungeduldig. »Wann haben Sie zuletzt gebeichtet?«

»Vor acht Wochen.«

»Und kommuniziert?«

»Vor vier.«

Der Pater fing an, mit monotoner Stimme die Gebote herzusagen, wie bei den Beichtkindern, die er gewohnt war, Leuten, die kaum das Glaubensbekenntnis wußten, deren religiöser Wortschatz aus Vaterunser und Ave bestand. Fink wurde es ungemütlich, er wollte weg.

»Nein«, sagte er jedesmal leise bis zum fünften Gebot. Der Pater überging das sechste.

»Stehlen«, sagte der Priester kaltblütig, »und lügen, das siebte und achte Gebot.«

Fink wurde rot, es stieg ihm heiß in die Ohren. Um Gottes willen, er stahl doch nicht.

»Haben Sie gelogen?«

Fink schwieg. Noch nie hatte ihn jemand gefragt, ob er gelogen habe. Überhaupt schien es ihm, als habe er noch nie gebeichtet. Diese rohen Formulierungen trafen ihn wie Schläge, und während ihm einfiel, daß er das noch nie gebeichtet hatte, murmelte er: »Nun ja, die Häuser, unsere Häuser sind nicht ganz so, wie sie im Katalog aussehen – ich meine, sie – die Leute sind oft enttäuscht, wenn sie sie wirklich sehen . . .«

Der Priester konnte ein »Aha« nicht unterdrücken, er sagte: »Auch darin müssen wir ehrlich sein, obwohl . . .«, er suchte nach Worten, »obwohl es unmöglich scheint. Aber es ist eine Lüge, etwas zu verkaufen, von dessen Wert man nicht überzeugt ist.« Er räusperte sich wieder, und Fink beobachtete, daß der aufgestützte Arm verschwand, als der Pater zu flüstern anfing: »Nun wollen wir alles mit einschließen und inständig unseren Herrn Jesus Christus bitten, für uns Verzeihung zu erlangen. Er ist am Kreuze gestorben, um uns von unseren Sünden zu befreien, und jede unserer Sünden heftet ihn wieder ans Kreuz. Erwecken Sie noch einmal Reue und Vorsatz, und beten Sie zur Buße ein Gesetz des schmerzhaften Rosenkranzes.«

Der Priester setzte sich in der Mitte des Beichtstuhls aufrecht, mit geschlossenen Augen murmelnd, bis er plötzlich sein Gesicht wieder Fink zuwandte, das »Absolvo te« deutlicher betete und das Kreuzzeichen über ihn schlug.

»Gelobt sei Jesus Christus –«

»In Ewigkeit Amen!« sagte Fink.

Er war ganz steif, und ihm schien, als müßten Stunden vergangen sein. Er setzte sich in eine Bank und zog sein Taschentuch heraus, und als er anfing, sich den Schweiß abzutrocknen, sah er, daß der Pater wieder in der Sakristei verschwand.

Fink war müde. Er versuchte zu beten, aber die Worte fielen in ihn zurück wie stumpfes Geröll, und während er gegen den Schlaf ankämpfte, sah er durch die halbgeschlossenen Lider, daß in der dunklen Ecke neben dem Seiteneingang nun Kerzen brannten vor dem Muttergottesaltar: unruhig flackerten die billigen Stearinstengel, sie verzehrten sich rastlos, und ihr Schein schaukelte die Silhouette einer alten, kleinen Frau an die Wand des Mittelschiffs, riesengroß und mit einer phantastischen Genauigkeit; einzelne vorstehende Haare über der Stirn standen hart und schwarz an der Wand, eine kindliche Nase und die müde Schlappheit ihrer Lippen, die sich stumm bewegten: ein flüchtiges Denkmal, das die stumpfen Gipsfiguren überdeckte und über den Rand des Daches hinauszuwachsen schien.

Im September 1914 wurde in eine der roten Bromberger Backsteinkasernen ein Mann namens Joseph Stobski eingezogen, der zwar seinen Papieren nach deutscher Staatsbürger war, die Muttersprache seines offiziellen Vaterlandes aber wenig beherrschte. Stobski war zweiundzwanzig Jahre alt, Uhrmacher, auf Grund »konstitutioneller Schwäche« noch ungedient; er kam aus einem verschlafenen polnischen Nest, das Niestronno hieß, hatte im Hinterzimmer des väterlichen Kottens gehockt, Gravuren auf Doublé-Armbänder gekritzelt, zierliche Gravuren, hatte die Uhren der Bauern repariert, zwischendurch das Schwein gefüttert, die Kuh gemolken – und abends, wenn Dunkelheit über Niestronno fiel, war er nicht in die Kneipe, nicht zum Tanz gegangen, sondern hatte über einer Erfindung gebrütet, mit ölverschmierten Fingern an unzähligen Rädchen herumgefummelt, sich Zigaretten gerollt, die er fast alle auf der Tischkante verkohlen ließ – während seine Mutter die Eier zählte und den Verbrauch an Petroleum beklagte.

Nun zog er mit seinem Pappkarton in die rote Bromberger Backsteinkaserne, lernte die deutsche Sprache, soweit sie das Vokabularium der Dienstvorschrift, Kommandos, Gewehrteile umfaßte; außerdem wurde er mit dem Handwerk eines Infanteristen vertraut gemacht. In der Instruktionsstunde sagte er Brott statt Brot, sagte Kanonn statt Kanone, er fluchte polnisch, betete polnisch und betrachtete abends melancholisch das kleine Paket mit den ölverschmierten Rädern in seinem dunkelbraunen Spind, bevor er in die Stadt ging, um seinen berechtigten Kummer mit Schnaps hinunterzuspülen.

Er schluckte den Sand der Tucheler Heide, schrieb Postkarten an seine Mutter, bekam Speck geschickt, drückte sich sonntags vom offiziellen Gottesdienst und schlich sich in eine der polnischen Kirchen, wo er sich auf die Fliesen werfen, weinen und beten konnte, obwohl derlei Innigkeit schlecht zu einem Mann in der Uniform eines preußischen Infanteristen paßte.

Im November 1914 fand man ihn ausgebildet genug, um ihn die Reise quer durch Deutschland nach Flandern machen zu lassen. Er hatte genug Handgranaten in den Sand der Tucheler Heide geworfen, hatte oft genug in die Schießstände geknallt, und Stobski schickte das Päckchen mit den ölverschmierten Rädern an seine Mutter, schrieb eine Postkarte dazu, ließ sich in einen Viehwaggon packen und begann die Fahrt quer durch sein offizielles Vaterland, dessen Muttersprache er, soweit sie Kommandos umfaßte, beherrschen gelernt hatte. Er ließ sich von blühenden deutschen Mädchen Kaffee einschenken, Blumen ans Gewehr stecken, nahm Zigaretten entgegen, bekam einmal sogar von einer ältlichen Frau einen Kuß, und ein Mann mit einem Kneifer, der an einem Bahnübergang auf der Schranke lehnte, rief ihm mit sehr deutlicher Stimme ein paar lateinische Worte zu, von denen Stobski nur »tandem« verstand. Er wandte sich mit diesem Wort hilfesuchend an seinen unmittelbaren Vorgesetzten, den Gefreiten Habke, der hinwiederum etwas von »Fahrrädern« murmelte, jede nähere Auskunft verweigernd. So überquerte Stobski ahnungslos, sich küssen lassend und küssend, mit Blumen, Schokolade und Zigaretten überhäuft, die Oder, die Elbe, den Rhein und wurde nach zehn Tagen im Dunkeln auf einem schmutzigen belgischen Bahnhof ausgeladen. Seine Kompanie versammelte sich im Hof eines bäuerlichen Anwesens, und der Hauptmann schrie im Dunkeln etwas, was Stobski nicht verstand. Dann gab es Gulasch mit Nudeln, die in einer schlecht erleuchteten Scheune schnell aus einer Gulaschkanone in die Gesichter hineingelöffelt wurden. Der Herr Unteroffizier Pillig ging noch einmal rund, hielt einen kurzen Appell ab, und zehn Minuten später marschierte die Kompanie ins Dunkel hinein westwärts; von diesem westlichen Himmel herüber kam das berühmte gewitterartige Grollen, manchmal blaffte es dort rötlich auf, es fing an zu regnen, die Kompanie verließ die Straße, fast dreihundert Füße tappten über schlammige Feldwege; immer näher kam dieses künstliche Gewitter, die Stimmen der Offiziere und Unteroffiziere wurden heiser, hatten einen unangenehmen Unterton. Stobski taten die Füße weh, sie taten ihm sehr weh, außerdem war er müde, er war sehr müde, aber er schleppte sich weiter, durch dunkle Dörfer, über schmutzige Wege, und das Gewitter, je näher sie ihm kamen, hörte sich immer widerwärtiger, immer künstlicher an. Dann wurden die Stimmen der Offiziere und Unteroffiziere merkwürdig sanft, fast milde, und links und rechts war auf unsichtbaren Wegen und Straßen das Getrappel unzähliger Füße zu hören.

Stobski bemerkte, daß sie jetzt mitten in diesem künstlichen Gewitter drin waren, es zum Teil hinter sich hatten, denn sowohl vor wie hinter ihnen blaffte es rötlich auf, und als der Befehl gegeben wurde, auszuschwärmen, lief er rechts vom Wege ab, hielt sich neben dem Gefreiten Habke, hörte Schreien, Knallen, Schießen, und die Stimmen der Offiziere und Unteroffiziere waren jetzt wieder heiser. Stobski taten die Füße immer noch weh, sie taten ihm sehr weh, und er ließ Habke Habke sein, setzte sich auf eine nasse Wiese, die nach Kuhdung roch, und dachte etwas, was auf polnisch ungefähr einer Übersetzung des Spruchs von Götz von Berlichingen gleichgekommen wäre. Er nahm den Stahlhelm ab, legte sein Gewehr neben sich ins Gras, löste die Haken seines Gepäcks, dachte an seine geliebten ölverschmierten Rädchen und schlief inmitten höchst kriegerischen Lärmes ein. Er träumte von seiner polnischen Mutter, die in der kleinen, warmen Küche Pfannkuchen buk, und es kam ihm im Traum merkwürdig vor, daß die Kuchen, sobald sie fertig zu werden schienen, mit einem Knall in der Pfanne zerplatzten und nichts von ihnen übrigblieb. Seine kleine Mutter füllte immer schneller mit dem Schöpflöffel Teig ein, kleine Kuchen buken sich zusammen, platzten einen Augenblick, bevor sie gar waren, und die kleine Mutter bekam plötzlich die Wut – im Traum mußte Stobski lächeln, denn seine kleine Mutter war nie richtig wütend geworden – und schüttete den ganzen Inhalt der Teigschüssel mit einem Guß in die Pfanne; ein großer, dicker, gelber Kuchen lag nun da, so groß wie die Pfanne, wurde größer, knusprig, blähte sich; schon grinste Stobskis kleine Mutter befriedigt, nahm das Pfannenmesser, schob es unter den Kuchen, und – bums! – gab es einen besonders schrecklichen Knall, und Stobski hatte keine Zeit mehr, davon zu erwachen, denn er war tot.

Vierhundert Meter von der Stelle entfernt, an der ein Volltreffer Stobski getötet hatte, fanden Soldaten aus seiner Kompanie acht Tage später in einem englischen Grabenstück Stobskis Brotbeutel mit einem Stück des zerfetzten Koppels – sonst fand man auf dieser Erde nichts mehr von ihm. Und als man nun in diesem englischen Grabenstück Stobskis Brotbeutel fand mit einem Stück heimatlicher Dauerwurst, der Eisernen Ration und einem polnischen Gebetbuch, nahm man an, Stobski sei in unwahrscheinlichem Heldenmut am Tage des Sturmes weit in die englischen Linien hineingelaufen und dort getötet worden. Und so bekam die kleine polnische Mutter in Niestronno einen Brief des Hauptmanns Hummel, der vom großen Heldenmut des Gemeinen Stobski berichtete. Die kleine Mutter ließ sich den Brief von ihrem Pfarrer übersetzen, weinte, faltete den Brief zusammen, legte ihn zwischen die Leintücher und ließ drei Seelenmessen lesen.

Aber sehr plötzlich eroberten die Engländer das Grabenstück wieder, und Stobskis Brotbeutel fiel in die Hände des englischen Soldaten Wilkins Grayhead. Der aß die Dauerwurst, warf kopfschüttelnd das polnische Gebetbuch in den flandrischen Schlamm, rollte den Brotbeutel zusammen und verleibte ihn seinem Gepäck ein. Grayhead verlor zwei Tage später sein linkes Bein, wurde nach London transportiert, dreiviertel Jahre später aus der Royal Army entlassen, bekam eine schmale Rente und wurde, weil er dem ehrenwerten Beruf eines Trambahnführers nicht mehr nachgehen konnte, Pförtner in einer Londoner Bank.

Nun sind die Einkünfte eines Pförtners nicht großartig, und Wilkins hatte aus dem Krieg zwei Laster mitgebracht: er soff und rauchte, und weil sein Einkommen nicht ausreichte, fing er an, Gegenstände zu verkaufen, die ihm überflüssig erschienen, und ihm erschien fast alles überflüssig. Er verkaufte seine Möbel, versoff das Geld, verkaufte seine Kleider bis auf einen einzigen schäbigen Anzug, und als er nichts mehr zu verkaufen hatte, entsann er sich des schmutzigen Bündels, das er bei seiner Entlassung aus der Royal Army in den Keller gebracht hatte. Und nun verkaufte er die unterschlagene, inzwischen verrostete Armeepistole, eine Zeltbahn, ein Paar Schuhe und Stobskis Brotbeutel. (Über Wilkins Grayhead ganz kurz folgendes: Er verkam. Hoffnungslos dem Trunke ergeben, verlor er Ehre und Stellung, wurde zum Verbrecher, wanderte trotz des verlorenen Beins, das in Flanderns Erde ruhte, ins Gefängnis und schleppte sich dort, korrupt bis ins Mark, bis zum Ende seines Lebens als Kalfaktor herum.)

Stobskis Brotbeutel aber ruhte in dem düsteren Gewölbe eines Altwarenhändlers zu Soho genau zehn Jahre – bis zum Jahre 1926. Im Sommer dieses Jahres las der Altwarenhändler Luigi Banollo sehr aufmerksam das Schreiben einer gewissen Firma Handsuppers Ltd., die ihr offenkundiges Interesse für Kriegsmaterial aller Art so deutlich kundgab, daß Banollo sich die Hände rieb. Mit seinem Sohn durchsuchte er seine gesamten Bestände und förderte zutage: 27 Armeepistolen, 58 Kochgeschirre, mehr als hundert Zeltbahnen, 35 Tornister, 18 Brotbeutel und 28 Paar Schuhe – alles von den verschiedensten europäischen Heeren. Für die gesamte Fracht bekam Banollo einen Scheck über 18.20 Pfund Sterling, ausgestellt auf eine der solidesten Londoner Banken. Banollo hatte, grob gerechnet, einen Gewinn von fünfhundert Prozent erzielt. Der jugendliche Banollo aber sah vor allem das Schwinden der Schuhe mit einer Erleichterung, die kaum beschrieben werden kann, denn es war eines seiner Aufgabengebiete gewesen, diese Schuhe zu kneten, zu fetten, kurzum, sie zu pflegen, eine Aufgabe, deren Ausmaß jedem klar ist, der je ein einziges Paar Schuhe hat pflegen müssen.

Die Firma Handsuppers Ltd. aber verkaufte den ganzen Kram, den Banollo ihr verkauft hatte, mit einem Gewinn von achthundertfünfzig Prozent (das war ihr normaler Satz) an einen südamerikanischen Staat, der drei Wochen vorher zu der Erkenntnis gekommen war, der Nachbarstaat bedrohe ihn, und sich nun entschlossen hatte, dieser Bedrohung zuvorzukommen. Der Brotbeutel des Gemeinen Stobski aber, der die Überfahrt nach Südamerika im Bauch eines schmutzigen Schiffes bestand (die Firma Handsuppers bediente sich nur schmutziger Schiffe), kam in die Hände eines Deutschen namens Reinhold von Adams, der die Sache des südamerikanischen Staates gegen ein Handgeld von fünfundvierzig Peseten zu seiner eigenen gemacht hatte. Von Adams hatte erst zwölf von den fünfundvierzig Peseten vertrunken, als er aufgefordert wurde, Ernst mit seinem Versprechen zu machen und unter der Führung des Generals Lalango, den Ruf »Sieg und Beute« auf den Lippen, gegen die Grenze des Nachbarstaates zu ziehen. Aber Adams bekam eine Kugel mitten in den Kopf, und Stobskis Brotbeutel geriet in den Besitz eines Deutschen, der Wilhelm Habke hieß und für ein Handgeld von nur fünfunddreißig Peseten die Sache des anderen südamerikanischen Staates zu seiner eigenen gemacht hatte. Habke kassierte den Brotbeutel, die restlichen dreiunddreißig Peseten und fand außerdem ein Stück Brot und eine halbe Zwiebel, die ihren Geruch den Pesetenscheinen bereits mitgeteilt hatte. Aber Habkes ethische und ästhetische Bedenken waren gering; er tat sein Handgeld dazu, ließ sich dreißig Peseten Vorschuß geben, nachdem er zum Korporal der siegreichen Nationalarmee ernannt worden war, und als er den Deckel des Brotbeutels aufschlug, dort den schwarzen Tuschestempel VII/2/II entdeckte, entsann er sich seines Onkels Joachim Habke, der in diesem Regiment gedient hatte und gefallen war; heftiges Heimweh befiel ihn. Er nahm seinen Abschied, bekam ein Bild des Generals Gublanez geschenkt und gelangte auf Umwegen nach Berlin, und als er vom Bahnhof Zoo mit der Straßenbahn nach Spandau fuhr, fuhr er – ohne es zu ahnen – an der Heereszeugmeisterei vorbei, in der Stobskis Brotbeutel im Jahre 1914 acht Tage gelegen hatte, bevor er nach Bromberg geschickt worden war.

Habke wurde von seinen Eltern freudig begrüßt, nahm seinen eigentlichen Beruf, den eines Expedienten, wieder auf, aber bald zeigte sich, daß er zu politischen Irrtümern neigte. Im Jahre 1929 schloß er sich der Partei mit der häßlichen kotbraunen Uniform an, nahm den Brotbeutel, den er neben dem Bild des Generals Gublanez über seinem Bett hängen hatte, von der Wand und führte ihn praktischer Verwendung zu: Er trug ihn zu der kotbraunen Uniform, wenn er sonntags in die Heide zog, um zu üben. Bei den Übungen glänzte Habke durch militärische Kenntnisse; er schnitt ein wenig auf, machte sich zum Bataillonsführer in jenem südamerikanischen Krieg, erklärte ausführlich, wo, wie und warum er damals seine schweren Waffen eingesetzt hatte. Es war ihm ganz entfallen, daß er ja nur den armen von Adams mitten in den Kopf geschossen, seiner Peseten beraubt und den Brotbeutel an sich genommen hatte. Habke heiratete im Jahre 1929, und 1930 gebar ihm seine Frau einen Knaben, der den Namen Walter erhielt. Walter gedieh, obwohl seine beiden ersten Lebensjahre unter dem Zeichen der Arbeitslosenunterstützung standen; aber schon als er vier Jahre alt war, bekam er jeden Morgen Keks, Büchsenmilch und Apfelsinen, und als er sieben war, bekam er von seinem Vater den verwaschenen Brotbeutel überreicht mit den Worten: »Halte dieses Stück in Ehren, es stammt von deinem Großonkel Joachim Habke, der sich vom Gemeinen zum Hauptmann emporgedient, achtzehn Schlachten über-

standen hatte und von roten Meuterern im Jahre 1918 erschossen wurde. Ich selbst trug ihn im südamerikanischen
Krieg, in dem ich nur Oberstleutnant war, obwohl ich
General hätte werden können, wenn das Vaterland meiner
nicht bedurft hätte.«

Walter hielt den Brotbeutel hoch in Ehren. Er trug ihn zu
seiner eigenen kotbraunen Uniform vom Jahre 1936 bis
1944, gedachte häufig seines heldenhaften Großonkels,
seines heldenhaften Vaters und legte den Brotbeutel, wenn
er in Scheunen übernachtete, vorsichtig unter seinen Kopf.
Er bewahrte Brot, Schmelzkäse, Butter, sein Liederbuch
darin auf, bürstete, wusch ihn und war glücklich, je mehr
sich die gelbliche Farbe in ein sanftes Weiß verwandelte. Er
ahnte nicht, daß der sagenhafte und heldenhafte Großonkel
als Gefreiter auf lehmigem flandrischem Acker gestorben
war, nicht weit von der Stelle entfernt, an der ein Volltreffer
den Gemeinen Stobski getötet hatte.

Walter Habke wurde fünfzehn, lernte mühsam Englisch,
Mathematik und Latein auf dem Spandauer Gymnasium,
verehrte den Brotbeutel und glaubte an Helden, bis er selbst
gezwungen wurde, einer zu sein. Sein Vater war längst nach
Polen gezogen, um dort irgendwie und irgendwo Ordnung
zu schaffen, und kurz nachdem der Vater wütend aus Polen
zurückgekommen war, zigarettenrauchend und »Verrat«
murmelnd, im engen Spandauer Wohnzimmer auf und ab
ging, kurz danach wurde Walter Habke gezwungen, ein
Held zu sein.

In einer Märznacht des Jahres 1945 lag er am Rande eines
pommerschen Dorfes hinter einem Maschinengewehr, hörte
dem dunklen, gewitterartigen Grollen zu, das genauso
klang, wie es in den Filmen geklungen hatte; er drückte den
Abzug des Maschinengewehrs, schoß Löcher in die dunkle
Nacht und spürte den Drang zu weinen. Er hörte Stimmen
in der Nacht, Stimmen, die er nicht kannte, schoß weiter,
schob einen neuen Gurt ein, schoß, und als er den zweiten
Gurt verschossen hatte, fiel ihm auf, daß es sehr still war:

Er war allein. Er stand auf, rückte sein Koppel zurecht, vergewisserte sich des Brotbeutels und ging langsam in die Nacht hinein westwärts. Er hatte angefangen, etwas zu tun, was dem Heldentum sehr schädlich ist: Er hatte angefangen nachzudenken – er dachte an das enge, aber sehr gemütliche Wohnzimmer, ohne zu ahnen, daß er an etwas dachte, das es nicht mehr gab; der junge Banollo, der Walters Brotbeutel einmal in der Hand gehabt hatte, war inzwischen vierzig Jahre alt geworden, war in einem Bombenflugzeug über Spandau gekreist, hatte den Schacht geöffnet und das enge, aber gemütliche Wohnzimmer zerstört, und Walters Vater ging jetzt im Keller des Nachbarhauses auf und ab, rauchte Zigaretten, murmelte »Verrat« und hatte ein unordentliches Gefühl, wenn er an die Ordnung dachte, die er in Polen geschaffen hatte.

Walter ging nachdenklich westwärts in dieser Nacht, fand endlich eine verlassene Scheune, setzte sich, schob den Brotbeutel vorne auf den Bauch, öffnete ihn, aß Kommißbrot, Margarine, ein paar Bonbons, und so fanden ihn russische Soldaten: schlafend, mit verweintem Gesicht, einen Fünfzehnjährigen, leergeschossene Patronengurte um den Hals, mit säuerlich nach Bonbon riechendem Atem. Sie schubsten ihn in eine Kolonne, und Walter Habke zog ostwärts. Nie mehr sollte er Spandau wiedersehen.

Inzwischen war Niestronno deutsch gewesen, polnisch geworden, war wieder deutsch, wieder polnisch geworden, und Stobskis Mutter war fünfundsiebzig Jahre alt. Der Brief des Hauptmanns Hummel lag immer noch im Schrank, der längst kein Leinen mehr enthielt; Kartoffeln bewahrte Frau Stobski darin auf, weit hinter den Kartoffeln lag ein großer Schinken, standen in einer Porzellanschüssel die Eier, stand tief im Dunkeln ein Kanister mit Öl. Unter dem Bett war Holz gestapelt, und an der Wand brannte rötlich das Öllicht vor dem Bild der Muttergottes von Czenstochau. Hinten im Stall lungerte ein mageres Schwein, eine Kuh gab es nicht mehr, und im Hause tobten die sieben Kinder der Wolniaks, deren Haus in Warschau zerstört worden war. Und draußen auf der Straße kamen sie vorbeigezogen: schlappe Soldaten mit wunden Füßen und armseligen Gesichtern. Sie kamen fast jeden Tag. Zuerst hatte der Wolniak an der Straße gestanden, geflucht, hin und wieder einen Stein aufgehoben, sogar damit geworfen, aber nun blieb er hinten in seinem Zimmer sitzen, wo einst Joseph Stobski Uhren repariert, Armbänder graviert und abends an seinen ölverschmierten Rädchen herumgefummelt hatte.

Im Jahre 1939 waren polnische Gefangene ostwärts an ihnen vorbeigezogen, andere polnische Gefangene westwärts, später waren russische Gefangene westwärts an ihnen vorbeigezogen, und nun zogen schon lange deutsche Gefangene ostwärts an ihnen vorbei, und obwohl die Nächte noch kalt waren und dunkel, tief der Schlaf der Leute in Niestronno, sie wurden wach, wenn nachts das sanfte Getrappel über die Straßen ging.

Frau Stobski war eine der ersten, die morgens in Niestronno aufstanden. Sie zog einen Mantel über ihr grünliches Nachthemd, entzündete Feuer im Ofen, goß Öl auf das Lämpchen vor dem Muttergottesbild, brachte die Asche auf den Misthaufen, gab dem mageren Schwein zu fressen, ging dann in ihr Zimmer zurück, um sich für die Messe umzuziehen. Und eines Morgens im April 1945 fand sie vor der Schwelle ihres Hauses einen sehr jungen, blonden Mann, der in seinen Händen einen verwaschenen Brotbeutel hielt, ihn fest umklammerte. Frau Stobski schrie nicht. Sie legte den gestrickten schwarzen Beutel, in dem sie ein polnisches Gebetbuch, ein Taschentuch und ein paar Krümelchen Thymian aufbewahrte – sie legte den Beutel auf die Fensterbank, beugte sich zu dem jungen Mann hinunter und sah sofort, daß er tot war. Auch jetzt schrie sie nicht. Es war noch dunkel, nur hinter den Kirchenfenstern flackerte es gelblich, und Frau Stobski nahm dem Toten vorsichtig den Brotbeutel aus den Händen, den Brotbeutel, der einmal das Gebetbuch ihres Sohnes und ein Stück Dauerwurst von einem ihrer Schweine enthalten hatte, zog den Jungen auf die Fliesen des Flures, ging in ihr Zimmer, nahm den Brotbeutel – wie zufällig – mit, warf ihn auf den Tisch und suchte in einem Packen schmutziger, fast wertloser Zlotyscheine. Dann machte sie sich auf den Weg ins Dorf, um den Totengräber zu wecken.

Später, als der Junge beerdigt war, fand sie den Brotbeutel auf ihrem Tisch, nahm ihn in die Hand, zögerte – dann suchte sie den Hammer und zwei Nägel, schlug die Nägel in die Wand, hing den Brotbeutel daran auf und beschloß, ihre Zwiebeln darin aufzubewahren.

Sie hätte den Brotbeutel nur etwas weiter aufzuschlagen, seine Klappe ganz zu öffnen brauchen, dann hätte sie den schwarzen Tuschestempel entdeckt, der dieselbe Nummer zeigte wie der Stempel auf dem Briefkopf des Hauptmanns Hummel.

Aber so weit hat sie den Brotbeutel nie aufgeschlagen.

Die Routen sind uns genau vorgeschrieben. Wir verlassen jeden Morgen in verschiedenen Richtungen die Stadt, ein Trupp von sechs Ermittlern, die der Statistik dienen. Es war noch dunkel, als ich an diesem Tag in Köln einstieg; zu breit kam mir der Dom vor, breit und zerklüftet, und es war ein seltsam düsteres Spiel, als der Zug in Deutz hielt, wo keiner aus- noch einstieg, aber Zugführer, Vorsteher und Schaffner dennoch Signale austauschten: Lampen wurden geschwenkt, Rufe ertönten und Pfiffe, bis der Kolben der Lokomotive sich wieder zu drehen begann. Erst hinter Mülheim sah ich, wie es anfing, hell zu werden, hinter den Hügeln, die östlich von Köln liegen; scharf sprang ein Turm in einem plötzlichen Sonnenstrahl aus dem Dämmer heraus, und ich sah, daß es erst sechs war.

Wir versuchen, unsere Ermittlung auf möglichst vielfältige Weise durchzuführen, lassen alles Formale weg, verzichten auf Fragebogen. Nur Notizbuch und Bleistift dienen uns, und der Plan, an den uns zu halten wir verpflichtet sind. Der neueste Gedanke des Chefs ist, die Leute so früh wie möglich aufzusuchen, »im Anblick des Alltags sozusagen«, eine undankbare und schwierige Geschichte.

So hatte ich bald wieder meinen Mantel zuzuknöpfen und nach meiner Mütze zu greifen, denn eine Stimme rief draußen: »Opladen, Opladen!«

Ich hatte vom Bahnhof aus etwa acht Minuten zu gehen, ehe ich die vorgeschriebene Anschrift erreicht hatte: ein kleines Haus aus roten Backsteinen.

Ich drückte auf den Klingelknopf und wartete. Ich wartete lange. Aber alles blieb still. Leute gingen auf der Straße an mir vorüber, seltsame Blicke trafen mich, aber drinnen war nichts zu hören, und der gelbliche Vorhang bewegte sich nicht: nur ein Porzellanzwerg mit einer Ziehharmonika auf dem Schoß saß auf der Fensterbank zwischen Scheibe und Vorhang und suchte mit seinen stumpfen Fingern nach einer Melodie, die er nicht zu finden schien. Er grinste ins Unbestimmte hinein, und erst als ich länger hinsah, bemerkte ich, daß er auf einem Aschenbecher hockte und in seiner hohlen Mütze eine Zigarette stak.

Ich klingelte noch einmal, aber da trat eine Frau an mich heran, die kurz vorher mit der Milchkanne an mir vorübergegangen war. Sie sah müde aus.

»Zu wem wollen Sie?«

»Meixner«, sagte ich.

Sie schüttelte den Kopf: »Der ist doch tot.«

»Und seine Frau?«

»Im Krankenhaus.«

Sie ging kopfschüttelnd weg und blickte sich einmal um, weil ich noch stehenblieb und dem Zwerg ins Gesicht blickte. Dann ging ich langsam zum Bahnhof zurück. Wir sind nicht ermächtigt, in solchen Fällen eigene Initiative zu ergreifen und andere Adressen aufzusuchen. Der Tote bleibt tot und geht in die Konzentrationslisten als Strich in einer bestimmten Rubrik ein.

Ich stieg in den Zug nach Düsseldorf, malte vorsichtig ein Kreuz hinter die Opladener Adresse und las die Zeitung, aber immer sah ich vor mir das hoffnungslose Porzellangesicht des Zwerges, dessen Grinsen mir nicht zufällig erschien.

In Düsseldorf verließ ich den Bahnhof schnell. Irrtümer sind bei unserer Arbeit fast ausgeschlossen. Selbst die Straßenbahnen sind uns vorgeschrieben und fahren uns unfehlbar so nahe wie möglich an die Häuser heran, die wir aufzusuchen haben. Ich stieg in die Bahn, gab dem Schaffner Geld und verließ nach zehn Minuten die Bahn vor einem Zigarettengeschäft – dort trat ich ein. Hinter einem Berg von Zigarrenkisten erhob sich eine Frau; sie war groß und steif, und es entstand der Eindruck von Künstlichkeit, weil sie ihre Arme nur vom Ellenbogen an abwärts bewegte, die obere Hälfte an den Leib gepreßt hielt. Ich blickte ihr ins Gesicht.

»Bitte?« fragte sie.

Ich holte tief Atem, um meinen Spruch zu sagen, nahm gleichzeitig meinen Ausweis aus der Tasche und hielt ihn in der Hand. Ich habe die Gewohnheit, die Einleitung absichtlich herunterzurasseln, auch die Fragen abzuleiern, um den Eindruck des Unpersönlichen zu erhöhen. Außerdem blicke ich die Leute nicht an. So sah ich über ihre Schulter auf einen Türken mit Fes, der seine Zigarette sinnlos zwischen den Fingern verqualmen ließ und einer Moschee zugrinste.

»Ich komme vom Intelligenz-Institut«, sagte ich, »wir sind bemüht, durch Befragen aller Bevölkerungsschichten, in allen Gegenden, zu jeder Tageszeit die Meinung der Menschen über gewisse Dinge zu erforschen. Wir wären Ihnen dankbar, wenn Sie ein paar Fragen gestatten würden. Ich brauche nicht zu betonen, daß Diskretion . . .«

»Fragen Sie«, sagte sie ruhig. Ihr Mund hatte sich geöffnet, und ein Lächeln flog über ihr Gesicht, das große Müdigkeit hervorzurufen schien.

»Glauben Sie an Gott?« fragte ich.

Ihre Hände lösten sich von der Theke, sie griff sich zum Herzen, dann an den Kopf, hob die schweren Lider ganz, so daß ich die großen, ruhigen, grauen Augen sah. Dann nickte sie.

»Wie stellen Sie sich Gott vor?«

»Gott ist traurig«, sagte sie still, »wir müssen ihn trösten.«

Ich schwieg einen Augenblick, sagte »Danke« und ging.

Die gleichen Fragen stellte ich zwanzig Minuten später einem Mann, der unbeweglich hinter der Gardine stand und dem Straßenverkehr zusah. Er hieß Baluhn, sein stumpfes Gebiß wirkte bläulich, seine Arme waren stark behaart. Er spielte mit den Fransen des Vorhanges, und sein fahler Kopf mit der Glatze sah tödlich traurig aus, als er sich mir zuwandte und sagte: »Es hat Gott gegeben, aber sie haben ihn getötet, und er ist nicht auferstanden.«

68

Das dritte Haus war halb zerstört. Im Flur spielte ein Kind in einer Pfütze, die noch vom letzten Regen her dort stand. Das Kind war blaß und still, und ich hörte im Aufgang eine Frauenstimme singen. Die Frau sang schön. Das Kind summte leise mit. Ich stieg vorsichtig die Treppe hinauf. Im ersten Stock stand eine Tür offen: ich sah den Rücken einer Frau, die über den Tisch gebeugt war, um Teig zu rollen. Es war die, die gesungen hatte. Sie schwieg beim Geräusch meiner Tritte, wandte sich um: ihr blasses Gesicht, von strähnigem schwarzem Haar umgeben, blickte mich ruhig an. »Frau Dietz?« fragte ich.

Sie nickte, und ich leierte meinen Spruch ab, selbst berührt von diesem faszinierenden Rhythmus, der sich durch betontes Leiern gebildet hat.

Die Frau schwieg erst. Sie wischte sich die Hände an der Schürze ab und starrte mich mit offenem Munde an: »Gott«, sagte sie, »es gibt zwei Götter, einen Gott der Reichen und einen Gott der Armen.«

Mühsam atmend stellte ich die zweite Frage.

Sie überlegte nicht lange. »Der eine ist hart und machtlos«, sagte sie, »und der andere ist sanft, aber gewaltig – gewaltig.«

»Ich danke Ihnen«, sagte ich, aber ich ging nicht. Wir blickten uns an, es war still für einen Augenblick, dann lächelten wir, und ich ging die Treppe hinunter.

Ich mußte zum Bahnhof laufen, um meinen Anschluß zu bekommen. Wahrscheinlich hatte ich zu lange gelächelt, und es war spät geworden. Ich suchte einen Sitzplatz, nahm mein Notizbuch heraus und schrieb die Düsseldorfer Ergebnisse ein. An sich mißtraut der Chef dem geschriebenen Wort noch mehr als dem gesprochenen – er plant, uns kleine Aufnahmegeräte mitzugeben, die den Dialog wörtlich wiedergeben, während für uns nur eine kurze Schilderung des Milieus bliebe. Aber offenbar haben seine Auftraggeber bisher die Kosten gescheut.

Gegen zwölf war ich in Gelsenkirchen. Es hatte angefangen zu regnen, und ich ging langsam im Regen durch die Stadt; die herbe Luft glich dem Fahrgeruch der Eisenbahn, bitter und würzig, auch als ich in ein stilleres Stadtviertel kam. Löwenzahn wuchs auf den Trümmern in dichter Kolonie, und auf der Suche nach der Hausnummer blieb ich vor einem Kolonialwarenladen stehen: die Reklameschilder glänzten trübe im Regen, und die Waren schienen hinter den feuchten Scheiben zu schwimmen wie in einem Aquarium. Ich trat im Nebenhaus ein: es war ein Friseursalon. Alles war still, und der Laden lag wie im Dämmer. Im Hintergrund schimmerte bläulich ein Transparent, das Gummiwaren anpries, neben dem Gesicht eines sehr zufrieden lächelnden Herrn, der über eine Rasiercreme entzückt schien. In den Spiegeln über den Waschbecken sah ich mich selbst: ich sah hilflos aus. Ich rief »Hallo!«, wartete, aber nichts rührte sich. In einem Nebenzimmer schienen Kinder zu spielen, ich hörte ihr Kreischen gedämpft. Ich setzte mich, stopfte meine Pfeife, zündete sie an und nahm eine Illustrierte vom Haken. Die Illustrierte war fast drei Wochen alt. Eine Filmschauspielerin zierte das Titelblatt, die längst schon vergessen war, hier aber noch als die schönste Frau des Jahrhunderts galt, und auf der zweiten Seite sah ich das humane Gesicht eines Generals, der beteuerte, daß er unschuldig sei; woran, stand nicht da.

In diesem Augenblick wurde die Ladentür aufgerissen, und ein junges Mädchen stürmte herein. Ihr heiteres, eifriges Gesicht kam mir bekannt vor. Der Notizblock in ihrer Hand klärte mich vollkommen auf.

»Guten Tag, Meister!« schrie sie mich an. »Ich komme vom Intelligenz-Institut, gestatten Sie ein paar Fragen?«

»Gern«, sagte ich, nahm meine Pfeife in den Mund und stieß dicke Wolken aus.

»Glauben Sie an Gott?«

»Ja«, sagte ich.

»Wie stellen Sie sich Gott vor?«

»Ich bin Christ.«

»Oh«, rief sie, »schön – wirklich?«

»Wirklich«, sagte ich.

»Vielen Dank.« Sie steckte ihr Notizbuch weg, rannte die Stufen hinauf und knallte die Tür hinter sich zu. Ich stand langsam auf und war nun erschrocken, als der Ladenbesitzer plötzlich neben mir stand. Er war ein junger Mann, sein Haar war zerrauft, und er schien erhitzt zu sein. Er lächelte.

»Verzeihung«, sagte er, »warten Sie schon lange?«

»Nein, nein«, sagte ich lächelnd.

»Was wünschen Sie?«

»Rasierklingen, bitte«, sagte ich, »zehn Stück. Aber schnell.«

Er lief zum Regal, gab mir ein Päckchen, ich warf Geld hin und lief hinaus. Ich holte die Kollegin an der Straßenecke ein und folgte ihr. Ich ging sehr lange im Regen hinter ihr, fast durch die ganze Stadt – vorbei an Eisenwerken, Riesenanlagen, Zechen –, durch belebte Straßen und einen großen Park. Sie suchte genau die Adressen auf, die mir für den Nachmittag bestimmt waren. Offenbar lag ein Irrtum der Abteilung »Reisepläne« vor.

Es war schon spät, als ich endlich müde hinter ihr her zum Bahnhof ging. Aber ich hatte keine Lust, nach Hause zu fahren. Ich setzte mich nahe am Bahnhof in ein Kino, dort war es warm und still, und ich schlief kurz nach Beginn des Hauptfilms ein. Als ich hinaustrat, regnete es immer noch.

Ich stieg in einen Zug, der südwärts fuhr, schlief im Sitzen ein und wurde nur wach, wenn der Zug hielt. So döste ich hin, bis eine Stimme im Dunkeln »Opladen« rief: »Opladen – hier ist Opladen.« Ich sprang auf, nahm meine Mütze aus dem Netz und stieg schnell aus. Erst als ich an der Sperre stand und der Zug weiterfuhr, sich langsam im Dunkeln an mir vorbeischiebend, begriff ich, daß ich in Opladen nichts mehr zu suchen hatte. Der nächste Zug fuhr erst in einer Stunde, und ich wußte nichts anderes, als langsam hinauszugehen zu dem Haus, wo ich morgens gewesen war. Schon

71

von weitem sah ich, daß es erleuchtet war. Ich ging schnell näher, las auf dem Schild, daß der Name Meixner schon überklebt war. Von der anderen Straßenseite aus sah ich mir den Zwerg an: von hinten beleuchtet sah er fast lebendig aus. Eine junge Frau ging durchs Zimmer, mit einem rötlichen Mantel bekleidet, und plötzlich hob sich der Vorhang, und ein kleines Mädchen im Nachthemd stützte sich auf die Fensterbank und drückte seine Puppe fest an die Scheiben. Die Puppe war alt und schmutzig, aber ich hob die Hand und winkte ihr zu. Das Kind erschrak, machte eine heftige Bewegung, der Zwerg bekam einen Stoß und fiel auf den Boden. Ich hörte, wie er zerschellte, es klirrte nur kurz. Das Kind verschwand, die Puppe stand noch da, schief gegen die Scheiben gelehnt, ein struppiges Ding. Ich winkte ihr noch einmal zu und ging langsam weg: aus einem anderen Zimmer kam jetzt Geschrei, und ich wußte, daß das Mädchen Prügel bekam. Kinder bekommen immer Prügel, fast immer unschuldig und immer umsonst, und ich hoffte, daß sie nich zuviel bekam.

Als ich noch einmal stehenblieb, war es schon still, und ich betete, daß der Vater sie nicht noch einmal schlagen sollte. Vielleicht war er tot, oder er hatte Nachtschicht, vielleicht auch würde er glauben, daß draußen wirklich ein schwarzer Mann gestanden und der Puppe zugewinkt hatte.

Ich ging sehr langsam zum Bahnhof zurück.

Der Tod der Elsa Baskoleit

Der Keller des Hauses, in dem wir früher wohnten, war an einen Händler vermietet, der Baskoleit hieß; in den Fluren standen immer Apfelsinenkisten herum, roch es nach fauligem Obst, das Baskoleit für die Müllabfuhr bereitstellte, und hinter dem Dämmer der Milchglasscheibe hörten wir oft seine breite, ostpreußische Stimme, die über die schlechten Zeiten klagte. Aber im Grunde seines Herzens war Baskoleit fröhlich: wir wußten, so genau, wie nur Kinder es wissen, daß sein Schimpfen ein Spiel war, auch sein Geschimpfe mit uns, und oft kam er die wenigen Stufen hinauf, die aus dem Keller auf die Straße führten, hatte die Taschen voller Äpfel oder Apfelsinen, die er uns wie Bälle zuwarf.

Interessant war aber Baskoleit durch seine Tochter Elsa, von der wir wußten, daß sie Tänzerin werden wollte. Vielleicht war sie es auch schon: jedenfalls übte sie oft, übte unten in dem gelbgetünchten Kellerraum neben Baskoleits Küche: ein blondes schlankes Mädchen, das auf den Zehenspitzen stand, mit einem grünen Trikot bekleidet, blaß, minutenlang schwebend wie ein Schwan, herumwirbelnd oder springend, sich überschlagend. Vom Fenster meines Schlafzimmers aus konnte ich sie sehen, wenn es dunkel war: im gelben Rechteck des Fensterausschnitts ihr giftgrün bekleideter magerer Körper, das blasse angestrengte Gesicht und ihr blonder Kopf, der im Sprung manchmal die nackte Glühbirne berührte, die anfing zu schwanken und ihren gelben Lichtkreis auf dem grauen Hof für Augenblicke erweiterte. Es gab Leute, die über den Hof riefen: »Hure!«, und ich wußte nicht, was eine Hure war, es gab andere, die riefen: »Schweinerei!«, und obwohl ich zu wissen glaubte, was eine Schweinerei war: ich konnte nicht glauben, daß Elsa etwas damit zu tun hatte. Baskoleits Fenster wurde dann aufgerissen, und im Bratdunst tauchte sein schwerer, kahler

Kopf auf, und mit dem Licht, das aus dem geöffneten Küchenfenster in den Hof fiel, schrie er eine Flut von Beschimpfungen in den dunklen Hof hinauf, von denen ich keine verstand. Bald jedenfalls bekam Elsas Zimmer einen Vorhang, dick samtgrün, so daß kaum noch Licht nach außen drang, aber ich blickte jeden Abend auf dieses mattschimmernde Rechteck und sah sie, obwohl ich sie nicht sehen konnte: Elsa Baskoleit im giftgrünen Trikot, mager und blond, für Sekunden schwebend unter der nackten Glühbirne.

Aber wir zogen bald aus, ich wurde älter, erfuhr, was eine Hure war, glaubte zu wissen, was eine Schweinerei ist, sah Tänzerinnen, aber keine gefiel mir so, wie Elsa Baskoleit mir gefallen hatte, von der ich nie mehr hörte. Wir zogen in eine andere Stadt, Krieg kam, ein langer Krieg, und ich dachte nicht mehr an Elsa Baskoleit, dachte auch nicht an sie, als wir in die alte Stadt zurückkehrten. Ich versuchte mich in den verschiedensten Berufen, bis ich Fahrer bei einem Obstgroßhändler wurde: mit einem Lastwagen umgehen war das einzige, was ich wirklich konnte. Ich bekam jeden Morgen meine Liste, bekam Kisten mit Äpfeln und Apfelsinen, Körbe mit Pflaumen und fuhr in die Stadt.

Eines Tages, während ich an der Rampe stand, wo mein Wagen beladen wurde, und das, was der Lagerverwalter mir auflud, mit einer Liste verglich, kam der Buchhalter aus seiner Kabine, die mit Bananenplakaten beklebt ist, und fragte den Lagerverwalter: »Können wir Baskoleit liefern?«

»Hat er bestellt? Blaue Weintrauben?«

»Ja«, der Buchhalter nahm den Bleistift hinterm Ohr weg und sah den Lagerverwalter erstaunt an.

»Hin und wieder«, sagte der Lagerverwalter, »bestellt er einmal was: blaue Weintrauben, ich weiß nicht warum, aber wir können ihm nicht liefern. Macht voran!« rief er den Trägern in den grauen Kitteln zu. Der Buchhalter ging in seine Kabine zurück, und ich, ich achtete nicht mehr darauf, ob sie wirklich aufluden, was in meiner Liste stand. Ich sah den rechteckigen, hellerleuchteten Ausschnitt des Keller-fensters, sah Elsa Baskoleit tanzen, mager und blaß, giftgrün gekleidet, und ich nahm an diesem Morgen eine andere Route als mir vorgeschrieben war.

Von den Laternen, an denen wir gespielt hatten, stand nur noch eine, und auch diese war ohne Kopf, die meisten Häu-ser waren zerstört, und mein Wagen rumpelte durch tiefe Schlaglöcher. Nur ein Kind war auf der Straße, auf der es früher von Kindern gewimmelt hatte: ein blasser dunkler Junge, der müde auf einem Mauerrest hockte und Figuren in den weißlichen Staub zeichnete. Er blickte auf, als ich vorüberfuhr, ließ aber dann den Kopf wieder hängen. Ich bremste vor Baskoleits Haus und stieg aus. Seine kleinen Schaufenster waren verstaubt, Kartonpyramiden waren zu-sammengefallen, und die grünliche Pappe war schwarz von Dreck. Ich blickte an der zurechtgeflickten Hauswand hoch, öffnete zögernd die Tür zum Laden und stieg langsam hin-unter: es roch scharf nach feuchtgewordener Suppenwürze, die klumpig in einem Karton nahe der Tür stand, aber dann sah ich Baskoleits Rücken, sah das graue Haar unter seiner Mütze und spürte, wie lästig es ihm war, Essig aus einem großen Faß in eine Flasche abzufüllen. Offenbar gelang es ihm nicht, den Spund richtig zu bedienen, die saure Brühe floß über seine Finger, und unten auf dem Boden hatte sich eine Pfütze gebildet, eine faule, sauer riechende Stelle im Holz, die unter seinen Füßen quietschte. An der Theke stand eine magere Frau in einem rötlichen Mantel, die ihm gleich-gültig zublickte. Endlich schien er die Flasche gefüllt zu haben, stöpselte sie zu, und ich sagte noch einmal, was ich schon an der Tür gesagt hatte, sagte leise: »Guten Morgen«, aber keiner antwortete mir. Baskoleit setzte die Flasche auf die Theke, sein Gesicht war blaß und unrasiert, und er blickte die Frau jetzt an und sagte: »Meine Tochter ist ge-storben – Elsa –.«

»Ich weiß«, sagte die Frau heiser, »weiß ich schon fünf Jahre. Scheuersand brauch ich noch.«

»Meine Tochter ist gestorben«, sagte Baskoleit. Er blickte die Frau an, als sei es ganz neu, blickte sie ratlos an, aber die Frau sagte: »Den losen – ein Kilo.« Und Baskoleit zog ein schwärzliches Faß unter der Theke hervor, stocherte mit einer Blechschaufel darin herum und beförderte mit seinen zitternden Händen gelbliche Klumpen in eine graue Papiertüte.

»Meine Tochter ist gestorben«, sagte er. Die Frau schwieg, und ich blickte rund, konnte nichts entdecken als verstaubte Nudelpakete, das Essigfaß, dessen Hahn langsam tropfte, und den Scheuersand und ein Emailleschild mit einem blonden, grinsenden Jungen, der eine Schokolade aß, die es schon seit Jahren nicht mehr gibt. Die Frau steckte die Flasche in ihr Netz, packte den Scheuersand daneben, warf ein paar Münzen auf die Theke, und als sie sich umwandte und an mir vorbeiging, tippte sie flüchtig mit einem Finger an die Stirn und lächelte mir zu.

Ich dachte an vieles, dachte an die Zeit, in der ich so klein gewesen war, daß meine Nase noch unterhalb des Thekenrandes ruhte, aber nun blickte ich mühelos über den Glaskasten, der den Namen einer Keksfirma trug und jetzt nur staubige Tüten mit Paniermehl enthielt; für Augenblicke schien ich zusammenzuschrumpfen, spürte meine Nase unterhalb des schmutzigen Thekenrandes, fühlte die Pfennige für Bonbons in meiner Hand, ich sah Elsa Baskoleit tanzen, hörte Leute in den Hof rufen: »Hure!« und »Schweinerei«, bis Baskoleits Stimme mich weckte.

»Meine Tochter ist gestorben.« Er sagte es automatisch, fast ohne Gefühl, stand jetzt am Schaukasten und blickte auf die Straße.

»Ja«, sagte ich. »Sie ist tot«, sagte er.

»Ja«, sagte ich. Er wandte mir den Rücken zu, hielt die Hände in den Taschen seines grauen Kittels, der fleckig war.

»Weintrauben aß sie gern – blaue, aber nun ist sie tot.« Er sagte nicht: »Wünschen Sie etwas?« oder »Womit kann ich dienen?«, er stand in der Nähe des tropfenden Essigfasses am Schaukasten, sagte: »Meine Tochter ist gestorben« oder »Sie ist tot«, ohne mich anzublicken.

Unendlich lange schien ich dort zu stehen, verloren und vergessen, während um mich herum die Zeit wegrieselte. Ich konnte mich erst losreißen, als wieder eine Frau in den Laden trat. Sie war klein und rundlich, hielt die Einkaufstasche vor den Bauch, und Baskoleit wandte sich ihr zu und sagte: »Meine Tochter ist gestorben«, die Frau sagte »ja«, fing plötzlich an zu weinen und sagte: »Scheuersand, bitte, von dem losen ein Kilo«, und Baskoleit kam hinter die Theke, stocherte mit der Blechschaufel im Faß herum. Die Frau weinte immer noch, als ich hinausging.

Der blasse dunkle Junge, der auf dem Mauerrest gehockt hatte, stand auf dem Trittbrett meines Wagens, blickte aufmerksam auf die Armatur, griff mit der Hand durch die offene Scheibe, ließ den rechten, den linken Winker hochschlagen. Der Junge erschrak, als ich plötzlich hinter ihm stand, aber ich packte ihn, blickte in sein blasses ängstliches Gesicht, griff einen Apfel aus den Kisten, die auf meinem Wagen standen, und schenkte ihn dem Jungen. Er blickte mich erstaunt an, als ich ihn losließ, so erstaunt, daß ich erschrak, und ich nahm noch einen Apfel, noch einen, steckte sie ihm in die Tasche, schob sie ihm unter die Jacke, viele Äpfel, bevor ich einstieg und davonfuhr.

Niemand von denen, die mich kennen, begreift die Sorgfalt, mit der ich einen Papierfetzen aufbewahre, der völlig wertlos ist, lediglich die Erinnerung an einen bestimmten Tag meines Lebens wachhält und mich in den Ruf einer Sentimentalität bringt, die man meines Bildungsgrades für unwürdig hält: Ich bin Prokurist einer Textilfirma. Doch ich wehre mich gegen den Vorwurf der Sentimentalität und versuche immer wieder, diesem Papierfetzen dokumentarischen Wert zuzusprechen. Es ist ein winziges, rechteckiges Stück einfachen Papiers, das zwar das Ausmaß, nicht aber das Format einer Briefmarke hat, es ist schmäler und länger als eine solche, und obwohl es von der Post stammt, hat es nicht den geringsten Sammelwert: Es ist mit einem kräftigen Rot umrandet, durch einen weiteren roten Querstrich in zwei Rechtecke verschiedener Größe geteilt, und im kleineren dieser Rechtecke steht ein fettes schwarzgedrucktes R, im größeren schwarzgedruckt »Düsseldorf« und eine Zahl – die Zahl 634. Das ist alles, und das Papierstückchen ist vergilbt, fast schon verschlissen, und nun, da ich es genau beschrieben habe, entschließe ich mich, es wegzuwerfen: ein einfaches Einschreibe-Etikett, wie jede Postanstalt sie täglich rollenweise verklebt.

Aber dieses Papierstückchen erinnert mich an einen Tag meines Lebens, der wirklich unvergeßlich ist, obwohl man vielfach versucht hat, ihn aus meiner Erinnerung zu streichen. Doch mein Gedächtnis funktioniert zu gut.

Zuerst, wenn ich an diesen Tag denke, rieche ich Vanillepudding, eine warme und süße Wolke, die unter meiner Schlafzimmertür hereinkroch und mich an das gute Herz meiner Mutter gemahnte: Ich hatte sie gebeten, mir an meinem ersten Urlaubstag Vanilleeis zu machen, und als ich wach wurde, roch ich es.

Es war halb elf. Ich steckte mir eine Zigarette an, schob das Kopfkissen hoch und malte mir aus, wie ich den Nachmittag verbringen würde. Ich wollte schwimmen gehen; nach dem Essen würde ich ins Strandbad fahren, würde ein bißchen schwimmen, lesen, rauchen und auf eine kleine Kollegin warten, die versprochen hatte, nach fünf ins Strandbad zu kommen.

In der Küche klopfte meine Mutter Fleisch, und wenn sie für einen Augenblick aussetzte, hörte ich, daß sie etwas vor sich hinsummte. Es war ein Kirchenlied. Ich war sehr glücklich. Am Tage vorher hatte ich die Gehilfenprüfung bestanden, ich hatte eine gute Stelle in einer Textilfabrik, eine Stelle mit Aufstiegsmöglichkeiten – aber jetzt hatte ich Urlaub, vierzehn Tage Urlaub, und es war Sommer. Draußen war es heiß, aber ich hatte Hitze damals noch gern: durch die Spalten in den Läden sah ich draußen das, was man uns Glast zu nennen gelehrt hat; ich sah das Grün der Bäume vor unserem Haus, hörte die Straßenbahn. Und ich freute mich auf das Frühstück. Dann kam die Mutter, um an meiner Tür zu horchen; sie ging durch die Diele, blieb vor meiner Tür stehen, es war einen Augenblick still in unserer Wohnung, und ich wollte gerade »Mutter« rufen, da klingelte es. Meine Mutter ging zur Tür, und ich hörte unten dieses merkwürdig helle Brummen des Summers, vier-, fünf-, sechsmal brummte er, und meine Mutter sprach draußen mit Frau Kurz, die neben uns wohnte. Dann kam eine Männerstimme, und ich wußte sofort, daß es der Briefträger war, obwohl ich ihn nur selten gehört hatte. Der Briefträger kam in unseren Flur, meine Mutter sagte: »Was?« und der Briefträger sagte: »Hier – unterschreiben Sie bitte.« Dann war es einen Augenblick sehr still, der Briefträger sagte: »Danke schön«, meine Mutter warf die Tür hinter ihm zu, und ich hörte, daß sie in die Küche zurückging.

Kurz danach stand ich auf und ging ins Badezimmer. Ich rasierte mich, wusch mich lange und gründlich, und als ich den Wasserhahn abstellte, hörte ich, daß meine Mutter angefangen hatte, den Kaffee zu mahlen. Es war wie sonntags, nur daß ich an diesem Tage nicht in der Kirche gewesen war.

Niemand wird es mir glauben, aber mein Herz war mir plötzlich schwer. Ich weiß nicht warum, aber es war schwer. Ich hörte die Kaffeemühle nicht mehr. Ich trocknete mich ab, zog Hemd und Hose an, Strümpfe und Schuhe, kämmte mich und ging ins Wohnzimmer. Blumen standen auf dem Tisch, schöne rosa Nelken, es war alles sauber gedeckt, und auf meinem Teller lag eine rote Packung Zigaretten.

Dann kam die Mutter mit der Kaffeekanne aus der Küche, und ich sah sofort, daß sie geweint hatte. Sie hielt in der einen Hand die Kaffeekanne, in der anderen ein kleines Päckchen Post, und ihre Augen waren gerötet. Ich ging ihr entgegen, nahm ihr die Kanne aus der Hand, küßte sie auf die Wange und sagte: »Guten Morgen.« Sie blickte mich an, sagte: »Guten Morgen, hast du gut geschlafen?« Dabei versuchte sie zu lächeln, aber es gelang ihr nicht.

Wir setzten uns, meine Mutter goß Kaffee ein, und ich öffnete die rote Packung, die auf meinem Teller lag, und steckte eine Zigarette an. Ich hatte plötzlich keinen Appetit mehr. Ich rührte Milch und Zucker im Kaffee um, versuchte die Mutter anzusehen, aber ich senkte immer wieder schnell den Blick. »Ist Post gekommen?« fragte ich, obwohl es sinnlos war, denn die rote, kleine Hand der Mutter ruhte auf dem kleinen Päckchen, auf dem zuoberst die Zeitung lag.

»Ja«, sagte sie und schob mir den Packen zu. Ich schlug die Zeitung auf, während meine Mutter anfing, mir ein Butterbrot zu schmieren. Auf dem Titelblatt der Zeitung stand als Schlagzeile: »Fortgesetzte Schikanen gegen Deutsche im Korridor!« Ähnliches stand schon seit Wochen auf den Titelblättern der Zeitungen. Berichte »von dem Geknalle an der polnischen Grenze und von den Flüchtlingen, die die Sphäre polnischen Haders verließen und ins Reich flüchteten«. Ich legte die Zeitung weg. Dann las ich den Prospekt einer Weinfirma, die uns manchmal beliefert hatte, als Vater noch lebte. Irgendwelche Rieslinge wurden äußerst wohlfeil angeboten. Ich legte auch den Prospekt weg.

Inzwischen hatte meine Mutter das Butterbrot fertig, legte es mir auf den Teller und sagte: »Iß doch was!« Sie brach in heftiges Schluchzen aus. Ich brachte es nicht über mich, sie anzusehen. Ich kann keinen Menschen ansehen, der wirklich leidet – aber ich begriff jetzt erst, daß es irgend etwas mit der Post sein mußte. Die Post mußte es sein. Ich drückte die Zigarette aus, biß in mein Butterbrot und nahm den nächsten Brief, und als ich ihn aufhob, sah ich, daß darunter noch eine Postkarte lag. Aber den Einschreibezettel hatte ich nicht gesehen, diesen winzigen Papierfetzen, den ich heute noch aufbewahre, und der mich in den Ruf der Sentimentalität bringt. So las ich erst den Brief. Der Brief war von Onkel Edi. Onkel Edi schrieb, daß er endlich nach langen Assessorjahren Studienrat geworden war, aber er hatte sich in ein kleines Hunsrücknest versetzen lassen müssen; es war finanziell kaum eine Verbesserung, weil er nun in die miserabelste Ortsklasse geraten war. Und seine Kinder hatten Keuchhusten gehabt, und alles kotze ihn an, schrieb er, wir wüßten ja warum. Wir wußten warum, und auch uns kotzte es an. Es kotzte viele an.

Als ich nach der Postkarte greifen wollte, sah ich, daß sie weg war. Meine Mutter hatte sie genommen, hielt sie sich vor die Augen, und ich starrte auf mein angebissenes Butterbrot, rührte in meinem Kaffee und wartete.

Ich vergesse das nicht. Meine Mutter hatte nur einmal so schrecklich geweint: als mein Vater gestorben war, und auch damals hatte ich nicht gewagt, sie anzusehen. Eine Scheu, für die ich keinen Namen kannte, hatte mich davon abgehalten, sie zu trösten.

Ich versuchte, in das Butterbrot zu beißen, aber es würgte mir im Halse, denn ich hatte plötzlich begriffen, daß es nur etwas sein konnte, das mich betraf, was die Mutter so außer Fassung brachte. Die Mutter sagte irgend etwas, was ich nicht verstand, und gab mir die Karte, und jetzt sah ich das

Einschreibe-Etikett: Dieses rotumrandete Rechteck, das durch einen roten Strich in zwei weitere Rechtecke geteilt war, von denen das kleinere ein fettes schwarzes R und das größere das Wort »Düsseldorf« und die Zahl 634 enthielt. Sonst war die Postkarte ganz normal, sie war an mich adressiert, und auf der Rückseite stand: »Herrn Bruno Schneider! Sie haben sich am 5. 8. 39 in der Schlieffen-Kaserne in Adenbrück zu einer achtwöchigen Übung einzufinden.« Die Worte Bruno Schneider, das Datum und Adenbrück waren getippt, alles andere war vorgedruckt, und darunter war irgendein Kritzler und dann gedruckt das Wort »Major«.

Heute weiß ich, daß der Kritzler überflüssig war. Eine Majorsunterschriftsmaschine würde denselben Dienst tun. Wichtig war nur der aufgeklebte kleine Zettel, für den meine Mutter eine Quittung hatte unterschreiben müssen.

Ich legte meine Hand auf den Arm meiner Mutter und sagte: »Mein Gott, nur für acht Wochen.« Und meine Mutter sagte: »Ach ja.«

»Nur acht Wochen«, sagte ich, und ich wußte, daß ich log, und meine Mutter trocknete die Tränen, sagte: »Ja, natürlich«, und wir logen beide, ohne zu wissen, warum wir logen, aber wir taten es und wußten darum.

Ich griff wieder zu meinem Butterbrot, und da fiel mir ein, daß schon der Vierte war, und daß ich anderen Tags um zehn Uhr dreihundert Kilometer östlich sein mußte. Ich spürte, daß ich blaß wurde, legte das Brot wieder hin und stand auf, ohne auf die Mutter zu achten. Ich ging in mein Zimmer. Ich stand an meinem Schreibtisch, zog die Schublade heraus, schob sie wieder hinein. Ich blickte rund, spürte, daß etwas geschehen war und wußte nicht was. Das Zimmer gehörte mir nicht mehr. Das war alles. Heute weiß ich es, aber damals tat ich sinnlos Dinge, um mich meines Besitzes über dieses Zimmer zu vergewissern. Es war nutzlos, daß ich in dem Karton mit den Briefen herumkramte, meine Bücher zurechtrückte. Ehe ich wußte, was ich tat, hatte ich angefangen, meine Aktentasche zu füllen: mit Hemd, Unterhose, Handtuch und Socken, und ich ging ins Badezimmer, um mein Rasierzeug zu holen. Die Mutter saß noch immer am Frühstückstisch. Sie weinte nicht mehr. Mein angebissenes Butterbrot lag noch da, Kaffee war noch in meiner Tasse, und ich sagte zu meiner Mutter: »Ich gehe bei Gießelbachs anrufen, wann ich fahren muß.«

Als ich von Gießelbachs kam, läutete es zwölf. Es roch nach Braten und Blumenkohl in unserer Diele, und die Mutter hatte angefangen, in einem Sack Eis kleinzuschlagen, um es in unsere kleine Eismaschine zu füllen.

Mein Zug fuhr um acht abends, und ich würde morgens gegen sechs in Adenbrück sein. Bis zum Bahnhof war es nur eine Viertelstunde Weg, aber ich ging schon um drei Uhr aus dem Haus. Ich belog meine Mutter, die nicht wußte, wie lange man bis Adenbrück fahren mußte.

Diese drei Stunden, die ich noch zu Hause blieb, sind mir in der Erinnerung schlimmer und kommen mir länger vor als die ganze Zeit, die ich später weg war, und es war eine lange Zeit. Ich weiß nicht, was wir taten. Das Essen schmeckte uns nicht. Die Mutter brachte bald den Braten, den Blumenkohl, die Kartoffeln und das Vanilleeis in die Küche zurück. Dann tranken wir den Kaffee, der noch vom Frühstück her unter einer gelben Kaffeemütze stand, und ich rauchte Zigaretten, und hin und wieder wechselten wir ein paar Worte. »Acht Wochen«, sagte ich, und meine Mutter sagte: »Ja, ja – ja, natürlich«, und sie weinte nicht mehr. Drei Stunden lang logen wir uns an, bis ich es nicht mehr aushielt. Die Mutter segnete mich, küßte mich auf die Wangen, und als ich die Haustür hinter mir schloß, wußte ich, daß sie weinte.

Ich ging zum Bahnhof. Am Bahnhof war Hochbetrieb. Es war Ferienzeit: braungebrannte fröhliche Menschen liefen dort herum. Ich trank ein Bier im Wartesaal und entschloß mich gegen halb vier, die kleine Kollegin anzurufen, mit der ich mich im Strandbad hatte treffen wollen.

Während ich die Nummer wählte, die durchlöcherte Nikkelscheibe immer wieder – fünfmal – in ihre Ruhelage zurückrastete, bereute ich es fast schon, aber ich wählte auch die sechste Zahl, und als ihre Stimme fragte: »Wer ist da?«, schwieg ich erst einen Augenblick, dann sagte ich langsam: »Bruno« und: »Kannst du kommen? Ich muß weg – zum Kommiß.«

»Gleich?« fragte sie.

»Ja.«

Sie überlegte einen Augenblick, und ich hörte im Telefon die Stimmen der anderen, die offenbar Geld einsammelten, um Eis zu holen.

»Gut«, sagte sie, »ich komme. Zum Bahnhof?«

»Ja«, sagte ich.

Sie kam sehr schnell zum Bahnhof, und ich weiß heute noch nicht, obwohl sie doch schon seit zehn Jahren meine Frau ist, heute weiß ich noch nicht, ob ich dieses Telefongespräch bereuen soll. Immerhin hat sie meine Stelle bei der Firma offengehalten, hat meinen erloschenen Ehrgeiz, als ich nach Hause kam, wieder zum Leben erweckt, und im Grunde verdanke ich ihr, daß die Aufstiegsmöglichkeiten, die meine Stelle damals bot, sich jetzt als real erwiesen haben.

Aber auch bei ihr blieb ich damals nicht so lange, wie ich hätte bleiben können. Wir gingen ins Kino, und in diesem leeren, sehr heißen und dunklen Kinosaal küßte ich sie, obwohl ich wenig Lust dazu hatte.

Ich küßte sie oft, und ich ging schon um sechs auf den Bahnsteig, obwohl ich bis acht Zeit gehabt hätte. Auf dem Bahnsteig küßte ich sie noch einmal und stieg in irgendeinen Zug, der östlich fuhr. Seitdem kann ich keine Strandbäder mehr sehen, ohne Schmerz zu verspüren: Die Sonne, das Wasser und die Lustigkeit der Leute kommen mir falsch vòr, und ich ziehe es vor, bei Regenwetter allein durch die Stadt zu schlendern und in ein Kino zu gehen, wo ich niemanden mehr küssen muß. Meine Aufstiegsmöglichkeiten bei der Firma sind noch nicht erschöpft. Ich könnte Direktor werden, und wahrscheinlich werde ich es, nach dem Gesetz einer paradoxen Trägheit. Denn man ist überzeugt, daß ich an der Firma hänge und etwas für sie tun werde. Aber ich hänge nicht an ihr und denke nicht daran, etwas für sie zu tun . . .

Mit großer Nachdenklichkeit habe ich sehr oft dieses Einschreibe-Etikett betrachtet, das meinem Leben eine sehr plötzliche Wendung gegeben hat. Und wenn im Sommer die Gehilfenprüfungen stattfinden und unsere Lehrlinge nachher strahlenden Gesichtes zu mir kommen, um sich gratulieren zu lassen, bin ich verpflichtet, ihnen eine kleine Rede zu halten, in der das Wort »Aufstiegsmöglichkeiten« eine traditionelle Rolle spielt.

In der Heimat meines Großvaters lebten die meisten Menschen von der Arbeit in den Flachsbrechen. Seit fünf Generationen atmeten sie den Staub ein, der den zerbrochenen Stengeln entsteigt, ließen sich langsam dahinmorden, geduldige und fröhliche Geschlechter, die Ziegenkäse aßen, Kartoffeln, manchmal ein Kaninchen schlachteten; abends spannen und strickten sie in ihren Stuben, sangen, tranken Pfefferminztee und waren glücklich. Tagsüber brachen sie den Flachs in altertümlichen Maschinen, schutzlos dem Staub preisgegeben und der Hitze, die den Trockenöfen entströmte. In ihren Stuben stand ein einziges, schrankartiges Bett, das den Eltern vorbehalten war, und die Kinder schliefen ringsum auf Bänken. Morgens waren ihre Stuben vom Geruch der Brennsuppen erfüllt; an den Sonntagen gab es Sterz, und die Gesichter der Kinder röteten sich vor Freude, wenn an besonders festlichen Tagen sich der schwarze Eichelkaffee hell färbte, immer heller von der Milch, die die Mutter lächelnd in ihre Kaffeetöpfe goß.

Die Eltern gingen früh zur Arbeit, den Kindern war der Haushalt überlassen: sie fegten die Stube, räumten auf, wuschen das Geschirr und schälten Kartoffeln, kostbare gelbliche Früchte, deren dünne Schale sie vorweisen mußten, um den Verdacht möglicher Verschwendung oder Leichtfertigkeit zu zerstreuen.

Kamen die Kinder aus der Schule, mußten sie in die Wälder gehen und – je nach der Jahreszeit – Pilze sammeln und Kräuter: Waldmeister und Thymian, Kümmel und Pfefferminz, auch Fingerhut, und im Sommer, wenn sie das Heu von ihren mageren Wiesen geerntet hatten, sammelten sie die Heublumen. Einen Pfennig gab es fürs Kilo Heublumen, die in der Stadt in den Apotheken für zwanzig Pfennig das Kilo an nervöse Damen verkauft wurden. Kostbar waren die Pilze: sie brachten zwanzig Pfennig das Kilo und wurden in der Stadt in den Geschäften für eine Mark zwanzig gehandelt. Weit in die grüne Dunkelheit der Wälder krochen die Kinder im Herbst, wenn die Feuchtigkeit die Pilze aus dem Boden treibt, und fast jede Familie hatte ihre Plätze, an denen sie Pilze pflückte, Plätze, die von Geschlecht zu Geschlecht weitergeflüstert wurden.

Die Wälder gehörten den Baleks, auch die Flachsbrechen, und die Baleks hatten im Heimatdorf meines Großvaters ein Schloß, und die Frau des Familienvorstandes jeweils hatte neben der Milchküche ein kleines Stübchen, in dem Pilze, Kräuter, Heublumen gewogen und bezahlt wurden. Dort stand auf dem Tisch die große Waage der Baleks, ein altertümliches, verschnörkeltes, mit Goldbronze bemaltes Ding, vor dem die Großeltern meines Großvaters schon gestanden hatten, die Körbchen mit Pilzen, die Papiersäcke mit Heublumen in ihren schmutzigen Kinderhänden, gespannt zusehend, wieviel Gewichte Frau Balek auf die Waage werfen mußte, bis der pendelnde Zeiger genau auf dem schwarzen Strich stand, dieser dünnen Linie der Gerechtigkeit, die jedes Jahr neu gezogen werden mußte. Dann nahm Frau Balek das große Buch mit dem braunen Lederrücken, trug das Gewicht ein und zahlte das Geld aus, Pfennige oder Groschen und sehr, sehr selten einmal eine Mark. Und als mein Großvater ein Kind war, stand dort ein großes Glas mit sauren Bonbons, von denen, die das Kilo eine Mark kosteten, und wenn die Frau Balek, die damals über das Stübchen herrschte, gut gelaunt war, griff sie in dieses Glas und gab jedem der Kinder einen Bonbon, und die Gesichter der Kinder röteten sich vor Freude, so wie sie sich röteten, wenn die Mutter an besonders festlichen Tagen Milch in ihre Kaffeetöpfe goß, Milch, die den Kaffee hell färbte, immer heller, bis er so blond war wie die Zöpfe der Mädchen.

Eines der Gesetze, die die Baleks dem Dorf gegeben hatten, hieß: Keiner darf eine Waage im Hause haben. Das Gesetz war schon so alt, daß keiner mehr darüber nachdachte, wann und warum es entstanden war, und es mußte geachtet werden, denn wer es brach, wurde aus den Flachsbrechen entlassen, dem wurden keine Pilze, kein Thymian, keine Heublumen mehr abgenommen, und die Macht der Baleks reichte so weit, daß auch in den Nachbardörfern niemand ihm Arbeit gab, niemand ihm die Kräuter des Waldes abkaufte. Aber seitdem die Großeltern meines Großvaters als kleine Kinder Pilze gesammelt, sie abgeliefert hatten, damit sie in den Küchen der reichen Prager Leute den Braten würzten oder in Pasteten verbacken werden konnten, seitdem hatte niemand daran gedacht, dieses Gesetz zu brechen: fürs Mehl gab es Hohlmaße, die Eier konnte man zählen, das Gesponnene wurde nach Ellen gemessen, und im übrigen machte die altertümliche, mit Goldbronze verzierte Waage der Baleks nicht den Eindruck, als könne sie nicht stimmen, und fünf Geschlechter hatten dem auspendelnden schwarzen Zeiger anvertraut, was sie mit kindlichem Eifer im Walde gesammelt hatten.

Zwar gab es zwischen diesen stillen Menschen auch welche, die das Gesetz mißachteten, Wilderer, die begehrten, in einer Nacht mehr zu verdienen, als sie in einem ganzen Monat in der Flachsfabrik verdienen konnten, aber auch von diesen schien noch niemand den Gedanken gehabt zu haben, sich eine Waage zu kaufen oder sie zu basteln. Mein Großvater war der erste, der kühn genug war, die Gerechtigkeit der Baleks zu prüfen, die im Schloß wohnten, zwei Kutschen fuhren, die immer einem Jungen des Dorfes das Studium der Theologie im Prager Seminar bezahlten, bei denen der Pfarrer jeden Mittwoch zum Tarock war, denen der Bezirkshauptmann, das kaiserliche Wappen auf der Kutsche, zu Neujahr seinen Besuch abstattete, und denen der Kaiser zu Neujahr des Jahres 1900 den Adel verlieh.

Mein Großvater war fleißig und klug: er kroch weiter in die Wälder hinein, als vor ihm die Kinder seiner Sippe gekrochen waren, er drang bis in das Dickicht vor, in dem der Sage nach Bilgan, der Riese, hausen sollte, der dort den Hort der Balderer bewacht. Aber mein Großvater hatte keine Furcht vor Bilgan: er drang weit in das Dickicht vor, schon als Knabe, brachte große Beute an Pilzen mit, fand sogar Trüffeln, die Frau Balek mit dreißig Pfennig das Pfund berechnete. Mein Großvater trug alles, was er den Baleks brachte, auf die Rückseite eines Kalenderblattes ein: jedes Pfund Pilze, jedes Gramm Thymian, und mit seiner Kinderschrift schrieb er rechts daneben, was er dafür bekommen hatte; jeden Pfennig kritzelte er hin, von seinem siebten bis zu seinem zwölften Jahr, und als er zwölf war, kam das Jahr 1900, und die Baleks schenkten jeder Familie im Dorf, weil der Kaiser sie geadelt hatte, ein Viertelpfund echten Kaffee, von dem, der aus Brasilien kommt; es gab auch Freibier und Tabak für die Männer, und im Schloß fand ein großes Fest statt; viele Kutschen standen in der Pappelallee, die vom Tor zum Schloß führt.

Aber am Tage vor dem Fest schon wurde der Kaffee ausgegeben in der kleinen Stube, in der seit fast hundert Jahren die Waage der Baleks stand, die jetzt Balek von Bilgan hießen, weil der Sage nach Bilgan, der Riese, dort ein großes Schloß gehabt haben soll, wo die Gebäude der Baleks stehen.

Mein Großvater hat mir oft erzählt, wie er nach der Schule dort hinging, um den Kaffee für vier Familien abzuholen: für die Cechs, die Weidlers, die Vohlas und für seine eigene, die Brüchers. Es war der Nachmittag vor Silvester: die Stuben mußten geschmückt, es mußte gebacken werden, und man wollte nicht vier Jungen entbehren, jeden einzeln den Weg ins Schloß machen lassen, um ein Viertelpfund Kaffee zu holen.

Und so saß mein Großvater auf der kleinen, schmalen Holzbank im Stübchen, ließ sich von Gertrud, der Magd, die fertigen Achtelkilopakete Kaffee vorzählen, vier Stück, und blickte auf die Waage, auf deren linker Schale der Halbkilostein liegengeblieben war; Frau Balek von Bilgan war mit den Vorbereitungen fürs Fest beschäftigt. Und als Gertrud nun in das Glas mit den sauren Bonbons greifen wollte, um meinem Großvater eines zu geben, stellte sie fest, daß es leer war: es wurde jährlich einmal neu gefüllt, faßte ein Kilo von denen zu einer Mark.

Gertrud lachte, sagte: »Warte, ich hole die neuen«, und mein Großvater blieb mit den vier Achtelkilopaketen, die in der Fabrik verpackt und verklebt waren, vor der Waage stehen, auf der jemand den Halbkilostein liegengelassen hatte, und mein Großvater nahm die vier Kaffeepaketchen, legte sie auf die leere Waagschale, und sein Herz klopfte heftig, als er sah, wie der schwarze Zeiger der Gerechtigkeit links neben dem Strich hängenblieb, die Schale mit dem Halbkilostein unten blieb und das halbe Kilo Kaffee ziemlich hoch in der Luft schwebte; sein Herz klopfte heftiger, als wenn er im Walde hinter einem Strauch gelegen, auf Bilgan, den Riesen, gewartet hätte, und er suchte aus seiner Tasche Kieselsteine, wie er sie immer bei sich trug, um mit der Schleuder nach den Spatzen zu schießen, die an den Kohlpflanzen seiner Mutter herumpickten – drei, vier, fünf Kieselsteine mußte er neben die vier Kaffeepakete legen, bis die Schale mit dem Halbkilostein sich hob und der Zeiger endlich scharf über dem schwarzen Strich lag. Mein Großvater nahm den Kaffee von der Waage, wickelte die fünf Kieselsteine in sein Sacktuch, und als Gertrud mit der großen Kilotüte voll saurer Bonbons kam, die wieder für ein Jahr reichen mußte, um die Röte der Freude in die Gesichter der Kinder zu treiben, als Gertrud die Bonbons rasselnd ins Glas schüttete, stand der kleine blasse Bursche da, und nichts schien sich verändert zu haben. Mein Großvater nahm nur drei von den Paketen, und Gertrud blickte erstaunt und erschreckt auf den blassen Jungen, der den sauren Bonbon auf die Erde warf, ihn zertrat und sagte: »Ich will Frau Balek sprechen.«

»Balek von Bilgan, bitte«, sagte Gertrud.

»Gut, Frau Balek von Bilgan«, aber Gertrud lachte ihn aus, und er ging im Dunkeln ins Dorf zurück, brachte den

Cechs, den Weidlers, den Vohlas ihren Kaffee und gab vor, er müsse noch zum Pfarrer.

Aber er ging mit seinen fünf Kieselsteinen im Sacktuch in die dunkle Nacht. Er mußte weit gehen, bis er jemand fand, der eine Waage hatte, eine haben durfte; in den Dörfern Blaugau und Bernau hatte niemand eine, das wußte er, und er schritt durch sie hindurch, bis er nach zweistündigem Marsch in das kleine Städtchen Dielheim kam, wo der Apotheker Honig wohnte. Aus Honigs Haus kam der Geruch frischgebackener Pfannkuchen, und Honigs Atem, als er dem verfrorenen Jungen öffnete, roch schon nach Punsch und er hatte die nasse Zigarre zwischen seinen schmalen Lippen, hielt die kalten Hände des Jungen einen Augenblick fest und sagte: »Na, ist es schlimmer geworden mit der Lunge deines Vaters?«

»Nein, ich komme nicht um Medizin, ich wollte ...« Mein Großvater nestelte sein Sacktuch auf, nahm die fünf Kieselsteine heraus, hielt sie Honig hin und sagte: »Ich wollte das gewogen haben.« Er blickte ängstlich in Honigs Gesicht, aber als Honig nichts sagte, nicht zornig wurde, auch nicht fragte, sagte mein Großvater: »Es ist das, was an der Gerechtigkeit fehlt«, und mein Großvater spürte jetzt, als er in die warme Stube kam, wie naß seine Füße waren. Der Schnee war durch die schlechten Schuhe gedrungen, und im Wald hatten die Zweige den Schnee über ihn geschüttelt, der jetzt schmolz, und er war müde und hungrig und fing plötzlich an zu weinen, weil ihm die vielen Pilze einfielen, die Kräuter, die Blumen, die auf der Waage gewogen worden waren, an der das Gewicht von fünf Kieselsteinen an der Gerechtigkeit fehlte. Und als Honig, den Kopf schüttelnd, die fünf Kieselsteine in der Hand, seine Frau rief, fielen meinem Großvater die Geschlechter seiner Eltern, seiner Großeltern ein, die alle ihre Pilze, ihre Blumen auf der Waage hatten wiegen lassen müssen, und es kam über ihn wie eine große Woge von Ungerechtigkeit, und er fing noch heftiger an zu weinen, setzte sich, ohne dazu aufgefordert zu sein, auf einen der Stühle in Honigs Stube, übersah den Pfannkuchen, die heiße Tasse Kaffee, die die gute und dicke Frau Honig ihm vorsetzte, und hörte erst auf zu weinen, als Honig selbst aus dem Laden vorn zurückkam und, die Kieselsteine in der Hand schüttelnd, leise zu seiner Frau sagte: »Fünfeinhalb Deka, genau.«

Mein Großvater ging die zwei Stunden durch den Wald zurück, ließ sich prügeln zu Hause, schwieg, als er nach dem Kaffee gefragt wurde, sagte kein Wort, rechnete den ganzen Abend an seinem Zettel herum, auf dem er alles notiert hatte, was er der jetzigen Frau Balek von Bilgan geliefert hatte, und als es Mitternacht schlug, vom Schloß die Böller zu hören waren, im ganzen Dorf das Geschrei, das Klappern der Rasseln erklang, als die Familie sich geküßt, sich umarmt hatte, sagte er in das folgende Schweigen des neuen Jahres hinein: »Baleks schulden mir achtzehn Mark und zweiunddreißig Pfennig.« Und wieder dachte er an die vielen Kinder, die es im Dorf gab, dachte an seinen Bruder Fritz, der viele Pilze gesammelt hatte, an seine Schwester Ludmilla, dachte an die vielen hundert Kinder, die alle für die Baleks Pilze gesammelt hatten, Kräuter und Blumen, und er weinte diesmal nicht, sondern erzählte seinen Eltern, seinen Geschwistern von seiner Entdeckung.

Als die Baleks von Bilgan am Neujahrstage zum Hochamt in die Kirche kamen, das neue Wappen – einen Riesen, der unter einer Fichte kauert – schon in Blau und Gold auf ihrem Wagen, blickten sie in die harten und blassen Gesichter der Leute, die alle auf sie starrten. Sie hatten im Dorf Girlanden erwartet, am Morgen ein Ständchen, Hochrufe und Heilrufe, aber das Dorf war wie ausgestorben gewesen, als sie hindurchfuhren, und in der Kirche wandten sich die Gesichter der blassen Leute ihnen zu, stumm und feindlich, und als der Pfarrer auf die Kanzel stieg, um die Festpredigt zu halten, spürte er die Kälte der sonst so stillen und friedlichen Gesichter, und er stoppelte mühsam seine Predigt herunter und ging schweißtriefend zum Altar zurück. Und als die

Baleks von Bilgan nach der Messe die Kirche wieder verließen, gingen sie durch ein Spalier stummer, blasser Gesichter. Die junge Frau Balek von Bilgan aber blieb vorn bei den Kinderbänken stehen, suchte das Gesicht meines Großvaters, des kleinen blassen Franz Brücher, und fragte ihn in der Kirche: »Warum hast du den Kaffee für deine Mutter nicht mitgenommen?« Und mein Großvater stand auf und sagte: »Weil Sie mir noch so viel Geld schulden, wie fünf Kilo Kaffee kosten.« Und er zog die fünf Kieselsteine aus seiner Tasche, hielt sie der jungen Frau hin und sagte: »So viel, fünfeinhalb Deka, fehlen auf ein halbes Kilo an Ihrer Gerechtigkeit«; und noch ehe die Frau etwas sagen konnte, stimmten die Männer und Frauen in der Kirche das Lied an: »Gerechtigkeit der Erden, o Herr, hat Dich getötet . . .«

Während die Baleks in der Kirche waren, war Wilhelm Vohla, der Wilderer, in das kleine Stübchen eingedrungen, hatte die Waage gestohlen und das große, dicke, in Leder eingebundene Buch, in dem jedes Kilo Pilze, jedes Kilo Heublumen, alles eingetragen war, was von den Baleks im Dorf gekauft worden war, und den ganzen Nachmittag des Neujahrtages saßen die Männer des Dorfes in der Stube meiner Urgroßeltern und rechneten, rechneten ein Zehntel von allem, was gekauft worden – aber als sie schon viele tausend Taler errechnet hatten und noch immer nicht zu Ende waren, kamen die Gendarmen des Bezirkshauptmanns, drangen schießend und stechend in die Stube meines Urgroßvaters ein und holten mit Gewalt die Waage und das Buch heraus. Die Schwester meines Großvaters wurde getötet dabei, die kleine Ludmilla, ein paar Männer verletzt, und einer der Gendarmen wurde von Wilhelm Vohla, dem Wilderer, erstochen.

Es gab Aufruhr nicht nur in unserem Dorf, auch in Blaugau und Bernau, und fast eine Woche lang ruhte die Arbeit in den Flachsfabriken. Aber es kamen sehr viele Gendarmen, und die Männer und Frauen wurden mit Gefängnis bedroht, und die Baleks zwangen den Pfarrer, öffentlich in der Schule die Waage vorzuführen und zu beweisen, daß der Zeiger der Gerechtigkeit richtig auspendelte. Und die Männer und Frauen gingen wieder in die Flachsbrechen – aber niemand ging in die Schule, um den Pfarrer anzusehen: er stand ganz allein da, hilflos und traurig mit seinen Gewichtssteinen, der Waage und den Kaffeetüten.

Und die Kinder sammelten wieder Pilze, sammelten wieder Thymian, Blumen und Fingerhut, aber jeden Sonntag wurde in der Kirche, sobald die Baleks sie betraten, das Lied angestimmt: »Gerechtigkeit der Erden, o Herr, hat Dich getötet«, bis der Bezirkshauptmann in allen Dörfern austrommeln ließ, das Singen dieses Liedes sei verboten.

Die Eltern meines Großvaters mußten das Dorf verlassen, das frische Grab ihrer kleinen Tochter; sie wurden Korbflechter, blieben an keinem Ort lange, weil es sie schmerzte, zuzusehen, wie in allen Orten das Pendel der Gerechtigkeit falsch ausschlug. Sie zogen hinter dem Wagen, der langsam über die Landstraße kroch, ihre magere Ziege mit, und wer an dem Wagen vorbeikam, konnte manchmal hören, wie drinnen gesungen wurde: »Gerechtigkeit der Erden, o Herr, hat Dich getötet.« Und wer ihnen zuhören wollte, konnte die Geschichte hören von den Baleks von Bilgan, an deren Gerechtigkeit ein Zehntel fehlte. Aber es hörte ihnen fast niemand zu.

Erst mittags war er auf den Gedanken gekommen, die Weihnachtsgeschenke für Anna im Bahnhof am Gepäckschalter abzugeben; er war glücklich über den Einfall, weil er ihn der Notwendigkeit enthob, gleich nach Hause zu gehen. Seitdem Anna nicht mehr mit ihm sprach, fürchtete er sich vor der Heimkehr; ihre Stummheit wälzte sich über ihn wie ein Grabstein, sobald er die Wohnung betreten hatte. Früher hatte er sich auf die Heimkehr gefreut, zwei Jahre lang seit dem Hochzeitstag: er liebte es, mit Anna zu essen, mit ihr zu sprechen, dann ins Bett zu gehen; am meisten aber liebte er die Stunde zwischen Zu-Bett-Gehen und Einschlafen. Anna schlief früher ein als er, weil sie jetzt immer müde war – und er lag im Dunkeln neben ihr, hörte ihren Atem, und aus der Tiefe der Straße schossen manchmal die Scheinwerfer der Autos Licht über die Zimmerdecke, Licht, das sich senkte, wenn die Autos die Steigung der Straße erreicht hatten, Streifen hellen gelben Lichts, das für einen Augenblick das Profil seiner schlafenden Frau an die Wand warf; dann fiel wieder Dunkelheit übers Zimmer, und es blieben nur die zarten Kringel: das Muster des Vorhangs, vom Gaslicht der Laterne an die Decke gezeichnet. Diese Stunde liebte er von allen Stunden des Tages am meisten, weil er spürte, wie der Tag von ihm abfiel, und er in den Schlaf tauchte wie in ein Bad.

Jetzt schlenderte er zögernd am Gepäckschalter vorbei, sah hinten seinen Karton noch immer zwischen dem roten Lederkoffer und der Korbflasche stehen. Der offene Aufzug, der vom Bahnsteig herunterkam, war leer, weiß von Schnee: er senkte sich wie ein Blatt Papier in den grauen Beton des Schalterraums, und der Mann, der ihn bedient hatte, kam nach vorn und sagte zu dem Beamten: »Jetzt wird's richtig Weihnachten. Ist doch schön, wenn die Kinder Schnee ha-

ben, was?« Der Beamte nickte, spießte stumm Zettel auf
seinen Nagel, zählte das Geld in seiner Holzschublade und
sah mißtrauisch zu Brenig hinüber, der den Gepäckschein
aus der Tasche genommen, ihn aber dann wieder zusammen-
gelegt und eingesteckt hatte. Er war schon zum drittenmal
hier, hatte zum drittenmal den Zettel herausgenommen und
ihn wieder eingesteckt. Die mißtrauischen Blicke des Beamten störten ihn, und er schlenderte zum Ausgang, blieb
dort stehen und sah auf den leeren Vorplatz. Er liebte den
Schnee, liebte die Kälte; als Junge hatte er sich daran be-
rauscht, die kalte klare Luft einzuatmen, und er warf jetzt
seine Zigarette weg und hielt sein Gesicht in den Wind, der
leichte und sehr viele Schneeflocken auf den Bahnhof zu-
trieb. Brenig hielt die Augen offen, denn er mochte es, wenn
sich die Flocken an seinen Wimpern festklebten, immer neue,
während die alten schmolzen und in kleinen Tropfen über
seine Wangen liefen. Ein Mädchen ging schnell an ihm vorbei, und er sah, wie ihr grüner Hut, während sie über den
Vorplatz lief, vom Schnee bedeckt wurde, aber erst als sie
an der Straßenbahnstation stand, erkannte er in ihrer Hand
den kleinen roten Lederkoffer, der neben seinem Karton im
Gepäckraum gestanden hatte.

Man sollte nicht heiraten, dachte Brenig, sie gratulieren
einem, schicken einem Blumen, lassen blöde Telegramme
ins Haus bringen, und dann lassen sie einen allein. Sie erkundigen sich, ob man an alles gedacht hat: an das Küchenge-
rät, vom Salzstreuer bis zum Herd, und zuletzt vergewissern
sie sich, ob auch die Flasche mit Suppenwürze im Schrank
steht. Sie rechnen nach, ob man eine Familie ernähren kann,
aber was es bedeutet, eine Familie zu *sein*, das sagt einem
keiner. Blumen schicken sie, zwanzig Sträuße, und es riecht
wie bei einer Beerdigung, dann zerschmeißen sie Porzellan
vor der Haustür und lassen einen allein.

Ein Mann ging an ihm vorbei, und er hörte, daß der
Mann betrunken war und sang: »Alle Jahre wieder«, aber
Brenig veränderte die Lage seines Kopfes nicht, und so be-

merkte er erst spät, daß der Mann eine Korbflasche in der rechten Hand trug, und er wußte, daß der Karton mit den Weihnachtsgeschenken für seine Frau jetzt allein oben auf dem obersten Brett im Gepäckraum stand. Ein Schirm war drin, zwei Bücher und ein großes Piano aus Mokkaschokolade: die weißen Tasten waren aus Marzipan, die dunklen aus reinem Krokant. Das Schokoladenpiano war so groß wie ein Lexikon, und die Verkäuferin hatte gesagt, daß sich die Schokolade ein halbes Jahr hielte. – Vielleicht war ich zu jung zum Heiraten, dachte er, vielleicht hätte ich warten sollen, bis Anna weniger ernst und ich ernster geworden wäre, aber er wußte ja, daß er ernst genug, und Annas Ernst gerade richtig war. Er liebte sie deswegen. Um der Stunde vor dem Einschlafen willen hatte er aufs Kino, aufs Tanzen verzichtet, hatte Verabredungen nicht eingehalten. Abends, wenn er im Bett lag, kam Frömmigkeit über ihn, Frieden, und er wiederholte sich dann oft den Satz, dessen Wortlaut er nicht mehr ganz genau wußte: »Gott schuf die Erde und den Mond, ließ sie über den Tag und die Nacht walten, zwischen Licht und Finsternis scheiden, und Gott sah, daß es gut war. So ward Abend und Morgen.« Er hatte sich vorgenommen, in Annas Bibel den Satz noch einmal genau nachzulesen, aber er vergaß es immer wieder. Daß Gott Tag und Nacht erschaffen hatte, erschien ihm mindestens so großartig wie die Erschaffung der Blumen, der Tiere und des Menschen.

Er liebte diese Stunde vor dem Einschlafen über alles. Aber seitdem Anna nicht mehr mit ihm sprach, lag ihre Stummheit wie ein Gewicht auf ihm. Hätte sie nur gesagt: »Es ist kälter geworden . . .«, oder: »Es wird regnen . . .«, er wäre erlöst gewesen – hätte sie nur »Ja, ja«, oder »Nein, nein« gesagt, irgend etwas viel Dümmeres als das, er wäre glücklich und der Gedanke an die Heimkehr wäre nicht mehr schrecklich gewesen. Aber ihr Gesicht war für Augenblicke wie aus Stein, und in diesen Augenblicken wußte er plötzlich, wie sie als alte Frau aussehen würde; er erschrak, sah sich plötzlich dreißig Jahre weit vorwärtsgeworfen in die Zukunft wie in eine steinerne Ebene, sah auch sich alt, mit einem Gesicht, wie manche Männer es hatten, die er kannte: gerillt von Bitternis, krampfig von verschlucktem Schmerz und leise mit Galle durchgefärbt bis in die Nasenflügel hinein: Masken, durch den Alltag gestreut wie Totenköpfe...

Manchmal auch, obwohl er sie erst seit drei Jahren kannte, hatte er gewußt, wie sie als kleines Mädchen ausgesehen hatte, er sah sie als Zehnjährige träumend über einem Buch bei Lampenlicht, ernsthaft, dunkel die Augen unter den hellen Wimpern, blinzelnd über dem Gelesenen mit offenem Mund ... Oft, wenn er ihr beim Essen gegenübersaß, veränderte sich ihr Gesicht wie jene Bilder, die sich durch Schütteln verändern, und er wußte plötzlich, daß sie schon als Kind genauso dagesessen hatte, vorsichtig die Kartoffeln mit der Gabel zerkleinert und die Soße langsam hatte darübertröpfeln lassen ... Der Schnee hatte seine Wimpern fast verklebt, aber er konnte noch die 4 erkennen, die leise über den Schnee heranglitt wie ein Schlitten.

Vielleicht sollte ich sie anrufen, dachte er, sie bei Menders ans Telefon bitten, dann würde sie mit mir sprechen müssen. Gleich nach der 4 würde die 7 kommen, die letzte, die an diesem Abend fuhr, aber ihn fror jetzt, und er ging langsam über den Platz, sah von weitem die hellerleuchtete blaue 7, blieb unentschlossen an der Telefonzelle stehen und sah in ein Schaufenster hinein, wo die Dekorateure Weihnachtsmänner und Engel gegen andere Puppen auswechselten: dekolletierte Damen, deren nackte Schultern mit Konfetti bestreut, deren Handgelenke mit Luftschlangen gefesselt waren. Puppen von Kavalieren mit graumeliertem Haar wurden hastig auf Barhocker gesetzt, Pfropfen von Sektflaschen auf die Erde gestreut, einer Puppe wurden die Flügel und die Locken abgenommen, und Brenig wunderte sich, wie schnell sich ein Engel in einen Mixer verwandeln ließ. Schnurrbart, dunkle Perücke, und fix an die Wand genagelt den Spruch: »Silvester ohne Sekt?«

Weihnachten war hier schon zu Ende, bevor es angefangen hatte. Vielleicht, dachte er, ist auch Anna zu jung, sie war erst einundzwanzig, und während er im Schaufenster sein Spiegelbild betrachtete, sah er, daß der Schnee seine Haare wie eine kleine Krone bedeckte – so hatte er es früher auf Zaunpfählen gesehen –, fiel ihm ein, daß die Alten unrecht hatten, wenn sie von der fröhlichen Jugendzeit sprachen: wenn man jung war, war alles ernst und schwer, und niemand half einem, und er wunderte sich plötzlich, daß er Anna ihrer Stummheit wegen nicht haßte, daß er nicht wünschte, eine andere geheiratet zu haben. Das ganze Vokabular, das einem so zugetragen wurde, galt nicht: Verzeihung, Scheidung, neu anfangen, die Zeit wird helfen – alle diese Worte halfen einem nichts. Man mußte allein damit fertig werden, weil man anders war als die anderen, und weil Anna eine andere Frau war als die Frauen der anderen.

Flink nagelten die Dekorateure Masken an die Wände, reihten Knallbonbons auf eine Schnur; die letzte 7 war längst abgefahren, und der Karton mit den Geschenken für Anna stand allein oben auf dem Regal.

Ich bin fünfundzwanzig, dachte er, und muß für eine Lüge, eine kleine Lüge, eine dumme Lüge, wie sie Millionen Männer jede Woche oder jeden Monat begehen, so hart bestraft werden: mit einem Blick in die steinerne Zukunft, muß Anna als Sphinx vor dieser Steinwüste hocken sehen, mich selbst, gelblich durchfärbt von Bitternis als alten Mann. Ja, immer würde die Flasche mit Suppenwürze im Schrank stehen, der Salzstreuer am rechten Ort, und er würde längst Abteilungsleiter sein und seine Familie gut ernähren können: eine steinerne Sippe, und niemals mehr würde er im Bett liegen und in der Stunde vor dem Einschlafen die Erschaffung des Abends loben, Gott für den großen Feierabend danken, und er würde jungen Leuten zur Hochzeit so dumme Telegramme schicken, wie er sie bekommen hatte ...

Andere Frauen hätten gelacht über eine so dumme Lüge wegen des Gehalts, andere Frauen wußten, daß alle Männer

ihre Frauen belogen: es war vielleicht eine Art naturbeding-
ter Notwehr, gegen die sie ihre eigenen Lügen erfanden,
Annas Gesicht aber war zu Stein geworden. Es gab auch
Bücher über die Ehe, und er hatte in diesen Büchern nach-
gelesen, was man tun konnte, wenn etwas in der Ehe schief-
ging, aber in keinem der Bücher hatte etwas von einer Frau
gestanden, die zu Stein geworden war. Es stand in den Büchern, wie man Kinder bekam und wie man keine Kinder
bekam, und es waren viele große und schöne Worte, aber
die kleinen Worte fehlten.

Die Dekorateure hatten ihre Arbeit beendet: Luftschlangen hingen über Drähten, die außerhalb des Blickwinkels
befestigt waren, und er sah im Hintergrund des Ladens einen
von den Männern mit zwei Engeln unter dem Arm ver-
schwinden, während der zweite noch eine Tüte Konfetti
über die nackten Schultern der Puppe leerte und das
Schild »Sylvester ohne Sekt?« noch ein wenig zurecht-
drückte.

Brenig klopfte sich den Schnee von den Haaren, ging
über den Platz zurück in die Bahnhofshalle, und als er den
Gepäckschein zum viertenmal herausgenommen und ge-
glättet hatte, lief er schnell, als habe er keine Sekunde mehr
zu verlieren. Aber der Gepäckschalter war geschlossen, und
es hing ein Schild vor dem Gitter: »Wird 10 Minuten vor
Ankunft oder Abfahrt eines Zuges geöffnet.« Brenig lachte,
er lachte zum erstenmal seit Mittag und blickte auf seinen
Karton, der oben auf dem Regal hinter Gittern wie in einem
Gefängnis lag. Die Abfahrttafel hing neben dem Schalter,
und er sah, daß der nächste Zug erst in einer Stunde ankam.
So lange kann ich nicht warten, dachte er, und nicht einmal
Blumen oder eine Tafel Schokolade werde ich um diese Zeit
bekommen, nicht ein kleines Buch, und die letzte 7 ist weg.
Zum erstenmal in seinem Leben dachte er daran, ein Taxi zu
nehmen, und er kam sich sehr erwachsen vor, zugleich ein
wenig albern, als er über den Bahnhofsvorplatz zu den
Taxis lief.

Er saß hinten im Wagen, hielt sein Geld in der Hand: 10 Mark, sein letztes Geld, das er reserviert hatte, um für Anna noch etwas Besonderes zu kaufen, aber er hatte nichts Besonderes gefunden, und nun saß er da mit seinem Geld in der Hand und beobachtete das Taxameter, das in kurzen Abständen – in sehr kurzen Abständen schien ihm – jedesmal um einen Groschen stieg, und jedesmal, wenn das Taxameter klickte, traf es ihn wie ins Herz, obwohl die Uhr erst bei DM 2,80 stand. Ohne Blumen, ohne Geschenke, hungrig, müde und dumm komme ich nach Hause, und ihm fiel ein, daß er im Wartesaal sicher eine Tafel Schokolade bekommen hätte.

Die Straßen waren leer, das Auto fuhr fast geräuschlos durch den Schnee, und in den Häusern konnte Brenig hinter den erleuchteten Fenstern die Weihnachtsbäume brennen sehen: Weihnachten, das, was er als Kind darunter verstanden und an diesem Tag empfunden hatte, das schien ihm weit weg: was wichtig war und schwer wog, geschah unabhängig vom Kalender, und in der Steinwüste würde Weihnachten wie irgendein Tag im Jahr und Ostern gleich einem regnerischen Novembertag sein: dreißig, vierzig abgerissene Kalender, Blechhalter mit ausgefransten Papierresten, das würde übrigbleiben, wenn man nicht aufpaßte.

Er erschrak, als der Fahrer sagte: »Da sind wir . . .« Dann war er erleichtert, zu sehen, daß das Taxameter auf DM 3,40 stehengeblieben war. Er wartete ungeduldig, bis er auf sein Fünfmarkstück herausbekommen hatte, und es wurde ihm leicht ums Herz, als er oben Licht sah in dem Zimmer, wo Annas Bett neben seinem stand. Er nahm sich vor, nie diesen Augenblick der Erleichterung zu vergessen, und als er den Hausschlüssel herauszog, ihn in die Tür steckte, spürte er wieder dieses dumme Gefühl, das er beim Besteigen des Taxis gespürt hatte: er kam sich so erwachsen vor, zugleich ein wenig albern.

In der Küche stand der Weihnachtsbaum auf dem Tisch, und es lagen Geschenke für ihn da: Strümpfe, Zigaretten und ein neuer Füllfederhalter und ein hübscher, bunter Kalender, den er sich im Büro würde über den Schreibtisch hängen können. Die Milch stand in der Kasserolle auf dem Herd, er brauchte nur das Gas anzuzünden, und die Brote waren fertig zubereitet auf dem Teller – aber das war jeden Abend so gewesen, auch seitdem Anna nicht mehr mit ihm sprach, und das Aufstellen des Weihnachtsbaumes und das Zurechtlegen der Geschenke war wie das Schmieren der Brote: eine Pflicht, und Anna würde immer ihre Pflicht tun. Er hatte keine Lust auf die Milch, und auch die appetitlichen Brote reizten ihn nicht. Er ging in die kleine Diele und sah sofort, daß Anna das Licht gelöscht hatte. Die Tür zum Schlafzimmer war aber offen, und er rief ohne viel Hoffnung leise in das dunkle Viereck: »Anna, schläfst du?« Er wartete, lange schien ihm, als fiele seine Frage unendlich tief, und das dunkle Schweigen in dem dunklen Viereck der Schlafzimmertür enthielt alles, was in dreißig, vierzig Kalenderjahren noch auf ihn wartete – und als Anna »Nein« sagte, glaubte er, sich verhört zu haben, vielleicht war es eine Täuschung, und er sprach hastig und laut weiter: »Ich habe eine Dummheit gemacht. Ich habe die Geschenke für dich bei der Aufbewahrung am Bahnhof abgegeben, und als ich sie holen wollte, war geschlossen, und ich wollte nicht warten. Ist es schlimm?«

Diesmal war er sicher, ihr »Nein« richtig gehört zu haben, aber er hörte auch, daß dieses »Nein« nicht aus der Ecke des Zimmers kam, wo ihre Betten gestanden hatten. Offenbar hatte Anna ihr Bett unters Fenster gerückt. »Es ist ein Schirm«, sagte er, »zwei Bücher und ein kleines Piano aus Schokolade, es ist so groß wie ein Lexikon, die Tasten sind aus Marzipan und Krokant.« Er sprach nicht weiter, lauschte auf Antwort, aber es kam nichts aus dem dunklen Viereck, aber als er fragte: »Freust du dich?«, kam das »Ja« schneller als die beiden »Nein« vorher . . .

Er löschte das Licht in der Küche, zog sich im Dunkeln aus und legte sich in sein Bett: durch die Vorhänge hindurch konnte er die Weihnachtsbäume im Hause gegenüber sehen, und unten im Hause wurde gesungen, er aber hatte seine Stunde wieder, hatte zwei »Nein« und ein »Ja«, und wenn ein Auto die Straße heraufkam, schoß der Scheinwerfer für ihn Annas Profil aus der Dunkelheit heraus . . .

Solange es dunkel war, konnte die Frau, die neben ihm lag, sein Gesicht nicht sehen, und so war alles leichter zu ertragen. Sie redete seit einer Stunde auf ihn ein, und es war nicht anstrengend, immer wieder »ja« oder »ja natürlich« oder »ja, du hast recht« zu sagen. Es war seine Frau, die neben ihm lag, aber wenn er an sie dachte, dachte er immer: die Frau. Sie war sogar schön, und es gab Leute, die ihn um sie beneideten, und er hätte Grund zur Eifersucht gehabt – aber er war nicht eifersüchtig; er war froh, daß die Dunkelheit ihm den Anblick ihres Gesichtes verbarg und es ihm erlaubte, sein Gesicht entspannt zu lassen; es gab nichts Anstrengenderes, als den ganzen Tag, solange Licht war, ein Gesicht aufzusetzen, und das Gesicht, das er am Tage zeigte, war ein aufgesetztes Gesicht.

»Wenn Uli nicht durchkommt«, sagte sie, »gibt's eine Katastrophe. Marie würde es nicht ertragen, du weißt ja, was sie alles durchgemacht hat. Nicht wahr?«

»Ja, natürlich«, sagte er, »ich weiß es.«

»Sie hat trockenes Brot essen müssen, sie hat – es ist eigentlich unverständlich, wie sie es hat ertragen können – sie hat wochenlang in Betten gelegen, die nicht bezogen waren, und als sie Uli bekam, war Erich noch als vermißt gemeldet. Wenn das Kind die Aufnahmeprüfung nicht besteht: ich weiß nicht, was passiert. Hab' ich recht?« »Ja, du hast recht«, sagte er.

»Sieh zu, daß du den Jungen siehst, bevor er die Klasse betritt, in der die Prüfung stattfindet – sag ihm ein paar nette Worte. Du wirst tun, was du kannst, wie?«

»Ja«, sagte er.

An einem Frühlingstag vor dreißig Jahren war er selbst in die Stadt gekommen, um die Aufnahmeprüfung zu machen: rot war an diesem Abend das Sonnenlicht über die

Straße gefallen, in der seine Tante wohnte, und dem Elfjährigen schien es, als kippe jemand Glut über die Dächer hin, und in Hunderten von Fenstern lag dieses Rot wie glühendes Metall.

Später, als sie beim Essen saßen, lag grünliche Dunkelheit in den Fensterhöhlen, für die halbe Stunde, in der die Frauen zögern, Licht anzuknipsen. Auch die Tante zögerte, und als sie am Schalter drehte, schien es, als habe sie das Signal für viele Hundert Frauen gegeben: aus allen Fenstern stach plötzlich das gelbe Licht in die grüne Dunkelheit; wie harte Früchte mit langen gelben Stacheln hingen die Lichter in der Nacht.

»Wirst du es schaffen?« fragte die Tante, und der Onkel, der mit der Zeitung in der Hand am Fenster saß, schüttelte den Kopf, als halte er diese Frage für beleidigend.

Dann machte die Tante sein Bett auf der Küchenbank zurecht, eine Steppdecke war die Unterlage, der Onkel gab sein Oberbett, die Tante ein Kopfkissen her. »Bald wirst du ja dein eigenes Bettzeug hierhaben«, sagte die Tante, »und nun schlaf gut. Gute Nacht.«

»Gute Nacht«, sagte er, und die Tante löschte das Licht und ging ins Schlafzimmer.

Der Onkel blieb und versuchte so zu tun, als suche er etwas; über das Gesicht des Jungen hinweg tasteten seine Hände zur Fensterbank hin, und die Hände, die nach Beize und Schellack rochen, kamen von der Fensterbank zurück und tasteten wieder über sein Gesicht; bleiern lag die Schüchternheit des Onkels in der Luft, und ohne gesagt zu haben, was er sagen wollte, verschwand er im Schlafzimmer.

»Ich werde es schaffen«, dachte der Junge, als er allein war, und er sah die Mutter vor sich, die jetzt zu Hause strikkend am Herd saß, hin und wieder die Hände in den Schoß sinken ließ und ein Stoßgebet ausatmete zu einem der Heiligen hin, die sie verehrte: Judas Thaddäus – oder war für ihn, den Bauernjungen, der in die Stadt aufs Gymnasium sollte, Don Bosco zuständig?

»Es gibt Dinge, die einfach nicht geschehen dürfen«, sagte die Frau neben ihm, und da sie auf Antwort zu warten schien, sagte er müde »ja« und stellte verzweifelt fest, daß es dämmerte; der Tag kam und brachte ihm die schwerste aller Pflichten: sein Gesicht aufzusetzen.

»Nein«, dachte er, »es geschehen genug Dinge, die nicht geschehen dürfen.« Damals, im Dunkeln auf der Küchenbank, vor dreißig Jahren, war er so zuversichtlich gewesen: er dachte an die Rechenaufgabe, dachte an den Aufsatz, und er war sicher, daß alles gut werden würde. Sicher würde das Aufsatzthema heißen: »Ein merkwürdiges Erlebnis«, und er wußte genau, was er beschreiben würde: den Besuch in der Anstalt, wo Onkel Thomas untergebracht war: grünweiß gestreifte Stühle im Sprechzimmer, und der Onkel Thomas, der – was man auch immer zu ihm sagte – nur den einen Satz sprach: »Wenn es nur Gerechtigkeit auf dieser Welt gäbe.«

»Ich habe dir einen schönen roten Pullover gestrickt«, sagte seine Mutter, »du mochtest doch rote Sachen immer so gern.«

»Wenn es nur Gerechtigkeit auf dieser Welt gäbe.«

Sie sprachen übers Wetter, über Kühe und ein wenig über Politik, und immer sagte Thomas nur den einen Satz: »Wenn es nur Gerechtigkeit auf dieser Welt gäbe.«

Und später, als sie durch den grüngetünchten Flur zurückgingen, sah er am Fenster einen schmalen Mann mit hängenden Schultern, der stumm in den Garten hinausblickte.

Kurz bevor sie die Pforte passierten, kam ein sehr freundlicher, liebenswürdig lächelnder Mann auf sie zu und sagte: »Madame, bitte vergessen Sie nicht, mich mit Majestät anzureden«, und die Mutter sagte leise zu dem Mann: »Majestät.« Und als sie an der Straßenbahnstation standen, hatte er noch einmal zu dem grünen Haus, das zwischen den Bäumen verborgen lag, hingeblickt, den Mann mit den hängenden Schultern am Fenster gesehen, und ein Lachen klang durch den Garten hin, als zerschneide jemand Blech mit einer dumpfen Schere.

»Dein Kaffee wird kalt«, sagte die Frau, die seine Frau war, »und iß doch wenigstens eine Kleinigkeit.«

Er nahm die Kaffeetasse an den Mund und aß eine Kleinigkeit.

»Ich weiß«, sagte die Frau und legte ihre Hand auf seine Schulter, »ich weiß, daß du wieder über deine Gerechtigkeit nachgrübelst, aber kann es ungerecht sein, einem Kind ein wenig zu helfen? Du magst doch Uli?«

»Ja«, sagte er, und dieses Ja war aufrichtig: er mochte Uli; der Junge war zart, freundlich und auf seine Weise intelligent, aber es würde eine Qual für ihn sein, das Gymnasium zu besuchen: Mit vielen Nachhilfestunden, angefeuert von einer ehrgeizigen Mutter, unter großen Anstrengungen und mit viel Fürsprache würde er immer nur ein mittelmäßiger Schüler sein. Er würde immer die Last eines Lebens, eines Anspruchs tragen müssen, der ihm nicht gemäß war.

»Du versprichst mir, etwas für Uli zu tun, nicht wahr?«

»Ja«, sagte er, »ich werde etwas für ihn tun«, und er küßte das schöne Gesicht seiner Frau und verließ das Haus. Er ging langsam, steckte sich eine Zigarette in den Mund, ließ das aufgesetzte Gesicht fallen und genoß die Entspannung, sein eigenes Gesicht auf der Haut zu spüren. Er betrachtete es im Schaufenster eines Pelzladens; zwischen einem grauen Seehundfell und einer gefleckten Tigerhaut sah er sein Gesicht auf dem schwarzen Samt, mit dem die Auslage verkleidet war: das blasse, ein wenig gedunsene Gesicht eines Mannes um die Mitte Vierzig – das Gesicht eines Skeptikers, eines Zynikers vielleicht; weißlich kräuselte sich der Zigarettenqualm um das blasse gedunsene Gesicht herum. Alfred, sein Freund, der vor einem Jahr gestorben war, hatte immer gesagt: »Du bist nie über einige Ressentiments hinweggekommen – und alles, was du tust, ist zu sehr von Emotion bestimmt.«

Alfred hatte das beste gemeint, er hatte sogar etwas Richtiges sagen wollen, aber mit Worten konnte man einen Menschen nie fassen, und für ihn stand fest, daß Ressentiment eines der billigsten, eins der bequemsten Worte war.

Damals, vor dreißig Jahren, auf der Bank in der Küche der Tante, hatte er gedacht: einen solchen Aufsatz wird keiner schreiben; ein so merkwürdiges Erlebnis hat bestimmt keiner gehabt, und bevor er einschlief, dachte er andere Dinge: auf dieser Bank würde er neun Jahre lang schlafen, auf diesem Tisch seine Schulaufgaben machen, neun Jahre lang, und diese Ewigkeit hindurch würde die Mutter zu Hause am Herd sitzen, stricken und Stoßgebete ausatmen. Im Zimmer nebenan hörte er Onkel und Tante miteinander sprechen, und aus dem Gemurmel wurde nur ein Wort deutlich, sein Name: Daniel. Sie sprachen also über ihn, und obwohl er sie nicht verstand, wußte er, daß sie gut über ihn sprachen. Sie mochten ihn, sie selbst hatten keine Kinder. Und dann befiel ihn plötzlich Angst: In zwei Jahren schon, dachte er beklommen, wird diese Bank zu kurz für mich – wo werde ich dann schlafen? Für einige Minuten beunruhigte ihn diese Vorstellung sehr, dann aber dachte er: Zwei Jahre, wie unendlich viel Zeit ist das; viel Dunkelheit, die sich Tag um Tag erhellen würde, und er fiel ganz plötzlich in das Stückchen Dunkelheit, das vor ihm lag: die Nacht vor der Prüfung, und im Traum verfolgte ihn das Bild, das zwischen Büfett und Fenster an der Wand hing: Männer mit grimmigen Gesichtern standen vor einem Fabriktor, und einer hielt eine ausgefranste rote Fahne in der Hand, und im Traum las das Kind deutlich, was es im Halbdunkel nur langsam hatte entziffern können: STREIK.

Er trennte sich von seinem Gesicht, das blaß und eindringlich zwischen dem Seehundfell und der gefleckten Tigerhaut im Schaufenster hing, wie mit Silberstift auf schwarzes Tuch gezeichnet; er trennte sich zögernd, denn er sah das Kind, das er einmal gewesen war, hinter diesem Gesicht.

»Streik«, hatte dreizehn Jahre später der Schulrat zu ihm

gesagt, »Streik, halten Sie das für ein Aufsatzthema, das man Primanern geben sollte?« Er hatte das Thema nicht gegeben, und das Bild hing damals, 1934, längst nicht mehr an der Wand in der Küche des Onkels. Es blieb noch die Möglichkeit, Onkel Thomas in der Anstalt zu besuchen, auf einem der grüngestreiften Stühle zu sitzen, Zigaretten zu rauchen und Thomas zuzuhören, der auf eine Litanei zu antworten schien, die nur er allein hörte: lauschend saß Thomas da – aber er lauschte nicht auf das, was die Besucher ihm erzählten –, er lauschte dem Klagegesang eines verborgenen Chores, der in den Kulissen dieser Welt versteckt eine Litanei herunterbetete, auf die es nur eine Antwort gab, Thomas' Antwort: »Wenn es nur Gerechtigkeit auf dieser Welt gäbe.«

Der Mann, der, immer am Fenster stehend, in den Garten blickte, hatte sich eines Tages – so mager war er geworden – durch das Gitter zwängen und in den Garten stürzen können: sein blechernes Lachen war über ihm selbst zusammengestürzt. Aber die Majestät lebte noch, und Heemke hatte nie versäumt, auf ihn zuzugehen und ihm lächelnd zuzuflüstern: »Majestät.« »Diese Typen werden steinalt«, sagte der Wärter zu ihm, »den schmeißt so leicht nichts um.«

Aber sieben Jahre später lebte die Majestät nicht mehr, und auch Thomas war tot: sie waren ermordet worden, und der Chor, der in den Kulissen der Welt versteckt seine Litanei herunterbetete, dieser Chor wartete vergebens auf die Antwort, die nur Thomas ihm geben konnte.

Heemke betrat die Straße, in der die Schule lag, und erschrak, als er die vielen Prüflinge sah: mit Müttern, mit Vätern standen sie herum, und sie alle umgab jene unechte, aufgeregte Heiterkeit, die vor Prüfungen wie eine Krankheit über die Menschen fällt: verzweifelte Heiterkeit lag wie Schminke auf den Gesichtern der Mütter, verzweifelte Gleichgültigkeit auf denen der Väter.

Ihm aber fiel ein Junge auf, der allein abseits auf der Schwelle eines zerstörten Hauses saß. Heemke blieb stehen und spürte, daß Schrecken in ihm hochstieg wie Feuchtigkeit in einem Schwamm: Vorsicht, dachte er, wenn ich nicht achtgebe, werde ich eines Tages dort sitzen, wo Onkel Thomas saß, und vielleicht werde ich denselben Spruch sagen. Das Kind, das auf der Türschwelle saß, glich ihm selbst, wie er sich dreißig Jahre jünger in Erinnerung hatte, so sehr, daß es ihm schien, als fielen die dreißig Jahre von ihm ab wie Staub, den man von einer Statue herunterpustet.

Lärm, Lachen – die Sonne schien auf feuchte Dächer, von denen der Schnee weggeschmolzen war, und nur in den Schatten der Ruinen hatte sich der Schnee gehalten.

Der Onkel hatte ihn damals viel zu früh hierhergebracht; sie waren mit der Straßenbahn über die Brücke gefahren, hatten kein Wort miteinander gesprochen, und während er auf die schwarzen Strümpfe des Jungen blickte, dachte er: Schüchternheit ist eine Krankheit, die man heilen sollte, wie man Keuchhusten heilt. Die Schüchternheit des Onkels damals, seine eigene dazu, hatte ihm die Luft abgeschnürt. Stumm, mit dem roten Schal um den Hals, die Kaffeeflasche in der rechten Rocktasche, so hatte der Onkel in der leeren Straße neben ihm gestanden, hatte plötzlich etwas von »Arbeit gehen« gemurmelt und war weggegangen, und er hatte sich auf eine Türschwelle gesetzt: Gemüsekarren rollten übers Pflaster, ein Bäckerjunge kam mit dem Brötchenkorb vorbei, und ein Mädchen ging mit einer Milchkanne von Haus zu Haus und hinterließ auf jeder Schwelle eine kleine bläuliche Milchspur – sehr vornehm waren ihm die Häuser vorgekommen, in denen keiner zu wohnen schien, und jetzt noch konnte er an den Ruinen die gelbe Farbe sehen, die ihm damals so vornehm vorgekommen war.

»Guten Morgen, Herr Direktor«, sagte jemand, der an ihm vorbeiging; er nickte flüchtig, und er wußte, daß der Kollege drinnen sagen würde: »Der Alte spinnt wieder.«

»Ich habe drei Möglichkeiten«, dachte er, »ich kann in das Kind fallen, das dort auf der Türschwelle sitzt, ich kann der Mann mit dem blassen gedunsenen Gesicht bleiben, und ich kann Onkel Thomas werden.« Die am wenigsten verlockende

Möglichkeit war die, er selbst zu bleiben: die schwere Last, das aufgesetzte Gesicht zu tragen – nicht sehr verlockend war auch die, das Kind zu sein: Bücher, die er liebte, die er haßte, am Küchentisch verschlungen, gefressen hatte er sie, und es blieb jede Woche der Kampf ums Papier, um Kladden, die er mit Notizen, mit Berechnungen, mit Aufsatzproben füllte; jede Woche dreißig Pfennig, um die er kämpfen mußte, bis es dem Lehrer einfiel, aus uralten Schulheften, die im Keller der Schule lagen, ihn die leeren Seiten herausreißen zu lassen; aber er riß auch die heraus, die nur einseitig beschrieben waren, und nähte sie sich zu Hause mit schwarzem Zwirn zu dicken Heften zusammen – und jetzt schickte er jedes Jahr Blumen für das Grab des Lehrers ins Dorf.

»Niemand«, dachte er, »hat je erfahren, was es mich gekostet hat, kein Mensch, außer Alfred vielleicht, aber Alfred hatte nur ein sehr dummes Wort dazu gesagt, das Wort: Ressentiment. Es ist sinnlos, darüber zu sprechen, es irgend jemand zu erklären – am wenigsten würde die es verstehen, die mit ihrem schönen Gesicht immer neben mir im Bett liegt.«

Noch zögerte er für ein paar Augenblicke, in denen die Vergangenheit über ihm lag: am verlockendsten war es, den Part von Onkel Thomas zu übernehmen, nur immer die eine, einzige Antwort auf die Litanei herunterzubeten, die der Chor in den Kulissen absang.

Nein, nicht wieder dieses Kind sein, es ist zu schwer: Welcher Junge trägt in der heutigen Zeit noch schwarze Strümpfe? Die mittlere Lösung war es, der Mann mit dem blassen gedunsenen Gesicht zu bleiben, und er hatte immer nur die mittleren Lösungen vorgezogen. Er ging auf den Jungen zu, und als sein Schatten über das Kind fiel, blickte es auf und sah ihn ängstlich an. »Wie heißt du?« fragte Heemke.

Der Junge stand hastig auf, und aus seinem geröteten Gesicht kam die Antwort: »Wierzok.«

»Buchstabiere es mir, bitte«, sagte Heemke und zückte sein Notizbuch, und das Kind buchstabierte langsam »W-i-e-r-z-o-k«.

»Und wo kommst du her?«

»Aus Wollersheim«, sagte das Kind.

Gott sei Dank, dachte Heemke, ist er nicht aus meinem Heimatdorf und trägt nicht meinen Namen – ist nicht eins der Kinder von meinen vielen Vettern.

»Und wo wirst du hier in der Stadt wohnen?«

»Bei meiner Tante«, sagte Wierzok.

»Schön«, sagte Heemke, »es wird schon gut gehen mit der Prüfung. Du hast gute Zeugnisse und eine gute Beurteilung von deinem Lehrer, nicht wahr?«

»Ja, ich hatte immer gute Zeugnisse.«

»Mach dir keine Angst«, sagte Heemke, »es wird schon klappen, du wirst . . .« Er stockte, weil das, was Alfred Emotion und Ressentiment genannt hätte, ihm die Kehle zuschnürte. »Erkälte dich nicht auf den kalten Steinen«, sagte er leise, wandte sich plötzlich ab und betrat die Schule durch die Hausmeisterwohnung, weil er Uli und Ulis Mutter ausweichen wollte. Hinter dem Vorhang des Flurfensters verborgen, blickte er noch einmal auf die Kinder und ihre Eltern, die draußen warteten, und wie jedes Jahr an diesem Tag befiel ihn Schwermut: In den Gesichtern dieser Zehnjährigen glaubte er eine niederdrückende Zukunft zu lesen. Sie drängten sich vor dem Schultor wie die Herde vor dem Stall: zwei oder drei von diesen siebzig Kindern würden mehr als mittelmäßig sein, und alle anderen würden nur den Hintergrund abgeben. Alfreds Zynismus ist tief in mich eingedrungen, dachte er, und er blickte hilfesuchend zu dem kleinen Wierzok hin, der sich doch wieder gesetzt hatte und mit gesenktem Kopf zu brüten schien.

Ich habe mir damals eine schlimme Erkältung geholt, dachte Heemke. Dieses Kind wird bestehen, und wenn ich, wenn ich – wenn ich, was?

Ressentiment und Emotion, mein lieber Alfred, das sind nicht die Worte, die ausdrücken, was mich erfüllt.

Er ging ins Lehrerzimmer und begrüßte die Kollegen, die auf ihn gewartet hatten, und er sagte zum Hausmeister, der ihm den Mantel abnahm: »Lassen Sie die Kinder jetzt herein.«

An den Gesichtern der Kollegen konnte er ablesen, wie merkwürdig er sich benommen hatte. »Vielleicht«, dachte er, »habe ich eine halbe Stunde dort draußen auf der Straße gestanden und den kleinen Wierzok betrachtet«, und er blickte ängstlich auf die Uhr; aber es war erst vier Minuten nach acht.

»Meine Herren«, sagte er laut, »bedenken Sie, daß für manche dieser Kinder die Prüfung, der sie unterzogen werden, schwerwiegender und folgenreicher ist, als für einige von ihnen in fünfzehn Jahren das Doktorexamen sein wird.« Sie warteten auf mehr, und die, die ihn kannten, warteten auf das Wort, das er bei jeder Gelegenheit so gern sagte, auf das Wort »Gerechtigkeit«. Aber er sagte nichts mehr, wandte sich nur mit leiserer Stimme an einen der Kollegen und fragte: »Wie heißt das Aufsatzthema für die Prüflinge?«

»Ein merkwürdiges Erlebnis.«

Heemke blieb allein im Lehrerzimmer zurück.

Seine Sorge damals, daß die Küchenbank in zwei Jahren zu kurz für ihn sein würde, war überflüssig gewesen, denn er hatte die Aufnahmeprüfung nicht bestanden, obwohl das Aufsatzthema »Ein merkwürdiges Erlebnis« hieß. Bis zu dem Augenblick, wo sie in die Schule eingelassen wurden, hatte er sich an seiner Zuversicht festgehalten, aber die Zuversicht war, als er die Schule betrat, dahingeschmolzen gewesen.

Als er den Aufsatz niederschreiben wollte, versuchte er vergebens, sich an Onkel Thomas festzuhalten. Thomas war plötzlich sehr nahe, zu nahe, als daß er über ihn einen Aufsatz hätte schreiben können; er schrieb die Überschrift hin: »Ein merkwürdiges Erlebnis«, darunter schrieb er: »Wenn es nur Gerächtigkeit auf der Welt gäbe« – und er schrieb in Gerechtigkeit statt des zweiten e ein ä, weil er sich dumpf daran erinnerte, daß alle Worte einen Stamm haben, und es schien ihm, als sei der Stamm von Gerechtigkeit Rache.

Mehr als zehn Jahre hatte er gebraucht, um, wenn er an Gerechtigkeit dachte, nicht an Rache zu denken.

Das schlimmste von diesen zehn Jahren war das Jahr nach der nichtbestandenen Prüfung gewesen: die, von denen man wegging in ein Leben hinein, das nur scheinbar ein besseres war, konnten ebenso hart sein wie die, die nichts ahnten und nichts wußten und denen ein Telefongespräch des Vaters ersparte, was sie selbst Monate des Schmerzes und der Anstrengung gekostet hätte; ein Lächeln der Mutter, ein Händedruck, sonntags nach der Messe gewechselt, und ein schnell hingeworfenes Wort: das war die Gerechtigkeit der Welt – und das andere, das er immer gewollt, aber nie erreicht hatte, war das, nach dem Onkel Thomas so heftig verlangt hatte. Der Wunsch, das zu erreichen, hatte ihm den Spitznamen »Daniel, der Gerechte« eingebracht.

Er erschrak, als die Tür aufging und der Hausmeister Ulis Mutter einließ.

»Marie«, sagte er, »was – warum . . .«

»Daniel«, sagte sie, »ich . . .«, aber er unterbrach sie und sagte: »Ich habe keine Zeit, nicht eine Sekunde – nein«, sagte er heftig, und er verließ sein Zimmer und stieg zum ersten Stock hinauf: hier oben hin drang der Lärm der wartenden Mütter nur gedämpft. Er trat an das Fenster, das zum Hof hin lag, steckte seine Zigarette in den Mund, vergaß aber, sie anzuzünden. Dreißig Jahre habe ich gebraucht, um über alles hinwegzukommen und um eine Vorstellung von dem zu erlangen, was ich will. Ich habe die Rache aus meiner Gerechtigkeit entfernt; ich verdiene mein Geld, ich setze mein hartes Gesicht auf, und die meisten glauben, daß ich damit an meinem Ziel sei: aber ich bin noch nicht am Ziel; jetzt erst starte ich – aber das harte Gesicht kann ich jetzt absetzen und wegtun, wie man einen Hut wegtut, der ausgedient hat; ich werde ein anderes Gesicht haben, vielleicht mein eigenes . . .

Er würde Wierzok dieses Jahr ersparen; kein Kind wollte er dem ausgesetzt wissen, dem er ausgesetzt gewesen war, kein Kind, am wenigsten aber dieses – dem er begegnet war wie sich selbst –.

Für den Abend hatten wir die Zumpens eingeladen, nette
Leute, deren Bekanntschaft ich meinem Schwiegervater verdanke; seit unserer Hochzeit bemüht er sich, mich mit Leuten bekannt zu machen, die mir geschäftlich nützen können,
und Zumpen kann mir nützen: er ist Chef einer Kommission,
die Aufträge bei großen Siedlungen vergibt, und ich habe in
ein Ausschachtungsunternehmen eingeheiratet.

Ich war nervös an diesem Abend, aber meine Frau,
Bertha, beruhigte mich. »Die Tatsache«, sagte sie, »daß er
überhaupt kommt, bedeutet schon etwas. Versuche nur, das
Gespräch vorsichtig auf den Auftrag zu bringen. Du weißt,
daß morgen der Zuschlag erteilt wird.«

Ich stand hinter der Haustürgardine und wartete auf Zumpen. Ich rauchte, zertrat die Zigarettenstummel und schob
die Fußmatte darüber. Wenig später stellte ich mich hinter
das Badezimmerfenster und dachte darüber nach, warum
Zumpen die Einladung wohl angenommen hatte; es konnte
ihm nicht viel daran liegen, mit uns zu Abend zu essen, und
die Tatsache, daß der Zuschlag für die große Ausschreibung,
an der ich mich beteiligt hatte, morgen erteilt werden sollte,
hätte ihm die Sache so peinlich machen müssen, wie sie mir
war.

Ich dachte auch an den Auftrag: es war ein großer Auftrag, und ich würde 20000 Mark daran verdienen, und ich
wollte das Geld gerne haben.

Bertha hatte meinen Anzug ausgewählt: dunkler Rock,
eine etwas hellere Hose und die Krawattenfarbe neutral.
Solche Dinge hat sie zu Hause gelernt und im Pensionat bei
den Nonnen. Auch, was man den Gästen anbietet: wann
man den Kognak reicht, wann den Wermut, wie man den
Nachtisch assortiert: es ist wohltuend, eine Frau zu haben,
die solche Sachen genau weiß.

Aber auch Bertha war nervös: Als sie mir ihre Hände auf die Schultern legte, berührten sie meinen Hals, und ich spürte, daß die Daumen feucht und kalt waren.

»Es wird schon gut gehen«, sagte sie. »Du wirst den Auftrag bekommen.«

»Mein Gott«, sagte ich, »es geht für mich um 20000 Mark, und du weißt, wie gut wir sie gebrauchen können.«

»Man soll«, sagte sie leise, »den Namen Gottes nie im Zusammenhang mit Geld nennen!«

Ein dunkles Auto hielt vor unserem Haus, ein Fabrikat, das mir unbekannt war, aber italienisch aussah. »Langsam«, flüsterte Bertha, »warte, bis sie geklingelt haben, laß sie zwei oder drei Sekunden stehen, dann geh langsam zur Tür und öffne.«

Ich sah die Zumpens die Treppe heraufkommen: er ist schlank und groß, hat ergraute Schläfen, einer von der Sorte, die man vor dreißig Jahren »Schwerenöter« nannte; Frau Zumpen ist eine von den mageren dunklen Frauen, bei deren Anblick ich immer an Zitronen denken muß. Ich sah Zumpens Gesicht an, daß es furchtbar langweilig für ihn war, mit uns zu essen.

Dann klingelte es, und ich wartete eine, wartete zwei Sekunden, ging langsam zur Tür und öffnete.

»Ach«, sagte ich, »es ist wirklich nett, daß Sie zu uns gekommen sind!«

Wir gingen mit den Kognakgläsern in der Hand durch unsere Wohnung, die Zumpens gern sehen wollten. Bertha blieb in der Küche, um aus einer Tube Mayonnaise auf die Appetithappen zu drücken; sie macht das nett; herzförmige Muster, Mäander, kleine Häuschen. Den Zumpens gefiel unsere Wohnung; sie lächelten sich an, als sie in meinem Arbeitszimmer den großen Schreibtisch sahen, auch mir kam er in diesem Augenblick ein wenig zu groß vor.

Zumpen lobte einen kleinen Rokokoschrank, den ich von Großmutter zur Hochzeit bekommen hatte, und eine Barockmadonna in unserem Schlafzimmer.

Als wir ins Eßzimmer zurückkamen, hatte Bertha serviert; auch das hatte sie nett gemacht, so schön und doch sehr natürlich, und es wurde ein gemütliches Essen. Wir sprachen über Filme und Bücher, über die letzten Wahlen, und Zumpen lobte die verschiedenen Käsesorten, und Frau Zumpen lobte den Kaffee und die Törtchen. Dann zeigten wir Zumpens die Fotos von unserer Hochzeitsreise: Bilder von der bretonischen Küste, spanische Esel und Straßenbilder aus Casablànca.

Wir tranken jetzt wieder Kognak, und als ich aufstehen und den Karton mit den Fotos aus unserer Verlobungszeit holen wollte, gab mir Bertha ein Zeichen, und ich holte den Karton nicht. Es wurde für zwei Minuten ganz still, weil wir keinen Gesprächsstoff mehr hatten, und wir dachten alle an den Auftrag; ich dachte an die 20000 Mark, und es fiel mir ein, daß ich die Flasche Kognak von der Steuer abschreiben konnte. Zumpen blickte auf die Uhr, sagte: »Schade: es ist zehn; wir müssen weg. Es war ein so netter Abend!« Und Frau Zumpen sagte: »Reizend war es, und ich hoffe, wir werden Sie einmal bei uns sehen.«

»Gern würden wir kommen«, sagte Bertha, und wir standen noch eine halbe Minute herum, dachten wieder alle an den Auftrag, und ich spürte, daß Zumpen darauf wartete, daß ich ihn beiseite nehmen und mit ihm darüber sprechen würde. Aber ich tat es nicht. Zumpen küßte Bertha die Hand, und ich ging voran, öffnete die Türen und hielt unten Frau Zumpen den Schlag auf.

»Warum«, sagte Bertha sanft, »hast du nicht mit ihm über den Auftrag gesprochen? Du weißt doch, daß morgen der Zuschlag erteilt wird.«

»Mein Gott«, sagte ich, »ich wußte nicht, wie ich die Rede darauf hätte bringen sollen.«

»Bitte«, sagte sie sanft, »du hättest ihn unter irgendeinem Vorwand in dein Arbeitszimmer bitten, dort mit ihm sprechen müssen. Du hast doch bemerkt, wie sehr er sich für Kunst interessiert. Du hättest sagen sollen: Ich habe da noch ein Brustkreuz aus dem 18. Jahrhundert, vielleicht würde es Sie interessieren, das zu sehen, und dann . . .«

Ich schwieg, und sie seufzte und band sich die Schürze um. Ich folgte ihr in die Küche; wir sortierten die restlichen Appetithappen in den Eisschrank, und ich kroch auf dem Boden herum, um den Verschluß für die Mayonnaisetube zu suchen. Ich brachte den Rest des Kognaks weg, zählte die Zigarren: Zumpen hatte nur eine geraucht; ich räumte die Aschenbecher leer, aß stehend noch ein Törtchen und sah nach, ob noch Kaffee in der Kanne war. Als ich in die Küche zurück-kehrte, stand Bertha mit dem Autoschlüssel in der Hand da.

»Was ist denn los?« fragte ich.

»Natürlich müssen wir hin«, sagte sie.

»Wohin?«

»Zu Zumpens«, sagte sie, »was denkst du dir?«

»Es ist gleich halb elf.«

»Und wenn es Mitternacht wäre«, sagte Bertha, »soviel ich weiß, geht es um 20000 Mark. Glaub nicht, daß die so zimperlich sind.«

Sie ging ins Badezimmer, um sich zurechtzumachen, und ich stand hinter ihr und blickte ihr zu, wie sie den Mund ab-wischte, die Linien neu zog, und zum ersten Male fiel mir auf, wie breit und einfältig dieser Mund ist. Als sie mir den Krawattenknoten festzog, hätte ich sie küssen können, wie ich es früher immer getan hatte, wenn sie mir die Krawatte band, aber ich küßte sie nicht.

In der Stadt waren die Cafés und die Restaurants hell er-leuchtet. Leute saßen draußen auf den Terrassen, und in sil-bernen Eisbechern und Eiskübeln fing sich das Laternen-licht. Bertha blickte mich ermunternd an; aber sie blieb im Auto, als wir an Zumpens Haus hielten, und ich drückte so-fort auf die Klingel und war erstaunt, wie schnell die Tür geöffnet wurde. Frau Zumpen schien nicht erstaunt, mich zu sehen; sie trug einen schwarzen Hausanzug mit losen flatternden Hosenbeinen, mit gelben Blumen benäht, und mehr als je zuvor mußte ich an Zitronen denken.

»Entschuldigen Sie«, sagte ich, »ich möchte Ihren Mann sprechen.«

»Er ist noch ausgegangen«, sagte sie, »er wird in einer halben Stunde zurück sein.«

Im Flur sah ich viele Madonnen, gotische und barocke, auch Rokokomadonnen, wenn es die überhaupt gibt.

»Schön«, sagte ich, »wenn Sie erlauben, komme ich in einer halben Stunde zurück.«

Bertha hatte sich eine Abendzeitung gekauft; sie las darin, rauchte, und als ich mich neben sie setzte, sagte sie: »Ich glaube, du hättest auch mit ihr darüber sprechen können.«

»Woher weißt du denn, daß er nicht da war?«

»Weil ich weiß, daß er im Gaffel-Club sitzt und Schach spielt, wie jeden Mittwochabend um diese Zeit.«

»Das hättest du mir früher sagen können.«

»Versteh mich doch«, sagte Bertha und faltete die Abendzeitung zusammen. »Ich möchte dir doch helfen, möchte, daß du es von dir aus lernst, solche Sachen zu erledigen. Wir hätten nur Vater anzurufen brauchen, und er hätte mit einem einzigen Telefongespräch die Sache für dich erledigt, aber ich will doch, daß du allein den Auftrag bekommst.«

»Schön«, sagte ich, »was machen wir also: warten wir die halbe Stunde oder gehen wir gleich 'rauf und reden mit ihr?«

»Am besten gehen wir gleich 'rauf«, sagte Bertha.

Wir stiegen aus und fuhren zusammen im Aufzug nach oben. »Das Leben«, sagte Bertha, »besteht daraus, Kompromisse zu schließen und Konzessionen zu machen.«

Frau Zumpen war genauso wenig erstaunt wie eben, als ich allein gekommen war. Sie begrüßte uns, und wir gingen hinter ihr her in das Arbeitszimmer ihres Mannes. Frau Zumpen holte die Kognakflasche, schenkte ein, und noch bevor ich etwas von dem Auftrag hatte sagen können, schob sie mir einen gelben Schnellhefter zu: »Siedlung Tannenidyll« las ich und blickte erschrocken auf Frau Zumpen, auf Bertha, aber beide lächelten, und Frau Zumpen sagte: »Öffnen Sie die Mappe«, und ich öffnete sie; drinnen lag ein zweiter, ein rosenfarbener Schnellhefter, und ich las auf diesem »Siedlung Tannenidyll – Ausschachtungsarbeiten«, ich öffnete auch diesen Deckel, sah meinen Kostenanschlag als obersten liegen; oben an den Rand hatte jemand mit Rotstift geschrieben: »Billigstes Angebot!«

Ich spürte, wie ich vor Freude rot wurde, spürte mein Herz schlagen und dachte an die 20 000 Mark.

»Mein Gott«, sagte ich leise und klappte den Aktendeckel zu, und diesmal vergaß Bertha, mich zu ermahnen.

»Prost«, sagte Frau Zumpen lächelnd, »trinken wir also.«

Wir tranken, und ich stand auf und sagte: »Es ist vielleicht plump, aber Sie verstehen vielleicht, daß ich jetzt nach Hause möchte.«

»Ich verstehe Sie gut«, sagte Frau Zumpen, »es ist nur noch eine Kleinigkeit zu erledigen.« Sie nahm die Mappe, blätterte sie durch und sagte: »Ihr Kubikmeterpreis liegt dreißig Pfennig unter dem Preis des nächstbilligeren. Ich schlage vor, Sie setzen den Preis noch um fünfzehn Pfennig herauf: so bleiben Sie immer noch der Billigste und haben doch viertausendfünfhundert Mark mehr. Los, tun Sie's gleich!« Bertha nahm den Füllfederhalter aus ihrer Handtasche und hielt ihn mir hin, aber ich war zu aufgeregt, um zu schreiben; ich gab die Mappe Bertha und beobachtete sie, wie sie mit ruhiger Hand den Meterpreis umänderte, die Endsumme neu schrieb und die Mappe an Frau Zumpen zurückgab.

»Und nun«, sagte Frau Zumpen, »nur noch eine Kleinigkeit. Nehmen Sie Ihr Scheckbuch und schreiben Sie einen Scheck über dreitausend Mark aus, es muß ein Barscheck sein und von Ihnen diskontiert.«

Sie hatte das zu mir gesagt, aber Bertha war es, die unser Scheckbuch aus ihrer Handtasche nahm und den Scheck ausschrieb.

»Er wird gar nicht gedeckt sein«, sagte ich leise.

»Wenn der Zuschlag erteilt wird, gibt es einen Vorschuß, und dann wird er gedeckt sein«, sagte Frau Zumpen.

Vielleicht habe ich das, als es geschah, gar nicht begriffen. Als wir im Aufzug hinunterfuhren, sagte Bertha, daß sie glücklich sei, aber ich schwieg.

Bertha wählte einen anderen Weg, wir fuhren durch stille Viertel, Licht sah ich in offenen Fenstern, Menschen auf Balkonen sitzen und Wein trinken; es war eine helle und warme Nacht.

»Der Scheck war für Zumpen?« fragte ich nur einmal leise, und Bertha antwortete ebenso leise: »Natürlich.«

Ich blickte auf Berthas kleine bräunliche Hände, mit denen sie sicher und ruhig steuerte. Hände, dachte ich, die Schecks unterschreiben und auf Mayonnaisetuben drücken, und ich blickte höher – auf ihren Mund und spürte auch jetzt keine Lust, ihn zu küssen.

An diesem Abend half ich Bertha nicht, den Wagen in die Garage zu setzen, ich half ihr auch nicht beim Abwaschen. Ich nahm einen großen Kognak, ging in mein Arbeitszimmer hinauf und setzte mich an meinen Schreibtisch, der viel zu groß für mich war. Ich dachte über etwas nach, stand auf, ging ins Schlafzimmer und blickte auf die Barockmadonna, aber auch dort fiel mir das, worüber ich nachdachte, nicht ein.

Das Klingeln des Telefons unterbrach mein Nachdenken; ich nahm den Hörer auf und war nicht erstaunt, Zumpens Stimme zu hören.

»Ihrer Frau«, sagte er, »ist ein kleiner Fehler unterlaufen. Sie hat den Meterpreis nicht um fünfzehn, sondern um fünfundzwanzig Pfennige erhöht.«

Ich überlegte einen Augenblick und sagte dann: »Das ist kein Fehler, das ist mit meinem Einverständnis geschehen.«

Er schwieg erst und sagte dann lachend: »Sie hatten also vorher die verschiedenen Möglichkeiten durchgesprochen?«

»Ja«, sagte ich.

»Schön, dann schreiben Sie noch einen Scheck über tausend aus.« »Fünfhundert«, sagte ich, und ich dachte: Es ist wie in schlechten Romanen – genauso ist es.

»Achthundert«, sagte er, und ich sagte lachend: »Sechs-
hundert«, und ich wußte, obwohl ich keine Erfahrung hatte,
daß er jetzt siebenhundertfünfzig sagen würde, und als er es
wirklich sagte, sagte ich »ja« und hing ein.

Es war noch nicht Mitternacht, als ich die Treppe hinunterging und Zumpen den Scheck ans Auto brachte; er war
allein und lachte, als ich ihm den zusammengefalteten Scheck
hineinreichte. Als ich langsam ins Haus ging, war von
Bertha noch nichts zu sehen; sie kam nicht, als ich ins Arbeitszimmer zurückging; sie kam nicht, als ich noch einmal
hinunterging, um mir noch ein Glas Milch aus dem Eisschrank zu holen, und ich wußte, was sie dachte; sie dachte:
Er muß darüber kommen, und ich muß ihn allein lassen, er
muß das begreifen.

Aber ich begriff das nie, und es war auch unbegreiflich.

Als er vom Bahnhof zurückkam, brachte Lasnow die Nachricht mit, daß eine Kiste für Kop angekommen sei. Lasnow ging jeden Morgen zu dem Zug, der aus Odessa kam, und versuchte, mit den Soldaten Geschäfte zu machen. Im ersten Jahr hatte er Socken, Sacharin, Salz, Zündhölzer und Feuersteine mit Butter und Öl bezahlt – und die großzügigen Handelsspannen genossen, die beim Tauschhandel üblich sind; später hatten sich die Kurse eingespielt und es wurde ein hartes Feilschen um dieses Geld, das mit dem sinkenden Kriegsglück immer wertloser wurde. Es gab keine Butter mehr zum Tauschen, kein Öl und schon lange nicht mehr die saftigen Speckstücke, für die man im Anfang eine französische Doppelbettmatratze bekommen hatte. Der Handel war spitz geworden, sauer und aufreibend, seitdem die Soldaten angefangen hatten, ihr eigenes Geld zu verachten. Sie lachten, wenn Lasnow mit seinem Packen Geldscheine am Zug entlanglief und in einem nervösen Singsang in die offenen Fenster rief: »Ich zahle für alles die höchsten Preise. Die höchsten Preise für alles.«

Nur selten tauchte einmal ein Neuling auf, der sich einen Mantel, ein Unterhemd abschwätzen, sich von den Geldscheinen verführen ließ. Und sehr selten waren die Tage geworden, an denen Lasnow über ein größeres Objekt – eine Pistole, eine Uhr oder ein Fernglas – so lange verhandeln mußte, daß er gezwungen war, den Stationsvorsteher zu bestechen, der den Aufenthalt des Zuges verlängerte, bis Lasnow sein Geschäft abgeschlossen hatte. Im Anfang hatte jede Minute nur eine Mark gekostet, aber der gierige, trunksüchtige Stationsvorsteher hatte den Preis für eine Minute längst auf sechs Mark gesteigert.

An diesem Morgen war gar kein Geschäft zu machen gewesen. Ein Feldgendarm patrouillierte am haltenden Zug entlang, verglich seine Armbanduhr mit der Taschenuhr des Stationsvorstehers und schnauzte den zerlumpten Jungen an, der am Zug entlanglief, um nach Zigarettenstummeln zu suchen; aber die Soldaten warfen schon lange keine Zigarettenstummel mehr weg, geizig kratzten sie die schwarze Asche ab und bargen ihre Reste wie Kostbarkeiten in ihren Tabaksdosen; auch mit Brot waren sie sparsam geworden, und der Junge, der, als er keine Tabakreste fand, mit schlenkernden Armen am Zug entlanglief und auf eine herrliche, eindrucksvolle Weise in einem heulenden Singsang »Brot« rief, »Brot – Brot, Kameraden«, der Junge erntete nur einen Tritt des Feldgendarmen, sprang, als der Zug abfuhr an die Mauer, und eine Papiertüte rollte vor seine Füße. Sie enthielt ein Stück Brot und einen Apfel. Der Junge grinste, als Lasnow an ihm vorbei in den Warteraum ging. Der Warteraum war leer und kalt. Lasnow ging auf den Vorplatz und blieb zögernd stehen. Ihm schien, als müsse der Zug noch kommen; zu schnell war es gegangen, korrekt, pünktlich, aber er hörte das rostige Knirschen: das Signal rutschte schon wieder auf Halt.

Lasnow erschrak, als eine Hand sich auf seine Schulter legte, die Hand war zu leicht, um die des Stationschefs zu sein; es war die Hand des Jungen, der Lasnow den angebissenen Apfel hinhielt und murmelte »Sauer, so sauer ist das Äpfelchen – aber was gibst du mir für das hier?« Er zog aus der linken Tasche eine rote Zahnbürste und hielt sie Lasnow hin. Lasnow öffnete den Mund und fuhr sich unwillkürlich mit dem Zeigefinger über seine kräftigen Zähne, auf denen ein dünner Pelz lag; er schloß den Mund wieder, nahm dem Jungen die Zahnbürste aus der Hand und betrachtete sie; ihr roter Stiel war durchsichtig, weiß und hart waren die Borsten.

»Ein hübsches Weihnachtsgeschenk für deine Frau«, sagte der Junge, »sie hat so hübsche weiße Zähne.«

»Du Bengel«, sagte Lasnow leise, »was gehen dich die Zähne meiner Frau an?«

»Oder für deine Kinder«, sagte der Junge, »man kann

durchgucken – so.« Er nahm Lasnow die Bürste aus der Hand, hielt sie sich vor die Augen, betrachtete Lasnow, den Bahnhof, die Bäume, die verfallene Zuckerfabrik und gab Lasnow die Bürste zurück. »Probier's mal«, sagte er, »es ist hübsch.« Lasnow nahm die Bürste und hielt sie vor die Augen; im Innern des Stiels wurden die Reflexe gebrochen: der Bahnhof sah aus wie eine langgestreckte Scheune, die Bäume wie abgebrochene Besen, das Gesicht des Jungen war zu einer platten Grimasse verzerrt, der Apfel, den er vors Gesicht hielt, sah aus wie ein rötlicher Schwamm. Lasnow gab dem Jungen die Bürste zurück. »Na ja«, sagte er, »wirklich ganz hübsch.«

»Zehn«, sagte der Junge.

»Zwei.«

»Nein«, sagte der Junge weinerlich, »nein, sie ist so hübsch.«

Lasnow wandte sich ab. –

»Gib mir wenigstens fünf.«

»Komm«, sagte Lasnow, »gut, ich geb' dir fünf.« Er nahm die Bürste, gab dem Jungen den Schein. Der Junge lief in den Wartesaal zurück, und Lasnow sah ihn dort beharrlich und systematisch mit einem Stock in der Asche des Ofens nach Zigarettenresten suchen; eine graue Staubwolke stieg auf, und der Junge murmelte in seinem Singsang etwas vor sich hin, das Lasnow nicht verstand.

Der Stationsvorsteher kam in dem Augenblick, als Lasnow sich entschlossen hatte, eine Zigarette zu drehen und gerade seinen Tabakvorrat auf der flachen Hand musterte, den Staub von den Flocken sonderte. »Na«, sagte der Stationsvorsteher, »das sieht ja aus, als würde es für zwei langen.« Er griff zu, ohne um Erlaubnis zu fragen, und die beiden Männer standen rauchend an der Bahnhofsecke und blickten in die Straße hinein, auf der Buden, Stände, schmutzige Zelte errichtet wurden: alles war grau, braun oder schmutzigfarben, nicht einmal am Kinderkarussell war Farbe zu sehen.

»Meine Kinder«, sagte der Stationsvorsteher, »haben mal von irgend jemand Malbücher geschenkt bekommen; auf der einen Seite konntest du die fertigen Bilder sehen, bunt, auf der anderen die Umrisse, in die du die Farben hineinmalen mußtest. Aber ich hatte keine Farben, auch keine Stifte, und meine Kinder schmierten alles mit meinem Bleistift voll – daran muß ich denken, wenn ich diesen Markt sehe. Es war wohl keine Farbe mehr da, nur Bleistift – grau, dreckig, dunkel . . .«

»Ja«, sagte Lasnow, »kein Geschäft zu machen; das einzig Eßbare sind die Maiskuchen von Ruchew, aber du weißt ja, wie er sie macht.«

»Rohe Maiskörner, zusammengepreßt, ich weiß«, sagte der Stationsvorsteher, »dann mit dunkelgefärbtem Öl beschmiert, daß man glauben soll, sie seien in Öl gebacken.«

»Na«, sagte Lasnow, »ich will sehen, ob nicht doch was zu machen ist.«

»Wenn du Kop siehst, sag ihm, daß eine Kiste für ihn angekommen ist.«

»Eine Kiste? Was ist drin?«

»Ich weiß nicht. Kommt aus Odessa. Ich schick den Bengel mit meiner Karre 'rauf zu Kop. Sagst du's ihm?«

»Ja«, sagte Lasnow.

Immer wieder, während er über den Markt schlenderte, blickte er zum Bahnhof hinunter, um zu sehen, ob der Junge mit der Kiste noch nicht kam. Und er erzählte allen, daß für Kop eine Kiste aus Odessa gekommen sei. Das Gerücht ging schnell über den Markt, überholte Lasnow und kam, während er langsam auf Kops Stand zuging, an der anderen Straßenseite schon auf ihn zurück.

Als er an das Kinderkarussell kam, schirrte der Besitzer gerade das Pferd an: das Gesicht des Pferdes war mager und dunkel, vor Hunger ganz edel; es erinnerte Lasnow an die Nonne von Nowgorod, die er als Kind einmal gesehen hatte. Auch deren Gesicht war mager und dunkel gewesen, vor Entbehrung ganz edel; sie hatte sich in einem dunkelgrünen

Zelt auf den Jahrmärkten gezeigt, und es hatte kein Geld gekostet, sie zu sehen, nur wurden die Zuschauer, wenn sie das Zelt verließen, um ein Opfer gebeten.

Der Besitzer des Karussells kam auf Lasnow zu, beugte sich zu ihm und flüsterte: »Hast du schon gehört von der Kiste, die für Kop angekommen sein soll?«

»Nein«, sagte Lasnow.

»Es soll Spielzeug drin sein, Autos zum Aufdrehen.«

»Nein«, sagte Lasnow, »ich habe gehört, daß es Zahnbürsten sind.«

»Nein, nein«, sagte der Karussellbesitzer, »Spielzeug.«

Lasnow streichelte zärtlich dem Pferd über die Nase, ging müde weiter und dachte voll Bitterkeit an die Geschäfte, die er früher hatte machen können. Er hatte schon so viele Kleider gekauft und verkauft, daß er eine ganze Armee hätte damit ausrüsten können, und nun war er so tief gesunken, daß er sich von diesem Bengel eine Zahnbürste hatte aufschwätzen lassen. Fässer voll Öl hatte er verkauft, Butter und Speck, und an den Weihnachtstagen hatte er immer einen Stand mit Zuckerstangen für die Kinder gehabt; die Farben der Zuckerstangen waren so grell gewesen wie die Freuden und Leiden der Armen: rot wie die Liebe, die man in Hauseingängen feiert oder an der Fabrikmauer, während der bittersüße Geruch der Melasse über die Mauer drang; gelb wie die Flammen im Gehirn eines Betrunkenen oder so hellgrün wie der Schmerz, den man empfand, wenn man morgens aufwachte und das Gesicht seiner schlafenden Frau betrachtete, ein Kindergesicht, dessen einziger Schutz gegen das Leben diese schwachen rötlichen Lider waren, hinfällige Deckelchen, die sie öffnen mußte, wenn die Kinder anfingen zu schreien. Aber in diesem Jahr hatte es nicht einmal Zuckerstangen gegeben, und sie würden Weihnachten zu Hause sitzen, dünne Suppe löffeln und abwechselnd durch den Stiel der Zahnbürste gucken.

Neben dem Karussell hatte eine Frau zwei alte Stühle nebeneinandergestellt und darauf einen Laden eröffnet: zwei

Matratzen hatte sie zu verkaufen, auf denen noch »Magasin du Louvre« zu lesen war, ein zerlesenes Buch mit dem Titel »Links und rechts der Eisenbahn, Gelsenkirchen bis Essen«, eine englische Illustrierte, Jahrgang 1938, und eine kleine Blechdose, in der einmal ein Farbband gewesen war.

»Schöne Sachen«, sagte die alte Frau, als Lasnow stehenblieb.

»Hübsche Sachen«, sagte er, und als er weitergehen wollte, stürzte die Frau auf ihn zu, zog ihn am Ärmel näher und flüsterte: »Für Kop ist 'ne Kiste aus Odessa angekommen. Mit Weihnachtssachen.«

»So?« sagte er, »mit was denn?«

»Zuckerzeug, ganz bunt, und Gummitiere, die quieken. Das wird lustig.«

»Ja«, sagte Lasnow, »das wird lustig.«

Als er endlich Kops Stand erreichte, hatte der gerade angefangen, seine Sachen abzuladen und auszustellen: Schürhaken, Kochtöpfe, Öfen, rostige Nägel, die er immer selbst zusammensuchte und geradeklopfte. Fast alle Leute hatten sich an Kops Stand versammelt, standen stumm vor Erregung und blickten die Straße hinunter. Als Lasnow zu Kop trat, lud Kop gerade einen Ofenschirm ab, auf dem goldene Blumen und eine Chinesin zu sehen waren.

»Ich soll dir ausrichten«, sagte Lasnow, »daß für dich eine Kiste angekommen ist. Der Bengel, der immer am Bahnhof herumstreunt, wird sie dir bringen.«

Kop blickte seufzend auf und sagte leise: »Auch du, auch du fängst mir davon an.«

»Wieso auch ich«, sagte Lasnow, »ich komme geradenwegs vom Bahnhof, um's dir auszurichten.«

Kop duckte sich ängstlich; er war elegant, er trug eine saubere graue Pelzmütze, hatte immer einen Stock in der Hand, mit dem er im Gehen Kerben in den Boden schlug, und als einzige Erinnerung an seine besseren Tage hatte er die lässige Haltung seiner Zigarette im Mund, einer Zigarette, die fast nie brannte, weil er selten Geld für Tabak hatte. Vor siebenundzwanzig Jahren, als Lasnow als Deserteur ins Dorf zurückkehrte und die Kunde von der Revolution brachte, war Kop Fähnrich gewesen, Bahnhofskommandant, und als Lasnow an der Spitze des Soldatenrats in den Bahnhof gekommen war, um Kop zu verhaften, war dieser bereit gewesen, sich eine Lippenbewegung, die Haltung seiner Zigarette, ein Leben kosten zu lassen; jedenfalls blickten sie alle auf seinen Mundwinkel, und er war gefaßt darauf, daß sie ihn erschießen würden, aber er nahm die Zigarette nicht aus dem Mund, als Lasnow auf ihn zukam. Doch Lasnow hatte ihn nur geohrfeigt, die Zigarette war ihm aus dem Mund gefallen, und ohne sie sah er aus wie ein Junge, der sein Schulpensum vergessen hat. Sie hatten ihn in Frieden gelassen, er war erst Lehrer gewesen, dann Händler, aber immer noch, wenn er Lasnow traf, hatte er Angst, der würde ihm die Zigarette aus dem Mund schlagen. Er hob ängstlich den Kopf, rückte den Ofenschirm zurecht und sagte: »Wenn du wüßtest, wie oft ich es schon gehört habe.«

»Einen Ofenschirm«, sagte eine Frau, »wenn man nur Wärme genug hätte, um sich durch einen Ofenschirm dagegen zu schützen.« Kop blickte sie verächtlich an. »Für Schönheit habt ihr eben keinen Sinn.«

»Nein«, sagte die Frau lachend, »schön bin ich selbst, und schau, wieviel hübsche Kinder ich habe.« Sie fuhr den vier Kindern, die um sie herumstanden, schnell über die Köpfe. »Da braucht man . . .« Sie blickte erschrocken ihren Kindern nach, die plötzlich davonrannten, auf den Bahnhof zu, den anderen Kindern nach, dem Jungen entgegen, der Kops Kiste auf der Karre des Stationschefs brachte.

Alle Leute liefen von ihren Ständen weg, die Kinder sprangen vom Karussell.

»Mein Gott«, sagte Kop leise zu Lasnow, der allein bei ihm stehengeblieben war, »fast wünschte ich, die Kiste wäre nicht gekommen. Die werden mich zerreißen.«

»Weißt du nicht, was drin ist?«

»Keine Ahnung«, sagte Kop, »ich weiß nur, daß es aus Blech sein muß.«

»Aus Blech kann man vielerlei machen – Konservendosen, Spielzeug, Löffel.«

»Musiktrommeln – zum Drehen.«

»Ja – ach Gott.«

Mit Lasnow zusammen half Kop dem Jungen, die Kiste von der Karre zu heben; die Kiste war weiß, aus frischen glatten Brettern, und sie war fast so hoch wie der Tisch, auf dem Kop seine rostigen Nägel, Schürhaken, Scheren ausgebreitet hatte.

Alle wurden still, als Kop ein altes Schüreisen unter den Kistendeckel schob, es langsam anhob; man konnte das zarte Knirschen der Nägel hören. Lasnow wunderte sich, wo die Leute plötzlich alle hergekommen sein mochten; er erschrak, als der Junge plötzlich sagte: »Ich kann euch sagen, was drin ist.«

Niemand fragte, alle blickten ihn gespannt an, und der Junge blickte schweigend in die gespannten Gesichter; Schweiß brach ihm aus, und er sagte leise: »Nichts – nichts ist drin.«

Hätte er es einen Augenblick früher gesagt, sie hätten sich vor Enttäuschung auf ihn gestürzt und ihn verprügelt, aber jetzt hatte Kop den Deckel gerade abgenommen und wühlte mit seinen Händen in Holzwolle, hob eine ganze Schicht Holzwolle ab, noch eine, zusammengeknülltes Papier – dann hielt er zwei Hände voll mit den Dingern hoch, die er in der Mitte der Kiste gefunden hatte. »Pinzetten«, rief eine Frau, aber es waren keine.

»Nein«, sagte die Frau, die sich selbst als schön bezeichnet hatte, »nein, das sind . . .«

»Was ist es denn?« sagte ein kleiner Junge.

»Zuckerzangen sind es«, sagte der Karussellbesitzer mit trockener Stimme, dann lachte er plötzlich böse los, warf die Arme über den Kopf und lief laut lachend zu seinem Karussell zurück.

»Tatsächlich«, sagte Kop, »es sind Zuckerzangen – viele –.« Er warf die Zangen, die er in der Hand hatte, wieder in die Kiste zurück, wühlte darin herum, aber obwohl sie sein Gesicht nicht sehen konnten, wußten sie alle, daß er nicht lachte. Er wühlte in den klirrenden Blechzangen herum, wie Geizhälse auf Bildern in ihrem Schatz wühlen.

»Das sieht ihnen ähnlich«, sagte eine Frau, »Zuckerzangen ... ich glaube, wenn es überhaupt Zucker gäbe, ich würde es über mich bringen, ihn mit den Fingern anzufassen, was?«

»Ich hatte eine Großmutter«, sagte Lasnow, »die packte den Zucker immer mit den Fingern an – aber das war auch 'ne schmutzige Bauerntrine.«

»Ich glaube, ich würde es auch übers Herz bringen, das zu tun.«

»Du bist ja auch immer ein Schwein gewesen, Zucker mit den Fingern anzufassen. Nee.«

»Man kann«, sagte Lasnow, »Tomaten damit aus dem Glas angeln.«

»Wenn man welche hat«, sagte die Frau, die sich als schön bezeichnet hatte. Lasnow blickte sie aufmerksam an. Sie war wirklich schön, hatte kräftiges, blondes Haar, eine gerade Nase und dunkle, schöne Augen.

»Man kann«, sagte Lasnow, »auch Gurken damit anfassen.«

»Wenn man welche hat«, sagte die Frau.

»Man kann sich damit in den Hintern kneifen.«

»Wenn man noch einen hat«, sagte die Frau kalt. Ihr Gesicht wurde immer böser und schöner.

»Kohlen kann man damit anfassen.«

»Wenn man welche hat.«

»Man kann sie als Zigarettenspitze benutzen.«

»Wenn man was zu rauchen hat.«

Immer wenn Lasnow sprach, blickten alle zu ihm hin, und sobald er fertig war, wandten sich die Leute der Frau zu, und je sinnloser in diesem Zwiegespräch die Zuckerzangen wurden, um so leerer und armseliger wurden die Gesichter der Kinder, der Eltern. Ich muß sie nur zum Lachen bringen, dachte Lasnow, ich hatte gefürchtet, es würden Zahnbürsten drin sein, aber Zuckerzangen sind wirklich noch schlimmer. Er wurde rot unter dem triumphierenden Blick der Frau und sagte laut: »Man kann damit gekochten Fisch zerlegen.«

»Wenn man welchen hat«, sagte die Frau.

»Die Kinder können damit spielen«, sagte Lasnow leise.

»Wenn man . . .«, setzte die Frau an, dann lachte sie plötzlich laut, und alle lachten mit, denn Kinder hatten sie alle genug.

»Komm her«, sagte Lasnow zu Kop, »gib mir drei, was kosten sie?«

»Zwölf«, sagte Kop.

»Zwölf«, sagte Lasnow und warf das Geld auf Kops Tisch, »das ist ja geschenkt.«

»Es ist wirklich nicht teuer«, sagte Kop schüchtern.

Zehn Minuten später liefen alle Kinder auf dem Markt mit silbern blitzenden Zuckerzangen umher, sie saßen auf dem Karussell, kniffen sich damit in die Nasen, fuchtelten vor den Erwachsenen damit herum.

Auch der Junge, der die Kiste gebracht hatte, hatte eine geschenkt bekommen. Er saß auf der Steintreppe vor dem Bahnhof und hämmerte seine Zuckerzange flach. Jetzt hab' ich endlich etwas, dachte er, womit ich zwischen die Ritzen in den Fußbodenbrettern komme. Daran hat er natürlich nicht gedacht. Er hatte es mit Feuerhaken versucht, mit Drähten und Scheren, aber es war ihm nie geglückt. Er war sicher, daß es ihm mit diesem Instrument glücken würde.

Kop zählte sein Geld, bündelte und verstaute es sorgfältig in seiner Brieftasche. Er blickte Lasnow an, der düster sinnend neben ihm stand und das Treiben auf dem Markt beobachtete.

»Du könntest mir einen Gefallen tun«, sagte Kop.

»Welchen«, sagte Lasnow zerstreut, ohne Kop anzusehen.

»Schlag mir ins Gesicht«, sagte Kop, »so fest, daß die Zigarette herausfällt.«

Lasnow, immer noch ohne Kop anzusehen, schüttelte nachdenklich den Kopf.

»Tu's«, sagte Kop. »Bitte, tu's. Weißt du nicht mehr?«

»Ich weiß noch«, sagte Lasnow, »aber ich habe keine Lust, es noch einmal zu tun.«

»Wirklich nicht?«

»Nein«, sagte Lasnow, »wirklich nicht, ich habe nie daran gedacht, es noch einmal zu tun.«

»Verflucht«, sagte Kop, »und ich habe siebenundzwanzig Jahre lang Angst davor gehabt.«

»Das war ganz unnötig«, sagte Lasnow. Er ging kopfschüttelnd auf den Bahnhof zu. Vielleicht, dachte er, kommt noch ein Sonderzug, Urlauber oder Verwundete; es kamen selten Sonderzüge, aber es konnte ja möglich sein, daß heute noch einer kam. Er spielte nachdenklich mit der Zahnbürste und den drei Zuckerzangen in seiner Rocktasche. Es ist schon vorgekommen, daß an einem Tag drei Sonderzüge kamen, dachte er.

Er lehnte sich an die Laterne vor dem Bahnhof und kratzte seinen letzten Tabak zusammen . . .

Erst im Frühjahr 1950 kehrte ich aus dem Krieg heim, und ich fand niemanden mehr in der Stadt, den ich kannte. Zum Glück hatten meine Eltern mir Geld hinterlassen. Ich mietete ein Zimmer in der Stadt, dort lag ich auf dem Bett, rauchte und wartete und wußte nicht, worauf ich wartete. Arbeiten zu gehen, hatte ich keine Lust. Ich gab meiner Wirtin Geld, und sie kaufte alles für mich und bereitete mir das Essen. Jedesmal, wenn sie mir den Kaffee oder das Essen ins Zimmer brachte, blieb sie länger, als mir lieb war. Ihr Sohn war in einem Ort gefallen, der Kalinowka hieß, und wenn sie eingetreten war, setzte sie das Tablett auf den Tisch und kam in die dämmrige Ecke, wo mein Bett stand. Dort döste ich vor mich hin, drückte die Zigaretten an der Wand aus, und so war die Wand hinter meinem Bett voller schwarzer Flecken. Meine Wirtin war blaß und mager, und wenn im Dämmer ihr Gesicht über meinem Bett stehen blieb, hatte ich Angst vor ihr. Zuerst dachte ich, sie sei verrückt, denn ihre Augen waren sehr hell und groß, und immer wieder fragte sie mich nach ihrem Sohn. »Sind Sie sicher, daß Sie ihn nicht gekannt haben? Der Ort hieß Kalinowka – – sind Sie dort nicht gewesen?«

Aber ich hatte nie von einem Ort gehört, der Kalinowka hieß, und jedesmal drehte ich mich zur Wand und sagte: »Nein, wirklich nicht, ich kann mich nicht entsinnen.«

Meine Wirtin war nicht verrückt, sie war eine sehr ordentliche Frau, und es tat mir weh, wenn sie mich fragte. Sie fragte mich sehr oft, jeden Tag ein paarmal, und wenn ich zu ihr in die Küche ging, mußte ich das Bild ihres Sohnes betrachten, ein Buntphoto, das über dem Sofa hing. Er war ein lachender blonder Junge gewesen, und auf dem Buntphoto trug er eine Infanterie-Ausgehuniform.

»Es ist in der Garnison gemacht worden«, sagte meine Wirtin, »bevor sie ausrückten.«

Es war ein Brustbild: er trug den Stahlhelm, und hinter ihm war deutlich die Attrappe einer Schloßruine zu sehen, die von künstlichen Reben umrankt war.

»Er war Schaffner«, sagte meine Wirtin, »bei der Straßenbahn. Ein fleißiger Junge.« Und dann nahm sie jedesmal den Karton voll Photographien, der auf ihrem Nähtisch zwischen Flicklappen und Garnknäueln stand. Und ich mußte sehr viele Bilder ihres Sohnes in die Hand nehmen: Gruppenaufnahmen aus der Schule, wo jedesmal vorne einer mit einer Schiefertafel zwischen den Knien in der Mitte saß, und auf der Schiefertafel stand eine VI, eine VII, zuletzt eine VIII. Gesondert, von einem roten Gummiband zusammengehalten, lagen die Kommunionbilder: ein lächelndes Kind in einem frackartigen schwarzen Anzug, mit einer Riesenkerze in der Hand, so stand er vor einem Transparent, das mit einem goldenen Kelch bemalt war. Dann kamen Bilder, die ihn als Schlosserlehrling vor einer Drehbank zeigten, das Gesicht rußig, die Hände um eine Feile geklammert.

»Das war nichts für ihn«, sagte meine Wirtin, »es war zu schwer.« Und sie zeigte mir das letzte Bild von ihm, bevor er Soldat wurde: er stand in der Uniform eines Straßenbahnschaffners neben einem Wagen der Linie 9 an der Endstation, wo die Bahn ums Rondell kurvt, und ich erkannte die Limonadenbude, an der ich so oft Zigaretten gekauft hatte, als noch kein Krieg war; ich erkannte die Pappeln, die heute noch dort stehen, sah die Villa mit den goldenen Löwen vorm Portal, die heute nicht mehr dort stehen, und mir fiel das Mädchen ein, an das ich während des Krieges oft gedacht hatte: sie war hübsch gewesen, blaß, mit schmalen Augen, und an der Endstation der Linie 9 war sie immer in die Bahn gestiegen.

Jedesmal blickte ich sehr lange auf das Photo, das den Sohn meiner Wirtin an der Endstation der 9 zeigte, und ich dachte an vieles: an das Mädchen und an die Seifenfabrik, in der ich damals gearbeitet hatte, ich hörte das Kreischen der Bahn, sah die rote Limonade, die ich im Sommer an der Bude getrunken hatte, grüne Zigarettenplakate und wieder das Mädchen.

»Vielleicht«, sagte meine Wirtin, »haben Sie ihn doch gekannt.«

Ich schüttelte den Kopf und legte das Photo in den Karton zurück: es war ein Glanzphoto und sah noch neu aus, obwohl es schon acht Jahre alt war.

»Nein, nein«, sagte ich, »auch Kalinowka – wirklich nicht.«

Ich mußte oft zu ihr in die Küche, und sie kam oft in mein Zimmer, und den ganzen Tag dachte ich an das, was ich vergessen wollte: an den Krieg, und ich warf die Asche meiner Zigarette hinters Bett, drückte die Glut an der Wand aus.

Manchmal, wenn ich abends dort lag, hörte ich im Zimmer nebenan die Schritte eines Mädchens, oder ich hörte den Jugoslawen, der im Zimmer neben der Küche wohnte, hörte ihn fluchend den Lichtschalter suchen, bevor er in sein Zimmer ging.

Erst als ich drei Wochen dort wohnte, als ich das Bild von Karl wohl zum fünfzigsten Mal in die Hand genommen, sah ich, daß der Straßenbahnwagen, vor dem er lachend mit seiner Geldtasche stand, nicht leer war. Zum ersten Mal blickte ich aufmerksam auf das Photo und sah, daß ein lächelndes Mädchen im Inneren des Wagens mitgeknipst worden war. Es war die Hübsche, an die ich während des Krieges so oft gedacht hatte. Die Wirtin kam auf mich zu, blickte mir aufmerksam ins Gesicht und sagte: »Nun erkennen Sie ihn, wie?« Dann trat sie hinter mich, blickte über meine Schulter auf das Bild, und aus ihrer zusammengerafften Schürze stieg der Geruch frischer Erbsen an meinem Rücken herauf.

»Nein«, sagte ich leise, »aber das Mädchen.«

»Das Mädchen?« sagte sie, »das war seine Braut, aber vielleicht ist es gut, daß er sie nicht mehr sah –«

»Warum?« fragte ich.

Sie antwortete mir nicht, ging von mir weg, setzte sich auf ihren Stuhl ans Fenster und hülste weiter Erbsen aus. Ohne mich anzusehen, sagte sie: »Kannten Sie das Mädchen?«

Ich hielt das Photo fest in meiner Hand, blickte meine Wirtin an und erzählte ihr von der Seifenfabrik, von der Endstation der 9 und dem hübschen Mädchen, das dort immer eingestiegen war.

»Sonst nichts?«

»Nein«, sagte ich, und sie ließ die Erbsen in ein Sieb rollen, drehte den Wasserhahn auf, und ich sah nur ihren schmalen Rücken.

»Wenn Sie sie wiedersehen, werden Sie begreifen, warum es gut ist, daß er sie nicht mehr sah –.«

»Wiedersehen?« sagte ich.

Sie trocknete ihre Hände an der Schürze ab, kam auf mich zu und nahm mir vorsichtig das Photo aus der Hand. Ihr Gesicht schien noch schmäler geworden zu sein, ihre Augen sahen an mir vorbei, aber sie legte leise ihre Hand auf meinen linken Arm. »Sie wohnt im Zimmer neben Ihnen, die Anna. Wir sagen immer blasse Anna zu ihr, weil sie so ein weißes Gesicht hat. Haben Sie sie wirklich noch nicht gesehen?«

»Nein«, sagte ich, »ich habe sie noch nicht gesehen, wohl ein paarmal gehört. Was ist denn mit ihr?«

»Ich sag's nicht gern, aber es ist besser, Sie wissen es. Ihr Gesicht ist ganz zerstört, voller Narben – – sie wurde vom Luftdruck in ein Schaufenster geschleudert. Sie werden sie nicht wiedererkennen.«

Am Abend wartete ich lange, bis ich Schritte in der Diele hörte, aber beim ersten Male täuschte ich mich: es war der lange Jugoslawe, der mich erstaunt ansah, als ich so plötzlich in die Diele stürzte. Ich sagte verlegen »Guten Abend« und ging in mein Zimmer zurück.

Ich versuchte, mir ihr Gesicht mit Narben vorzustellen, aber es gelang mir nicht, und immer, wenn ich es sah, war es ein schönes Gesicht auch mit Narben. Ich dachte an die Seifenfabrik, an meine Eltern und an ein anderes Mädchen, mit dem ich damals oft ausgegangen war. Sie hieß Elisabeth, ließ sich aber Mutz nennen, und wenn ich sie küßte, lachte sie immer, und ich kam mir blöde vor. Aus dem Krieg hatte ich ihr Postkarten geschrieben, und sie schickte mir Päckchen mit selbstgebackenen Plätzchen, die immer zerbröselt ankamen, sie schickte mir Zigaretten und Zeitungen, und in einem ihrer Briefe stand: »Ihr werdet schon siegen, und ich bin so stolz, daß du dabei bist.«

Ich aber war gar nicht stolz, daß ich dabei war, und als ich Urlaub bekam, schrieb ich ihr nichts davon und ging mit der Tochter eines Zigarettenhändlers aus, der in unserem Haus wohnte. Ich gab der Tochter des Zigarettenhändlers Seife, die ich von meiner Firma bekam, und sie gab mir Zigaretten, und wir gingen zusammen ins Kino, gingen tanzen, und einmal, als ihre Eltern weg waren, nahm sie mich mit auf ihr Zimmer, und ich drängte sie im Dunkeln auf die Couch; aber als ich mich über sie beugte, knipste sie das Licht an, lächelte listig zu mir hinauf, und ich sah im grellen Licht den Hitler an der Wand hängen, ein Buntphoto, und rings um den Hitler herum, an der rosenfarbenen Tapete, waren in Form eines Herzens Männer mit harten Gesichtern aufgehängt, Postkarten mit Reißnägeln befestigt, Männer, die Stahlhelme trugen und alle aus der Illustrierten ausgeschnitten waren. Ich ließ das Mädchen auf der Couch liegen, steckte mir eine Zigarette an und ging hinaus. Später schrieben beide Mädchen mir Postkarten in den Krieg, auf denen stand, ich hätte mich schlecht benommen, aber ich antwortete ihnen nicht . . .

Ich wartete lange auf Anna, rauchte viele Zigaretten im Dunkeln, dachte an vieles, und als der Schlüssel ins Schloß gesteckt wurde, war ich zu bange, aufzustehen und ihr Gesicht zu sehen. Ich hörte, wie sie ihr Zimmer aufschloß, drinnen leise trällernd hin und her ging, und später stand ich auf und wartete in der Diele. Sehr plötzlich war es still in ihrem Zimmer, sie ging nicht mehr hin und her, sang auch nicht mehr, und ich hatte Angst anzuklopfen. Ich hörte den langen Jugoslawen, der leise murmelnd in seinem Zimmer auf und ab ging, hörte das Brodeln des Wassers in der Küche meiner Wirtin. In Annas Zimmer aber blieb es still, und durch die offene Tür des meinen sah ich die schwarzen Flecke von den vielen ausgedrückten Zigaretten an der Tapete.

Der lange Jugoslawe hatte sich aufs Bett gelegt, ich hörte seine Schritte nicht mehr, hörte ihn nur noch murmeln, und der Wasserkessel in der Küche meiner Wirtin brodelte nicht mehr, und ich hörte das blecherne Rappeln, als die Wirtin den Deckel auf ihre Kaffeekanne schob. In Annas Zimmer war es immer noch still, und mir fiel ein, daß sie mir später alles erzählen würde, was sie gedacht hatte, als ich draußen vor der Tür stand, und sie erzählte mir später alles.

Ich starrte auf ein Bild, das neben dem Türrahmen hing: ein silbrig schimmernder See, aus dem eine Nixe mit nassem blondem Haar auftauchte, um einem Bauernjungen zuzulächeln, der zwischen sehr grünem Gebüsch verborgen stand. Ich konnte die linke Brust der Nixe halb sehen, und ihr Hals war sehr weiß und um ein wenig zu lang.

Ich weiß nicht wann, aber später legte ich meine Hand auf die Klinke, und noch bevor ich die Klinke herunterdrückte und die Tür langsam aufschob, wußte ich, daß ich Anna gewonnen hatte: ihr Gesicht war ganz mit bläulich schimmernden kleinen Narben bedeckt, ein Geruch von Pilzen, die in der Pfanne schmorten, kam aus ihrem Zimmer, und ich schob die Tür ganz auf, legte meine Hand auf Annas Schulter und versuchte zu lächeln.

I

Der Junge merkte nicht, daß er jetzt an der Reihe war. Er starrte auf die Fliesen des Ganges, der das Seitenschiff vom Mittelschiff trennte: rot waren sie und weiß, wabenförmig, die roten waren weiß, die weißen rot gesprenkelt; schon konnte er die weißen nicht mehr von den roten unterscheiden, die Platten verschmolzen ineinander, und die dunkle Spur der Zementfugen war verwischt, der Boden schwamm vor seinem Blick wie ein Kiesweg aus roten und weißen Splittern; Rot stach, Weiß stach, wie ein schmutziges Netz lagen die Fugen unklar darüber.

»Du bist an der Reihe«, flüsterte eine junge Frau neben ihm, er schüttelte den Kopf, wies vage mit dem Daumen auf den Beichtstuhl, und die Frau ging an ihm vorüber; für einen Augenblick wurde der Lavendelgeruch stärker; dann hörte er das Murmeln, das schabende Geräusch ihrer Schuhe an der Holzstufe, auf der sie kniete.

Sünden, dachte er, Tod, Sünden; und die Heftigkeit, mit der er die Frau plötzlich begehrte, quälte ihn; er hatte nicht einmal ihr Gesicht gesehen; sanfter Lavendelgeruch, eine junge Stimme, das leichte und doch so harte Geräusch ihrer hohen Absätze, als sie die vier Schritte bis zum Beichtstuhl ging: dieser Rhythmus der harten und doch so leichten Absätze war nur ein Fetzen der unendlichen Melodie, die ihm Tage und Nächte hindurch in den Ohren brauste. Abends lag er wach, bei offenem Fenster, hörte sie draußen übers Pflaster gehen, über den Asphalt des Gehsteigs: Schuhe, Absätze, hart, leicht, ahnungslos; Stimmen hörte er, Geflüster, Lachen unter den Kastanienbäumen. Es gab zu viele von ihnen, und sie waren zu schön: manche öffneten ihre Handtaschen, in der Straßenbahn, an der Kinokasse, auf der Ladentheke, ließen ihre offenen Handtaschen in Autos liegen, und er konnte hineinsehen: Lippenstifte, Taschentücher, loses Geld, zusammengeknüllte Fahrscheine, Zigarettenschachteln, Puderdosen. Immer noch quälten sich seine Augen den Fliesenweg hinauf und hinunter; dornig war dieser Weg und endlos.

»Sie sind doch an der Reihe«, sagte eine Stimme neben ihm, und er blickte auf: es geschah nicht oft, daß jemand »Sie« zu ihm sagte. Ein kleines Mädchen, rotwangig mit schwarzem Haar. Er lächelte dem Mädchen zu, winkte auch ihr mit dem Daumen. Ihre flachen Kinderschuhe waren ohne Rhythmus. Flüstern dort rechts von ihm. Was hatte er gebeichtet, als er in ihrem Alter war? Ich habe genascht. Ich habe gelogen. Ungehorsam. Schularbeiten nicht gemacht. Ich habe genascht: Zuckerdose, Kuchenreste, Weingläser mit den Resten von Erwachsenenfestlichkeiten. Zigarrenstummel. Ich habe genascht.

»Du bist an der Reihe.« Schon winkte er mechanisch. Männerschuhe. Flüstern und die Aufdringlichkeit dieses sanften Nach-nichts-Riechens.

Wieder fielen seine Augen in die roten und weißen Splitter des Ganges. Seine bloßen Augen schmerzten so heftig, wie seine bloßen Füße auf einem rauhen Kiesweg geschmerzt hätten. Die Füße meiner Augen, dachte er, wandern um ihre Münder wie um rote Seen herum. Die Hände meiner Augen wandern über ihre Haut.

Sünde, Tod und die anmaßende Unaufdringlichkeit dieses Nach-nichts-Riechens. Wenn es doch einen gäbe, der nach Zwiebeln röche, nach Gulasch, Kernseife oder Motor, nach Pfeifentabak, Lindenblüten oder Straßenstaub, nach dem wilden Schweiß sommerlicher Mühsal, aber sie rochen alle unaufdringlich, rochen nach nichts.

Er hob den Blick über den Gang hinweg, ließ ihn dort drüben ruhen, wo die knieten, die schon absolviert waren und ihre Bußgebete verrichteten. Dort drüben roch es nach Samstag, nach Frieden, Badewasser, Seife, frischem Mohnbrot, nach neuen Tennisbällen, wie seine Schwestern sie sich samstags vom Taschengeld kauften, es roch nach dem klaren, feinen Öl, mit dem Vater samstags immer seine Pistole reinigte: schwarz war sie, glänzend, seit zehn Jahren nicht benutzt, ein makelloses Andenken aus dem Krieg, unauffällig, zwecklos; sie diente nur der Erinnerung, zauberte Glanz auf Vaters Gesicht, wenn er sie auseinandernahm und reinigte; Glanz vergangener Herrschaft über den Tod, der aus den blassen, silbrig glänzenden Magazinen durch einen leichten Federdruck in den Lauf nachgeschoben werden konnte. Einmal in der Woche am Samstag vor dem Stammtisch diese Feierstunde des Zerlegens, Betastens, Ölens der schwarzen Glieder, die auf dem blauen Lappen ausgebreitet lagen wie die eines sezierten Tiers: der Rumpf, die große Metallzunge des Hahns, die kleineren Innereien, Gelenke, und Schräubchen; er durfte zuschauen, gebannt stand er da, stumm vor dem Zauber, der auf Vaters Gesicht lag; hier wurde der Kult eines Instruments zelebriert, das auf eine so offenbare und erschreckende Weise seinem Geschlecht glich; der Same des Todes wurde aus dem Magazin nachgeschoben. Auch das kontrollierte Vater: ob die Federn der Magazine noch funktionierten. Sie funktionierten noch, und der Sicherungsflügel bannte den Samen des Todes im Lauf; mit dem Daumen, durch eine winzige zärtliche Bewegung, konnte man ihn befreien, aber Vater befreite ihn nie; zärtlich schoben seine Finger die einzelnen Teile wieder ineinander, bevor er die Pistole unter alten Scheckbüchern und Kontoauszügen begrub.

»Du bist an der Reihe.« Er winkte wieder. Flüstern. Gegengeflüster. Der aufdringliche Geruch von Nichts.

Auf dieser Seite des Ganges, hier roch es nach Verdammnis, Sünde, der klebrigen Gemeinheit der übrigen Wochentage, von denen der Sonntag der schlimmste war: Langeweile, während auf der Terrasse die Kaffeemaschine summte. Langeweile in der Kirche, im Gartenrestaurant, im Bootshaus, Kino oder im Café, Langeweile in den Weinbergen oben, wo das Wachstum des »Zischbrunner Mönchsgartens«

kontrolliert wurde, schlanke Finger, die in schlüpfriger Kennerschaft an Trauben herumtasteten; Langeweile, die keinen anderen Ausweg als Sünde anzubieten schien. Überall sah man sie: grünes, rotes, braunes Leder von Handtaschen. Drüben im Mittelschiff sah er den rostfarbenen Mantel der Frau, die er vorgelassen hatte. Er sah ihr Profil, die zarte Nase, die bräunliche Haut, den dunklen Mund, sah ihren Trauring, die hohen Absätze, diese zerbrechlichen Instrumente, in denen die tödliche Melodie sich verbarg: er hörte sie davongehen, einen langen, langen Weg über harten Asphalt, dann über holpriges Pflaster: das leichte und so harte Stakkato der Sünde. Tod, dachte er, Todsünde.

Nun ging sie tatsächlich: sie knipste ihre Handtasche zu, stand auf, kniete nieder, bekreuzigte sich, und ihre Beine teilten den Schuhen, die Schuhe den Absätzen, die Absätze den Fliesen den Rhythmus mit.

Der Gang erschien ihm wie ein Strom, den er nie durchqueren würde: für immer würde er am Ufer der Sünde bleiben. Vier Schritte nur trennten ihn von der Stimme, die lösen und binden konnte, sechs nur waren es bis ins Mittelschiff, wo Samstag herrschte, Frieden, Lossprechung – aber er machte nur zwei Schritte bis zum Gang, erst langsam, dann lief er wie aus einem brennenden Haus hinaus.

Als er die Ledertür aufstieß, trafen ihn Licht und Hitze zu plötzlich, für Augenblicke war er geblendet, seine linke Hand schlug gegen den Türrahmen, das Gebetbuch fiel auf den Boden, er spürte heftigen Schmerz im Handrücken, bückte sich, hob das Buch auf, ließ die Tür zurückpendeln und blieb im Windfang stehen, um die geknickte Seite des Gebetbuches zu glätten. »Die vollkommene Reue« las er, bevor er das Buch zuklappte; er steckte es in die Hosentasche, rieb mit der rechten Hand über den schmerzenden Handrücken der linken und öffnete vorsichtig die Tür, indem er mit dem Knie dagegen stieß: die Frau war nicht mehr zu sehen, der Vorplatz war leer, Staub lag auf den dunkelgrünen Blättern der Kastanien; an der Laterne stand ein weißer Eiskarren, am Haken der Laterne hing ein grauer Leinensack mit Abendzeitungen. Der Eismann saß auf dem Bordstein und las in der Abendzeitung, der Zeitungsverkäufer hockte auf einem Holmen des Eiskarrens und leckte an einer Portion Eis. Eine vorüberfahrende Straßenbahn war fast leer: nur ein Junge stand auf der hinteren Plattform und schwenkte eine grüne Badehose durch die Luft.

Langsam stieß Paul die Tür auf, ging die Stufen hinunter; schon nach wenigen Schritten schwitzte er, es war zu heiß und zu hell, und er sehnte sich nach Dunkelheit.

Manchmal kamen Tage, an denen er alles haßte, nur sich selbst nicht, aber heute war es wie an den meisten Tagen, an denen er nur sich selbst haßte und alles liebte: die offenen Fenster in den Häusern rings um den Platz; weiße Gardinen, das Klirren von Kaffeegeschirr, Männerlachen, den blauen Zigarrenrauch, von jemand ausgestoßen, den er nicht sah; dichte blaue Wolken kamen aus dem Fenster über der Sparkasse; weißer als frischer Schnee war die Sahne auf einem Stück Kuchen, das ein Mädchen im Fenster neben der Apotheke in der Hand hielt, weiß auch die Sahnespur rings um ihren Mund.

Die Uhr über der Sparkasse zeigte halb sechs.

Paul zögerte einen Augenblick, als er den Eiskarren erreicht hatte, einen Augenblick zu lange, so daß der Eismann vom Bordstein aufstand, die Abendzeitung zusammenfaltete, und Paul konnte in der ersten Zeile der Titelseite lesen: »Chruschtschew«, und in der zweiten Zeile: »offenes Grab«; er ging weiter, der Eismann entfaltete die Zeitung wieder und setzte sich kopfschüttelnd auf den Bordstein zurück.

Als Paul um die Ecke an der Sparkasse vorbeigegangen war und um die zweite Ecke bog, konnte er die Stimme des Ansagers hören, der unten am Flußufer das nächste Rennen der Regatta ankündigte: Herrenvierer – Ubia, Rhenus, Zischbrunn 67. Es schien Paul, als rieche und höre er den Fluß, von dem er vierhundert Meter entfernt war: Öl und Algen, den bitteren Rauch der Schleppzüge, das Klatschen der Wellen, wenn die Raddampfer stromabwärts fuhren, das Tuten lang ausheulender Sirenen am Abend; Lampions in den Gartencafés, Stühle, so rot, daß sie wie Flammen im Gebüsch zu brennen schienen.

Er hörte den Startschuß, Rufe, Sprechchöre, die zunächst klar im Rhythmus der Ruderschläge riefen: »Zisch-brunn, Rhe-nuss, U-bja«, dann sich ineinander verhedderten: »Rhe-brunn, Zisch-nuss, Bja-Zisch-U-nuss.«

Viertel nach sieben – dachte Paul, bis Viertel nach sieben wird die Stadt so leer bleiben, wie sie jetzt ist. Bis hier oben hin standen die parkenden Autos, leer, heiß, stanken nach Öl und Sonne, standen unter Bäumen, zu beiden Seiten der Straße, in Einfahrten.

Als er um die nächste Ecke bog, den Strom und die Berge übersehen konnte, sah er die parkenden Autos oben auf den Hängen, auf dem Schulhof, sie hatten sich bis in die Einfahrten zu den Weinbergen vorgedrängt. In den stillen Straßen, durch die er ging, standen sie zu beiden Seiten, verstärkten den Eindruck der Verlassenheit; Schmerz verursachte ihm die blitzende Schönheit der Autos, blanke Eleganz, gegen die sich die Besitzer durch häßliche Maskottchen zu schützen schienen: Affenfratzen, grinsende Igel, Zebras, verzerrt, mit gebleckten Zähnen, Zwerge mit tödlichem Grinsen über fuchsigen Bärten.

Deutlicher drangen die Sprechchöre hierher, heller die Rufe, dann die Stimme des Ansagers, der den Sieg des Zischbrunner Vierers verkündete. Applaus, ein Tusch, dann das Lied: »Zischbrunn, so an den Höhen gelegen, vom Flusse gekost, vom Weine genährt, von schönen Frauen verwöhnt . . .« Trompeten pufften die langweilige Melodie wie Seifenblasen in die Luft.

Als er in eine Toreinfahrt einbog, war es plötzlich still. In diesen Hof hinter dem Haus der Griffduhnes drang der Lärm vom Fluß her nur gedämpft; von Bäumen gefiltert, von alten Schuppen aufgefangen, von Mauern verschluckt, klang die Stimme des Ansagers schüchtern herauf: »Damenzweier.«

Der Startschuß klang wie die Explosion einer Kinderpistole, Sprechchöre wie Gesang, der hinter Mauern geübt wird.

Jetzt also schlugen die Schwestern die Paddel ins Wasser, wurden ihre derben Gesichter ernst, Schweißperlen traten auf die Oberlippe, dunkel färbten sich die gelben Stirnbänder; jetzt schraubte die Mutter das Fernglas zurecht, stieß mit dem Ellenbogen Vaters Hände weg, die nach dem Fernglas zu greifen versuchten. »Zisch-Zisch-Brunn-Brunn« brüllte ein Sprechchor, der die anderen übertönte, nur hin und wieder drang kläglich eine Silbe durch: »U-nuss, Rhebja«, dann Gebrüll, das hier im Hof klang, als käme es aus einem gedrosselten Radioapparat. Der Zischbrunner Zweier hatte gewonnen: entspannt waren jetzt die Gesichter der Schwestern, sie rissen die schweißdunklen Stirnbänder herunter, paddelten ruhig aufs Zielboot zu, winkten den Eltern. »Zisch-Zisch«, riefen die Freunde, »Hoch! Zisch!«

Über ihre Tennisbälle, dachte Paul, rotes Blut über die weißen haarigen Bälle.

»Griff«, rief er leise, »bist du oben?«

»Ja«, antwortete eine müde Stimme, »komm 'rauf!«

Die hölzerne Stiege war vollgesogen mit Sommerhitze, es roch nach Teer und nach Seilen, die schon seit zwanzig Jahren nicht mehr verkauft wurden. Griffs Großvater hatte noch alle diese Schuppen, Gebäude, Mauern besessen. Griffs Vater besaß kaum noch ein Zehntel davon, und: »Ich«, sagte Griff immer, »ich werde nur noch den Taubenschlag besitzen, in dem mein Vater früher einmal Tauben hielt. Man kann sich bequem darin ausstrecken, und ich werde dort hocken und den dicken Zeh meines rechten Fußes betrachten – aber auch den Taubenschlag werde ich nur besitzen, weil sich keiner mehr dafür interessiert.«

Hier oben waren die Wände mit alten Fotos tapeziert. Dunkelrot waren die Bilder, fast fuchsig, ihr Weiß war wolkig und gelblich geworden: Picknicks der neunziger, Regatten der zwanziger, Leutnants der vierziger Jahre; junge Mädchen, die als Großmütter vor dreißig Jahren gestorben

waren, blickten wehmütig über den Flur auf ihre Lebens-
gefährten: Weinhändler, Seilhändler, Werftbesitzer, deren
biedermeierliche Wehmut Daguerres frühe Jünger auf die
Platte gebannt hatten; ein Student aus dem Jahre 1910
blickte ernst auf seinen Sohn: einen Fähnrich, der am Pei-
pus-See erfroren war. Gerümpel stand auf dem Flur, dazwischen ein modisches Bücherbrett mit Einmachgläsern, leeren, in denen die schlaffen roten Gummiringe zusammen-
gerollt lagen, volle, deren Inhalt nur an wenigen Stellen
durch den Staub hindurch zu sehen war; dunkles Pflaumenmus oder Kirschen, deren Röte kraftlos war, blaß wie die
Lippen kränklicher Mädchen.

Griffduhne lag mit entblößtem Oberkörper auf dem Bett;
seine weiße, eingefallene Brust stach erschreckend gegen
seine roten Wangen ab: er sah aus wie eine Mohnblume,
deren Stiel schon abgestorben ist. Ein rohleinenes Bettuch
hing vor dem Fenster, wie geröntgt von der Sonne waren
Flecken darin sichtbar; das Sonnenlicht drang, zu einer gelben Dämmerung gefiltert, ins Zimmer. Schulbücher lagen
auf der Erde, eine Hose hing über dem Nachttisch, Griffs
Hemd über dem Waschbecken; ein Jackett aus grünem
Samt hing an einem Nagel an der Wand zwischen dem
Kruzifix und Fotos aus Italien: Esel, Steilküste, Kardinäle.
Ein offenes Glas Pflaumenmus, in dem ein Blechlöffel stak,
stand auf dem Fußboden neben dem Bett.

»Sie rudern schon wieder; Rudern, Paddeln, Wassersport – das sind so ihre Probleme. Tanz, Tennis, Winzerfest,
Abschlußfeiern. Lieder. Bekommt das Rathaus goldene, sil-
berne oder kupferne Säulen? Mein Gott, Paul«, sagte er
leise, »bist du tatsächlich dort gewesen?«

»Ja.«

»Und?«

»Nichts, ich bin wieder gegangen. Ich konnte nicht. Es ist
sinnlos. Und du?«

»Ich geh' schon lange nicht mehr hin. Wozu? Ich habe
darüber nachgedacht, welches die richtige Größe für unser

Alter ist: ich bin zu groß für vierzehn, sagen sie, du bist zu klein für vierzehn. Kennst du einen, der die richtige Größe hat?«

»Plokamm hat die richtige Größe.«

»Na, und möchtest du sein wie er?«

»Nein.«

»Na, siehst du«, sagte Griff, »es gibt ...« Er stutzte, schwieg, beobachtete Pauls Blick, der suchend und unruhig durchs Zimmer glitt. »Was ist los? Suchst du was?«

»Ja«, sagte Paul, »wo hast du sie?«

»Die Pistole?«

»Ja, gib sie mir.« Über dem Karton mit den frischen Tennisbällen werde ich es tun, dachte er. »Komm«, sagte er heftig, »rück sie 'raus.«

»Ach«, sagte Griff, schüttelte den Kopf, nahm verlegen den Löffel aus dem Pflaumenmus, steckte ihn wieder ins Glas, legte die Hände ineinander. »Nein, laß uns lieber rauchen. Wir haben Zeit bis Viertel nach sieben. Rudern, Paddeln – vielleicht wird es noch später. Gartenfest. Lampions. Siegerehrung. Deine Schwestern haben im Zweier gewonnen. Zisch, zisch, zisch ...«, machte er leise.

»Zeig mir die Pistole.«

»Ach, wozu.« Griff richtete sich auf, packte das Einmachglas und warf es gegen die Wand: Scherben fielen herunter, der Löffel schlug auf die Kante des Bücherbords, von dort fiel er im Salto vors Bett. Das Mus klatschte auf ein Buch, auf dem »Algebra I« stand, ein Rest floß in sämiger Bläue über die gelbe Tünche der Wand, verfärbte sich grünlich. Ohne Bewegung, ohne ein Wort zu sprechen, blickten die Jungen auf die Wand. Als der Lärm des Aufschlags verklungen, der letzte Rest Brühe heruntergeflossen war, blickten sie sich erstaunt an: das Zerschmettern des Glases hatte sie nicht berührt.

»Nein«, sagte Paul, »das ist nicht das Richtige. Die Pistole ist besser, vielleicht auch Feuer, ein Brand oder Wasser – am besten die Pistole. Töten.«

»Wen denn?« fragte der Junge auf dem Bett; er beugte sich herunter, hob den Löffel auf, leckte ihn ab und legte ihn mit zärtlicher Behutsamkeit auf den Nachttisch.

»Wen denn?«

»Mich«, sagte Paul heiser, »Tennisbälle.«

»Tennisbälle?«

»Ach, nichts, gib sie mir. Jetzt.«

»Gut«, sagte Griff, er riß das Bettuch beiseite, sprang auf, stieß die Scherben des Glases mit dem Fuß weg, bückte sich und nahm einen schmalen braunen Karton aus dem Bücherbord. Der Karton war nur wenig größer als eine Zigarettenschachtel.

»Was«, sagte Paul, »das ist sie? Da drin?«

»Ja«, sagte Griff, »das ist sie.«

»Und damit hast du auf dreißig Meter Entfernung achtmal auf eine Konservendose geschossen und hast siebenmal getroffen?«

»Ja, siebenmal«, sagte Griff unsicher, »willst du sie nicht mal ansehen?«

»Nein, nein«, sagte Paul; er blickte zornig auf den Karton, der nach Sägemehl roch, nach der Masse, in die Knallkorken eingebettet waren. »Nein, nein, ich will sie nicht ansehen. Zeig mir die Munition.«

Griff bückte sich. Aus seinem langen, blassen Rücken sprangen die Wirbelknochen heraus, verschwanden wieder, und diesmal hatte er den Karton, der so groß war wie eine Zündholzschachtel, schnell geöffnet. Paul nahm eins von den kupfernen Geschossen, hielt es zwischen zwei Fingerspitzen, wie um seine Länge zu prüfen, drehte es hin und her, betrachtete kopfschüttelnd den runden, blauen Kopf des Geschosses. »Nein«, sagte er, »da ist doch nichts dran. Mein Vater hat eine – ich werde die von meinem Vater holen.«

»Die ist doch weggeschlossen«, sagte Griff.

»Ich werde sie schon kriegen. Es muß nur vor halb acht sein. Dann reinigt er sie immer, bevor er zum Stammtisch geht, nimmt sie auseinander: sie ist groß, schwarz und glatt,

schwer, und die Geschosse sind dick, so« – er zeigte es –
»und . . .«, er schwieg, seufzte: über den Tennisbällen,
dachte er.

»Willst du dich denn wirklich erschießen, richtig?«

»Vielleicht«, sagte Paul. Die Füße meiner Augen sind
wund, die Hände meiner Augen sind krank, dachte er. »Ach,
du weißt doch.«

Griffs Gesicht wurde plötzlich dunkel und starr, er
schluckte, ging auf die Tür zu, wenige Schritte nur; dort
blieb er stehen.

»Du bist doch mein Freund«, sagte er, »oder nicht?«

»Doch.«

»Dann hol auch ein Glas und wirf es an die Wand. Willst
du das tun?«

»Wozu?«

»Meine Mutter«, sagte Griff, »meine Mutter hat gesagt,
sie will sich das Zimmer ansehen, wenn sie von der Regatta
kommt, will sehen, ob ich mich gebessert habe. Ordnung
und so. Sie hat sich über mein Zeugnis geärgert. Sie soll sich
mein Zimmer ansehen – holst du das Glas jetzt?«

Paul nickte, ging auf den Flur hinaus und hörte Griff
rufen: »Nimm Mirabellenmarmelade, wenn noch welche da
ist. Was Gelbes würde gut aussehen, netter als dieser rötlich-
blaue Schmier.« Paul wischte im Halbdunkel draußen an den
Gläsern herum, bis er ein gelbes entdeckt hatte. Sie werden
es nicht begreifen, dachte er, keiner wird es begreifen, aber
ich muß es tun; er ging ins Zimmer zurück, hob die rechte
Hand und warf das Glas gegen die Wand. »Es ist nicht das
Richtige«, sagte er leise, während sie beide die Wirkung des
Wurfes beobachteten, »es ist nicht das, was ich möchte.«

»Was möchtest du denn?«

»Ich möchte was zerstören«, sagte Paul, »aber nicht Gläser, nicht Bäume, nicht Häuser – ich will auch nicht, daß
deine Mutter sich ärgert oder meine; ich liebe meine Mutter,
auch deine – es ist so sinnlos.«

Griff ließ sich aufs Bett zurückfallen, bedeckte sein Gesicht mit den Händen und murmelte: »Kuffang ist zu diesem Mädchen gegangen.«

»Zu der Prohlig?« – »Ja.«

»Ach«, sagte Paul, »bei der war ich auch.«

»Du?«

»Ja. Sie ist nicht ernst. Kichert da im Hausflur herum – dumm, sie ist dumm. Weiß nicht, daß es Sünde ist.«

»Kuffang sagt, daß es schön ist.«

»Nein, ich sage dir, es ist nicht schön. Kuffang ist auch dumm, du weißt doch, daß er dumm ist.«

»Ich weiß es, aber was willst du tun?«

»Nichts mit Mädchen – die kichern. Ich habe es versucht. Sie sind nicht ernst – kichern da herum.« Er ging zur Wand, schmierte mit dem Zeigefinger durch den großen Klecks Mirabellenmus. »Nein«, sagte er, ohne sich umzuwenden, »ich gehe, ich hole die Pistole meines Vaters.«

Über die Tennisbälle, dachte er. Sie sind so weiß wie gewaschene Lämmer. Über die Lämmer hin das Blut.

»Frauen«, sagte er leise, »nicht Mädchen.«

Der gefilterte Lärm von der Regatta her drang schwach ins Zimmer. Herrenachterrudern. Zischbrunn. Diesmal gewann Rhenus. Langsam trocknete das Mus an der hölzernen Wand, wurde hart wie Kuhfladen, Fliegen summten im Zimmer umher, süßlich roch es, Fliegen krochen über Schulbücher, Kleider, flogen gierig von einem Klecks, von einer Pfütze zur anderen, zu gierig, um auf einer Pfütze zu verharren. Die beiden Jungen rührten sich nicht. Griff lag auf dem Bett, starrte an die Decke und rauchte. Paul hockte auf der Bettkante, nach vorne gebeugt wie ein alter Mann; tief in ihm, über ihm, an ihm haftete eine Last, für die er keinen Namen wußte, dunkel war sie und schwer. Plötzlich stand er auf, lief auf den Gang hinaus, ergriff eins der Einmachgläser, kam ins Zimmer zurück, hob das Glas – aber er warf nicht; er blieb mit dem Glas in der erhobenen Hand stehen, langsam sank sein Arm, der Junge setzte das Glas ab, auf einen Papiersack, der dort zusammengefaltet auf dem

Bücherbord lag. »Hosen-Fürst«, stand auf dem Papiersack, »Hosen nur von Hosen-Fürst«.

»Nein«, sagte er, »ich geh' und hol' sie.«

Griff blies den Rauch seiner Zigarette auf die Fliegen zu, zielte dann mit dem Stummel auf eine der Pfützen, Fliegen flogen hoch, setzten sich zögernd um den qualmenden Stummel herum, der langsam ins Mus hineinsank und verzischte.

»Morgen abend«, sagte er, »werde ich in Lübeck sein, bei meinem Onkel; fischen werden wir, segeln und baden in der Ostsee; und du, du wirst morgen im Tal der donnernden Hufe sein.« Morgen, dachte Paul, der sich nicht rührte, morgen will ich tot sein. Blut über die Tennisbälle, dunkelrot wie im Fell des Lammes; das Lamm wird mein Blut trinken. O Lamm. Den kleinen Lorbeerkranz der Schwestern werde ich nicht mehr sehen: »Den Siegerinnen im Damen-Zweier«, schwarz auf gold; oben wird er hängen zwischen den Ferienfotos aus Zalligkofen, zwischen vertrockneten Blumensträußen und Katzenbildern; neben dem eingerahmten »Zeugnis der mittleren Reife«, das über Rosas Bett hing, neben dem Diplom fürs Fahrtenschwimmen, das über Franziskas Bett hing; zwischen den Farbdrucken der Schutzpatroninnen: Rosa von Lima, Franziska Romana; neben dem anderen Lorbeerkranz: »Den Siegerinnen im Damen-Doppel«; unter dem Kruzifix. Hart wird das dunkelrote Blut im Flaum der Tennisbälle kleben, Blut des Bruders, der den Tod der Sünde vorzog.

»Einmal muß ich es sehen, das Tal der donnernden Hufe«, sagte Griff, »ich muß dort oben sitzen, wo du immer sitzt, muß sie hören, die Pferde, wie sie den Paß heraufkommen, zum See hinuntergaloppieren, hören muß ich, wie ihre Hufe in der engen Schlucht donnern – wie ihr Wiehern über die Bergeshöhen hinausfließt – wie – wie eine leichte Flüssigkeit.«

Paul blickte verächtlich auf Griff, der sich aufgerichtet hatte und begeistert beschrieb, was er nie gesehen hatte: Pferde, viele, die über den Paß kamen, mit donnernden Hu-

fen ins Tal galoppierten. Aber es war nur *eins* dort gewesen,
und nur *ein*mal: ein junges, das aus der Koppel gestürmt,
zum See hinuntergelaufen war, und das Geräusch der Hufe
war nicht wie Donnern gewesen, nur wie Klappern, und so
lange schon war es her, drei, vielleicht vier Jahre.

»Und du«, sagte er leise, »wirst also fischen gehen und
segeln, baden, und die kleinen Bäche hinaufwandern, in
Wasserstiefeln, und Fische mit der Hand fangen.«

»Ja«, sagte Griff müde, »mein Onkel fängt Fische mit der
Hand, sogar Lachse, ja –« Er sank aufs Bett zurück und
seufzte. Sein Onkel in Lübeck hatte noch nie einen Fisch ge-
fangen, nicht einmal mit der Angel oder im Netz, und er,
Griff, zweifelte daran, ob es in der Ostsee und den kleinen
Bächen dort oben überhaupt Lachse gab. Onkel besaß nur
eine kleine Marinadenfabrik; in alten Schuppen auf dem
Hinterhof wurden die Fische aufgeschlitzt, ausgenommen,
eingesalzen oder eingelegt; in Öl oder Tomatenbrühe; sie
wurden in Büchsen gepreßt von einer alten Maschine, die
sich wie ein müder Amboß stöhnend über die winzigen
Büchsen warf, die Fische ins Weißblech einsperrte. Klumpen feuchten Salzes lagen auf dem Hof herum, Gräten und
Fischhaut, Schuppen und Eingeweide, Möwen kreischten,
und helles rotes Blut spritzte auf die weißen Arme der Ar-
beiterinnen, rann wässerig von den Armen herunter.

»Lachse«, sagte Griff, »sind glatt, silbern und rosa, stark
sind sie, viel zu schön, um gegessen zu werden; wenn du sie
in der Hand hältst, kannst du ihre starken Muskeln spüren.«

Paul schauderte: sie hatten Weihnachten einmal Lachs
aus Büchsen gegessen, eine kittfarbene Masse, von rosigem
Saft umspült, mit Splittern von Gräten durchsetzt.

»Und du kannst sie in der Luft fangen, wenn sie springen«,
sagte Griff; er erhob sich, kniete sich aufs Bett, warf die ge-
spreizten Hände in die Luft, näherte sie einander, bis sie wie
zu einem Würgegriff bereit standen; diese starren Hände,
das unbewegte Gesicht des Jungen, alles schien zu jemand
zu gehören, der eine strenge Gottheit anbetet: das sanfte

gelbe Licht umfloß diese starren Jungenhände, gab dem roten Gesicht eine dunkle, bräunliche Färbung – »So«, sagte Griff leise, schnappte dann mit den Händen nach dem Fisch, der nicht da war, ließ die Hände plötzlich herunterfallen, schlaff, wie tot an seiner Seite herunterbaumeln. »Ach«, sagte er, sprang vom Bett herunter, nahm den Karton mit der Pistole vom Bücherbrett, öffnete ihn, bevor Paul sich abwenden konnte, und hielt ihm die offene Unterseite des Kartons mit der Pistole hin. »Sieh sie dir jetzt an«, sagte er, »sieh sie dir an.« Die Pistole sah kläglich aus, nur in der Härte des Materials unterschied sie sich von einer Kinderpistole, sie war noch flacher, nur die Gediegenheit des Nickels gab ihr ein wenig Glanz und eine Spur von Ernst. Griffduhne warf den offenen Karton mit der Pistole in Pauls Schoß, nahm das verschlossene Einmachglas vom Bücherbord, schraubte den Deckel ab, löste den fauligen Gummiring aus der Fuge, nahm die Pistole aus dem Karton, versenkte sie langsam im Mus; die Jungen beobachteten beide, wie der Spiegel des Eingemachten sich nur wenig hob, kaum über die Verengung des Halses hinaus. Griff legte den Gummiring wieder in die Fuge, schraubte den Deckel auf und stellte das Glas auf das Bücherbord zurück.

»Komm«, sagte er, und sein Gesicht war wieder hart und dunkel, »komm, wir holen uns deines Vaters Pistole.«

»Du kannst nicht mitgehen«, sagte Paul. »Ich muß ins Haus einsteigen, weil sie mir keinen Schlüssel gegeben haben, von hinten muß ich ’rein; es würde auffallen; sie haben mir keinen Schlüssel gegeben, weil sie glauben, daß ich zur Regatta komme.«

»Rudern«, sagte Griff, »Wassersport, das ist es, was sie im Kopf haben.« Er schwieg, und sie lauschten beide zum Fluß hin: die Rufe der Eisverkäufer waren zu hören, Musik, Trompetenstöße, ein Dampfer tutete.

»Pause«, sagte Griff. »Noch Zeit genug. Gut, geh allein, aber versprich mir, daß du mit der Pistole herkommst. Versprichst du es mir?«

»Ja.«

»Gib mir die Hand.«

Sie gaben sich die Hände: die waren warm und trocken, und sie wünschten beide, des anderen Hand wäre härter gewesen.

»Wie lange wirst du brauchen?«

»Zwanzig Minuten«, sagte Paul, »ich habe es so oft ausgedacht, aber noch nie getan – mit dem Schraubenzieher. Zwanzig Minuten werde ich brauchen.«

»Gut«, sagte Griff, warf sich auf dem Bett herum und nahm die Armbanduhr aus dem Nachttisch. »Es ist zehn vor sechs, um Viertel nach wirst du zurück sein.«

»Um Viertel nach«, sagte Paul. Er blieb zögernd in der Tür stehen, betrachtete die großen Kleckse an der Wand: gelb und rotblau. Schwärme von Fliegen klebten an den Kleksen, aber keiner von den Jungen rührte eine Hand, sie wegzuscheuchen. Lachen kam vom Flußufer herauf: die Wasserclowns hatten begonnen, die Pause zu würzen. Ein »Ah« kam wie ein großer, sanfter Seufzer, die Jungen blickten erschrocken auf das Bettuch, als erwarteten sie, daß es sich blähen würde, aber es hing schlaff, gelblich, die Schmutzflecke waren dunkler geworden, die Sonne war weiter nach Westen gerückt.

»Wasserski«, sagte Griff, »die Weiber von der Hautcremefirma.« Ein »Oh« kam vom Fluß herauf, Stöhnen, und wieder blähte das Bettuch sich nicht.

»Die einzige«, sagte Griff leise, »die einzige, die wie eine Frau aussieht, ist die Mirzowa.« Paul rührte sich nicht.

»Meine Mutter«, sagte Griff, »hat den Zettel entdeckt, auf dem die Sachen von der Mirzowa standen – und ihr Bild.«

»Mein Gott«, sagte Paul, »hast du auch einen gehabt?«

»Ja«, sagte Griff, »ja. Ich hab' mein ganzes Taschengeld dafür gegeben – ich – ich weiß nicht, warum ich es getan habe. Ich hab' den Zettel gar nicht gelesen, hab' ihn ins Zeugnisheft gesteckt, und meine Mutter fand ihn. Weißt du, was drauf stand?«

»Nein«, sagte Paul, »nein, es ist sicher gelogen, und ich will es nicht wissen. Alles, was Kuffang tut, ist gelogen. Ich will . . .«

»Geh«, sagte Griff heftig, »geh schnell und hol die Pistole, komm zurück. Du hast es versprochen. Geh, geh.«

»Gut«, sagte Paul, »ich gehe.« Er wartete noch einen Augenblick, lauschte zum Fluß hin: Lachen drang herauf, Trompetenstöße. »Daß ich nie an die Mirzowa gedacht habe –.« Und er sagte noch einmal: »Gut«, und ging.

II

Stempel können so sein, dachte sie, Miniaturen oder bunte Medaillen: scharf ausgestochen waren die Bilder, rund und klar, eine ganze Serie. Sie sah es aus zwölfhundert Meter Entfernung, durchs Fernglas zwölffach vergrößert: die Kirche mit Sparkasse und Apotheke, mitten auf dem grauen Platz ein Eiskarren: das erste Bild, unverbindlich und unwirklich; ein Stück vom Flußufer, darüber als halbrunden Horizont grünes Wasser, Boote darauf, bunte Wimpel, das zweite Bild, die zweite Miniatur. Die Serie ließ sich beliebig erweitern: Hügel mit Wald und Denkmal; drüben – wie hießen sie doch? – Rhenania und Germania, fackeltragende, stabile Weibsbilder mit strengen Gesichtern auf Bronzesockeln, einander zugewandt; Weinberge, mit grünen Weinstöcken – salzig kam der Haß in ihr hoch, bitter und wohltuend: sie haßte den Wein; immer sprachen sie vom Wein, und alles, was sie taten, sangen und glaubten, wurde mit Wein in einen feierlichen Zusammenhang gebracht: aufgedunsene Gesichter, Münder, aus denen saurer Atem kam, heisere Fröhlichkeit, Rülpser, kreischende Weiber, die schwammige Dummheit der Männer, die glaubten, diesem – wie hieß er doch? – Bacchus ähnlich zu sein. Dieses Bild hielt sie lange fest: dieses kleine Bild klebe ich bestimmt in das Album meiner Erinnerungen ein, rundes Bild aus Grün, Weinberg mit Stöcken. Vielleicht, dachte sie, könnte ich an dich glauben, du, der du ihr Gott bist, wäre es nicht Wein, aus dem dein Blut für sie verwandelt wird, verschwendet an sie, vergossen für diese nichtsnutzigen Dummköpfe. Scharf wird meine Erinnerung sein, so sauer, wie die Trauben um diese Zeit schmecken, wenn man sich eine von den erbsengroßen Beeren abpflückt. Klein waren alle Bilder, klar und zum Einkleben fertig; Miniaturen aus Himmelsblau, Ufergrün, Flußgrün, Fahnenrot, mit Lärm untermischt, der unter die Bilder strömte, wie im Kino, gesprochener Text, hineingeschnittene Musik: Sprechchöre, Hurrarufe, Siegesgeheul, Trompetenklang, Lachen, und die kleinen, weißen Boote darin, so winzig wie Federn junger Vögel, so leicht auch und so schnell verweht, flink huschten die weißen Federn durchs grüne Wasser; wenn sie den Rand des Fernglases erreicht hatten, brauste der Lärm ein wenig stärker auf. So also werde ich alles in Erinnerung behalten: nur ein kleines Album voll Miniaturen. Eine winzige Drehung am Fernglas, und schon verschwamm alles, Rot mit Grün, Blau mit Grau; noch eine Drehung der Schraube, und es blieb nur ein runder Fetzen Nebel, in dem Lärm ertönte wie Hilfegeschrei einer verirrten Bergsteigergruppe, Rufe der Rettungsmannschaft.

Sie schwenkte das Glas, wanderte langsam damit über den Himmel, stach sich runde Stücke Blau heraus; so wie die Mutter, wenn sie Plätzchen buk, mit den Blechformen in den gleichmäßig gelben Teig stach, so stach sie in den gleichmäßig blauen Himmel: runde Plätzchen Himmel – blau, viele, viele. Aber auch dort, wo ich hinfahren werde, wird es blauen Himmel geben, wozu also diese Miniaturen ins Album kleben? Weg damit. Langsam ließ sie das Glas gleiten. Vorsicht, dachte sie, jetzt fliege ich, und sie spürte leichten Schwindel, als sie vom Blau des Himmels auf die Bäume der Allee zuflog, in weniger als einer Sekunde mehr als einen Kilometer durchmaß; an den Bäumen vorbei, über den grauen Schiefer des Nachbarhauses – dann sah sie in ein Zimmer hinein: eine Puderdose, eine Madonna, ein Spiegel, ein einzelner schwarzer Männerschuh auf blankem Fußboden; sie flog weiter, zum Wohnzimmer: ein Samowar, eine Madonna, ein großes Familienfoto, die Messingleiste für den Teppich und der braunrote, warme Schimmer von Mahagoni. Sie hielt an, aber noch schwang der Schwindel in ihr nach, pendelte nur langsam aus: dann sah sie den offenen Karton mit den schneeweißen Tennisbällen in der Diele – wie häßlich diese Bälle aussehen, dachte sie, so wie an Frauenstatuen, die ich nicht mag, manchmal die Brüste aussehen; die Terrasse: ein Sonnenschirm, ein Tisch mit Decke und schmutzigem Geschirr, eine leere Weinflasche, auf der noch die weiße Stanniolkapsel steckte; o Vater, dachte sie, wie schön, daß ich zu dir fahren werde, und wie schön, daß du kein Weintrinker, sondern ein Schnapstrinker bist.

Vom Garagendach tropfte an einigen Stellen flüssiger Teer; dann erschrak sie, als Pauls Gesicht – vierundzwanzig Meter, unendlich weit und im Fernglas doch nur zwei Meter von ihr entfernt – direkt auf sie zukam. Sein bleiches Gesicht sah aus, als habe er etwas Verzweifeltes vor: er blinzelte gegen die Sonne an, hatte die Arme mit geballten Fäusten schlaff herunterhängen, so als trüge er etwas, aber er trug nichts; leer waren diese Fäuste, verkrampft, er bog um die Garagenecke, schwitzend, mühsam atmend, sprang auf die Terrasse, Geschirr klirrte auf dem Tisch; er rappelte an der Tür, machte zwei Schritte nach links, schwang sich auf die Fensterbank und sprang ins Zimmer. Silbern sang der Samowar auf, als Paul gegen die Anrichte stieß; im Innern des Schrankes teilten die Ränder der Gläser einander die Erschütterung mit, zirpten noch, als der Junge weiterlief, über die Messingleiste an der Schwelle; bei den Tennisbällen stockte er, bückte sich, berührte die Bälle aber nicht; lange blieb er dort stehen, streckte wieder die Hände aus, fast wie zur Segnung oder Zärtlichkeit, zog plötzlich ein kleines Buch aus der Tasche, warf es auf den Boden, hob es wieder auf, küßte es und legte es auf den kleinen Kasten unter dem Garderobenspiegel; dann sah sie nur noch seine Beine, als er die Treppe hinauflief, und im Zentrum dieser Miniatur blieb der Karton mit den Tennisbällen.

Sie seufzte, senkte das Glas, ließ den Blick lange auf dem Muster des Teppichs ruhen: rostrot war er, schwarz gemustert mit unzähligen Quadraten, die sich zu Labyrinthen miteinander verbanden, immer sparsamer wurde zur Mitte jedes Labyrinths das Rot, heftiger das Schwarz, stechend fast in seiner Makellosigkeit.

Sein Schlafzimmer lag vorn, zur Straße hin; sie wußte es noch aus der Zeit, als er mit ihr noch hatte spielen dürfen: es mußte ein oder zwei Jahre her sein; sie hatte es so lange gedurft, bis er angefangen hatte, mit so merkwürdiger Hartnäckigkeit auf ihre Brust zu starren, daß es sie im Spiel störte, und sie hatte gefragt: Was guckst du so, willst du es sehen? und er hatte wie im Traum genickt; sie hatte die Bluse geöffnet, und erst, als es zu spät war, hatte sie gewußt, daß es falsch war; daß es falsch war, sah sie nicht einmal in seinen Augen, sondern in den Augen seiner Mutter, die die ganze Zeit über im Zimmer gewesen war, nun herbeikam und schrie, während das Dunkle in ihren Augen hart wurde wie Stein – ach, auch diesen Schrei muß ich auf einer der Schallplatten meiner Erinnerung festhalten; so müssen die Schreie gewesen sein bei den Hexenverbrennungen, von denen der Mann immer erzählte, der mit Mutter diskutieren kam; er sah aus wie ein Mönch, der nicht mehr an Gott glaubt – und die Mutter sah aus wie eine Nonne, die nicht mehr an ihren Gott glaubt: heimgekehrt in dieses Zischbrunn, nach Jahren bitterer Enttäuschung, salzigen Irrtums, konserviert in ihrem verlorenen Glauben an etwas, das Kommunismus hieß, schwimmend in der Lauge der Erinnerung an einen Mann, der Mirzow hieß, Schnaps trank und den Glauben, den sie verlor, nie gehabt hatte; salzig wie ihr Herz waren auch die Worte der Mutter.

Schrei über Teppichmuster hin, zerstörtes Spiel am Boden: Modelle von Eigenheimen, für die sein Vater vor zwanzig Jahren einmal Generalvertreter gewesen war, Häuschen, wie sie seit zwanzig Jahren nicht mehr gebaut wurden; alte Rohrpostbüchsen aus dem Bankhaus, Seilmuster, die der andere Junge – ja, Griff hieß er – beigesteuert hatte; Korken verschiedener Größe, verschiedener Form; Griff war an diesem Nachmittag nicht dabeigewesen. Alles zerstört von diesem Schrei, der für die Zukunft wie ein Fluch über ihr hängenblieb: sie war das Mädchen, das getan hatte, was man nicht tut.

Während sie seufzte, ruhte ihr Auge lange auf dem rostroten Teppich, bewachte die blinkende Schwelle, auf der seine braunen Halbschuhe wieder erscheinen mußten.

Müde schwenkte sie zum Tisch hinüber: unter dem Sonnenschirm auf der Terrasse ein Obstkorb, dunkelbraunes Geflecht voller Apfelsinenschalen, die Weinflasche mit dem Etikett: »Zischbrunner Mönchsgarten«; Stilleben reihten sich nun nebeneinander, unterströmt vom Lärm der Regatta; schmutzige Teller mit Spuren von Eiskrem; die zusammengefaltete Abendzeitung, sie konnte das zweite Wort der Schlagzeile lesen: »Chruschtschew«, das zweite der zweiten Zeile: »offenes Grab«; Zigaretten mit braunem Filtermundstück, andere weiß, im Aschenbecher zerdrückt, ein Prospekt von einer Eisschrankfirma – aber sie hatten doch längst einen! – eine Streichholzschachtel; rotbraun das Mahagoni, wie gemaltes Feuer auf alten Bildern; strahlend der Samowar auf dem Büfett, silbern und blank, seit Jahren unbenutzt, leuchtend wie eine seltsame Trophäe. Teewagen mit Salzfaß und Senftopf, das große Familienfoto: die Kinder mit Eltern am Tisch in einem Ausflugslokal, im Hintergrund der Weiher mit Schwänen, dann die Kellnerin mit dem Tablett, auf dem zwei Bierkrüge und drei Limonadeflaschen standen; vorn die Familie am Tisch: rechts, von der Seite zu sehen, der Vater, hielt eine Gabel vor der Brust, auf die ein Stück Fleisch gespießt war, Nudeln ringelten sich ums Fleisch herum, links die Mutter, zerknüllte Serviette in der linken, einen Löffel in der rechten Hand; in der Mitte die Kinder, mit den Köpfen unter dem Rand des Tabletts der Kellnerin:

Eisbecher reichten ihnen bis zum Kinn, Lichtflecken, vom Laub gefiltert, lagen auf ihren Wangen, in der Mitte, eingerahmt von den Lockenköpfen der Schwestern, der, der eben so lange bei den Tennisbällen stehengeblieben, dann nach oben gelaufen war: noch hatten seine braunen Halbschuhe die Messingleiste nicht wieder überschritten.

Wieder die Bälle, rechts davon die Garderobe, Strohhüte, ein Regenschirm, ein Leinenbeutel, aus dem der Stiel einer Schuhbürste hervorsah; im Spiegel das große Bild, das links in der Diele hing: eine Frau, die Trauben pflückte, mit traubigen Augen, traubigem Mund.

Müde setzte sie das Glas ab, und ihre Augen stürzten über die verlorene Distanz hinweg, schmerzten, sie schloß sie. Rostrote und schwarze Kreise tanzten hinter ihren geschlossenen Lidern, sie öffnete sie wieder, erschrak, als sie Paul über die Schwelle kommen sah; er hatte etwas in der Hand, das silbern im Sonnenschein blitzte, und diesmal blieb er nicht bei den Tennisbällen stehen: nun, da sie sein Gesicht ohne Glas sah – herausgeworfen war es aus ihrer Sammlung von Miniaturen –, nun war sie sicher, daß er etwas Verzweifeltes tun würde: wieder sang der Samowar, wieder teilten die Gläser im Innern des Schrankes einander die Erschütterung mit, zirpten wie Weiber, die sich Geheimnisse verraten; Paul kniete in der Fensterecke auf dem Teppich, sie sah von ihm nur noch den rechten Ellenbogen, der sich wie ein Kolben gleichmäßig bewegte, immer wieder nach vorne in einer bohrenden Bewegung verschwand – sie suchte erregt in ihrer Erinnerung, woher sie diese Bewegung kannte, ahmte dieses bohrende Pumpen nach und wußte es: er hatte einen Schraubenzieher in der Hand; das rot-gelb karierte Hemd kam, ging, stand still – Paul flog ein Stück nach rückwärts, sie sah sein Profil, hob das Glas an die Augen, erschrak über die plötzliche Nähe und blickte in die offene Schublade: blaue Scheckbücher lagen da, waren mit weißer Schnur säuberlich gebündelt, und Kontoauszüge, die in ihren Lochungen durch blaue Schnur verbunden waren;

hastig stapelte Paul die Pakete neben sich auf den Teppich, drückte dann etwas an die Brust, das in einen blauen Lappen eingewickelt war, legte es auf den Boden, stapelte die Scheckbücher und Kontoauszüge wieder in die Schublade zurück, und wieder sah sie nur, während das Bündel in dem blauen Lappen neben ihm lag, die pumpende, bohrende Bewegung seines Ellenbogens.

Sie schrie, als er den Lappen abgewickelt hatte: schwarz, glatt, ölig glänzend lag die Pistole in der Hand, die viel zu klein für sie war; es schien, als habe das Mädchen den Schrei durchs Fernglas auf ihn geschossen; er wandte sich um, sie ließ das Glas sinken, kniff die schmerzenden Augen zusammen und rief: »Paul! Paul!«

Er hielt die Pistole vor seine Brust, als er langsam aus dem Fenster auf die Terrasse kletterte.

»Paul«, rief sie, »komm doch durch den Garten hierher.«

Er steckte die Pistole in die Tasche, hielt die Hand vor die Augen, ging langsam die Stufen hinunter, über den Rasen, schlurfte über den Kies am Springbrunnen, ließ die Hand sinken, als er plötzlich im Schatten der Laube stand.

»Ach«, sagte er, »du bist es.«

»Kanntest du meine Stimme nicht mehr?«

»Nein – was willst du?«

»Ich gehe weg«, sagte sie.

»Ich geh' auch weg«, sagte er, »was soll das? Alle gehen weg, fast alle. Ich fahre morgen nach Zalligkofen.«

»Nein«, sagte sie, »ich geh' für immer, zu meinem Vater, nach Wien –« und es fiel ihr ein: Wien, auch das hatte irgendwas mit Wein zu tun, jedenfalls in den Liedern.

»Wien«, sagte er, »dort unten – und da bleibst du?«

»Ja.«

Sein Blick, der zu ihr heraufkam, fast senkrecht, unbewegt und wie in Verzückung, erschreckte sie: Ich bin nicht dein Jerusalem, dachte sie, nein, ich bin es nicht, und doch ist dein Blick, wie der Blick der Pilger sein muß, wenn sie die Türme ihrer Heiligen Stadt sehen.

»Ich habe –«, sagte sie leise, »alles hab' ich gesehen.«

Er lächelte. »Komm herunter«, sagte er, »komm doch herunter.«

»Ich kann nicht«, sagte sie, »meine Mutter hat mich eingeschlossen, ich darf nicht 'raus, bis der Zug fährt, aber du . . .« Sie schwieg plötzlich, atmete mühsam, flach, die Erregung drückte ihr die Luft ab, und sie sagte, was sie nicht hatte sagen wollen: »Aber du, komm du doch herauf.«

Ich bin nicht dein Jerusalem, dachte sie, nein, nein; er senkte den Blick nicht, als er fragte: »Wie soll ich hinaufkommen?«

»Wenn du aufs Dach der Laube kommst, geb' ich dir die Hand und helf' dir auf die Veranda.«

»Ich – es wartet jemand auf mich«, aber er prüfte schon die Latten der Pergola auf ihre Festigkeit; sie waren neu vernagelt und neu gestrichen worden, dichtes, dunkles Weinlaub wuchs an den Latten hoch, die sich wie eine Leiter anboten. Schwer schlug ihm die Pistole gegen die Oberschenkel; als er sich an der Wetterfahne hochzog, fiel ihm Griff ein, der jetzt in seiner Bude dort lag, von Fliegen umsummt, mit bleicher Brust und roten Wangen, und Paul dachte an die kleine flache Nickelpistole: ich muß Griff fragen, ob Nickel oxydiert, dann muß er verhindern, daß sie aus dem Glas essen.

Die Hände des Mädchens waren größer und fester als Griffs Hände, größer und fester auch als seine eigenen: er spürte es und schämte sich deswegen, als sie ihm half, vom First des Gartenhauses auf die Brüstung der Veranda zu steigen.

Er klopfte sich den Schmutz von den Händen und sagte, ohne das Mädchen anzusehen: »Komisch, daß ich wirklich hier oben bin.«

»Ich bin froh, daß du da bist, schon seit drei bin ich eingesperrt.« Er blickte vorsichtig zu ihr hin, auf ihre Hand, die den Mantel über der Brust zusammenhielt.

»Warum hast du den Mantel an?«

»Du weißt doch.«

»Darum?«

»Ja.«

Er ging näher auf sie zu. »Du bist sicher froh, daß du wegkommst?«

»Ja.«

»Ein Junge«, sagte er leise, »hat heute morgen in der Schule Zettel verkauft, mit Sachen über dich, und einem Bild von dir.«

»Ich weiß«, sagte sie, »und er hat gesagt, daß ich Geld abbekomme von dem, was er für die Zettel kriegt, und daß er mich gesehen hat, so wie er mich gemalt hat. Es ist alles nicht wahr.«

»Ich weiß das«, sagte er, »er heißt Kuffang; er ist dumm und lügt, alle wissen es.«

»Aber *das* glauben sie ihm.«

»Ja«, sagte er, »es ist merkwürdig, das glauben sie ihm.«

Sie zog den Mantel noch enger um ihre Brust. »Deshalb muß ich so plötzlich weg, schnell, ehe alle vom Rennen zurück sind – sie lassen mir ja schon lange keine Ruhe. Du stellst deinen Körper zur Schau, sagen sie; sie sagen es, wenn ich ein offenes Kleid anziehe, und sagen es auch, wenn ich ein geschlossenes anziehe – und Pullover: dann werden sie wild – aber irgend etwas muß ich ja anziehen.«

Er beobachtete sie kalt, während sie weitersprach: er dachte: sie – daß ich nie an sie gedacht habe, nie. Ihr Haar war blond, blond auch erschienen ihm ihre Augen, sie hatten eine Farbe wie frisch gehobeltes Buchenholz: blond und ein wenig feucht.

»Ich stelle meinen Körper gar nicht zur Schau«, sagte sie, »ich hab' ihn nur.«

Er schwieg, schob die Pistole, die ihm schwer auf dem Schenkel lag, mit der rechten Hand ein wenig höher. »Ja«, sagte er, und sie fürchtete sich: er hatte wieder dieses Traumgesicht: wie blind war er damals gewesen, diese leeren, dunklen Augen schienen in einer unberechenbaren Brechung auf sie und doch an ihr vorbei zu fallen; und auch jetzt wieder sah er wie ein Blinder aus.

»Der Mann«, sagte sie hastig, »der manchmal zu meiner Mutter kommt, um mit ihr zu diskutieren, der alte, weiß-haarige, kennst du ihn?« – es war still, der Lärm vom Fluß her war zu fern, um diese Stille zu stören – »Kennst du ihn?« fragte sie schärfer.

»Natürlich kenn' ich ihn«, sagte er, »der alte Dulges.«

»Ja, der – er hat mich manchmal so angesehen und gesagt: Vor dreihundert Jahren hätten sie dich als Hexe verbrannt. Knisterndes Frauenhaar, sagte er, und der tausendfache Schrei ihrer dumpfen Seelen, die Schönheit nicht dulden können.«

»Warum hast du mich 'raufgerufen?« fragte er. »Um mir das zu sagen?«

»Ja«, sagte sie, »und weil ich sah, was du da machtest.« Er zog die Pistole aus der Tasche, hob sie hoch und war-tete lächelnd drauf, daß sie schreien würde, aber sie schrie nicht.

»Was willst du damit tun?«

»Ich weiß nicht, auf was schießen.«

»Auf was?«

»Vielleicht auf mich.«

»Warum?«

»Warum?« sagte er. »Warum? Sünde, Tod. Todsünde. Verstehst du das?« Langsam, ohne sie zu berühren, schob er sich an ihr vorbei, in die offene Küchentür hinein und lehnte sich seufzend gegen den Schrank; das Bild hing noch da, das er schon so lange nicht mehr gesehen, an das er manchmal gedacht hatte: Fabrikschornsteine, aus denen roter Rauch stieg, viele Rauchfahnen, die sich am Himmel zu einer bluti-gen Wolke vereinigten. Das Mädchen war in die Tür getre-ten, hatte sich ihm zugewandt. Schatten lagen über ihrem Gesicht, und sie sah wie eine Frau aus. »Komm herein«, sagte er, »man könnte uns sehen, es wäre nicht gut für dich – du weißt.«

»In einer Stunde«, sagte sie, »werde ich im Zug sitzen, hier – hier ist die Fahrkarte: keine Rückfahrkarte.« Sie hielt die braune Karte hoch, er nickte, und sie steckte die Karte wieder in die Manteltasche zurück. »Ich werde meinen Mantel ausziehen und einen Pullover anhaben, einen Pullover, verstehst du?«

Er nickte wieder. »Eine Stunde ist eine lange Zeit. Verstehst du, was Sünde ist? Tod. Todsünde?«

»Einmal«, sagte sie, »wollte der Apotheker – auch der Lehrer, der bei euch Geschichte gibt.«

»Drönsch?«

»Ja, der – ich weiß, was sie wollen; ich weiß aber nicht, was die Worte bedeuten, die sie sagen. Ich weiß auch, was Sünde ist, aber ich verstehe es so wenig wie das, was die Jungen mir manchmal nachriefen, wenn ich allein nach Hause kam, im Dunkeln; aus den Fluren riefen sie es mir nach, aus den Fenstern, aus Autos manchmal, sie riefen mir Sachen nach, von denen ich wußte, was sie bedeuten, aber ich verstand sie nicht. Weißt du's?«

»Ja.«

»Was ist es?« sagte sie. »Quält es dich?«

»Ja«, sagte er, »sehr.«

»Auch jetzt?«

»Ja«, sagte er, »quält es dich nicht?«

»Nein«, sagte sie, »es quält mich nicht – es macht mich nur unglücklich, daß es da ist und daß andere etwas wollen – und daß sie mir nachrufen. Sag mir doch, warum denkst du daran, dich zu erschießen? Darum?«

»Ja«, sagte er, »nur darum. Weißt du, was es heißt: Was du auf Erden binden wirst, wird auch im Himmel gebunden sein?«

»Ich weiß es«, sagte sie, »manchmal bin ich in der Klasse geblieben, wenn sie Religion hatten.«

»So«, sagte er, »dann weißt du vielleicht auch, was Sünde ist. Tod.«

»Ich weiß«, sagte sie, »glaubst du es wirklich?«

»Ja.«

»Alles?«

»Alles.«

»Du weißt, daß ich es nicht glaube – aber ich weiß, daß es die schlimmste Sünde ist, sich zu erschießen oder – ich habe es gehört«, sagte sie lauter, »mit diesen meinen Ohren«, sie zupfte sich mit der linken Hand am Ohr, hielt mit der rechten weiter den Mantel fest, »mit diesen meinen Ohren habe ich gehört, wie der Priester sagte: Man darf Gott das Geschenk des Lebens nicht vor die Füße werfen.«

»Geschenk des Lebens«, sagte er scharf, »und Gott hat keine Füße.«

»Nein?« sagte sie leise, »hat er keine Füße, sind sie nicht durchbohrt worden?«

Er schwieg, errötete dann und sagte leise: »Ich weiß.«

»Ja«, sagte sie, »wenn du wirklich alles glaubst, wie du sagst, dann mußt du auch das glauben. Glaubst du es?«

»Was?«

»Daß man das Leben nicht wegwerfen darf?«

»Ach«, sagte er und hob die Pistole senkrecht in die Luft.

»Komm«, sagte sie leise, »tu sie weg. Es sieht so dumm aus. Bitte, tu sie weg.«

Er steckte die Pistole in die rechte Tasche, fuhr in die linke und nahm die drei Magazine heraus. Glanzlos lagen die Blechhülsen auf seinem Handteller. »Das wird wohl langen«, sagte er.

»Schieß auf etwas anderes«, sagte sie, »zum Beispiel auf –«; sie drehte sich und blickte auf sein Elternhaus zurück, durch das offene Fenster. »Auf die Tennisbälle«, sagte sie.

Röte fiel wie Dunkelheit über ihn, seine Hände wurden schlaff, die Magazine fielen aus seiner Hand. »Wie kannst du wissen –?« murmelte er.

»Was wissen?«

Er bückte sich, hob die Magazine vom Boden auf, schob eine Patrone, die herausgefallen war, vorsichtig in die Federung zurück; er blickte durchs Fenster auf das Haus, das offen in der Sonne dalag: weiß und hart lagen dort hinten die Tennisbälle im Karton.

Hier, in dieser Küche, roch es nach Badewasser, Seife, nach Frieden und frischem Brot, nach Kuchen; rote Äpfel lagen auf dem Tisch, eine Zeitung, und eine halbe Gurke, deren Schnittfläche hell war, grün und wässerig, zur Schale hin wurde das Gurkenfleisch dunkel und fest.

»Ich weiß auch«, sagte das Mädchen, »was sie gegen die Sünde taten. Ich habe es gehört.«

»Wer?«

»Eure Heiligen. Der Priester erzählte davon: sie schlugen sich, sie fasteten und beteten, keiner von ihnen tötete sich.« Sie wandte sich dem Jungen zu, erschrak: nein, nein, ich bin nicht dein Jerusalem.

»Sie waren nicht vierzehn«, sagte der Junge, »nicht fünf- zehn.«

»Manche wohl«, sagte sie.

»Nein«, sagte er, »nein, es ist nicht wahr, die meisten be- kehrten sich erst, nachdem sie gesündigt hatten.« Er kam näher, schob sich an der Fensterbank vorbei auf sie zu.

»Du lügst«, sagte sie, »manche haben gar nicht erst ge- sündigt – ich glaube das ja alles gar nicht – am ehesten glaube ich noch an die Mutter Gottes.«

»Am *ehesten*«, sagte er verächtlich, »aber sie war doch die Mutter *Gottes*.«

Er sah dem Mädchen ins Gesicht, wandte sich ab und sagte leise: »Entschuldige ... ja, ja, ich habe es versucht. Gebetet.«

»Und gefastet?«

»Ach«, sagte er, »fasten – ich mach' mir nichts aus Essen.«

»Das ist nicht gefastet. Und geschlagen. Ich würde es tun, ich würde mich schlagen, wenn ich glaubte.«

»Du«, sagte er leise, »quält es dich wirklich nicht?«

»Nein«, sagte sie, »es quält mich nicht, etwas zu *tun*, etwas zu sehen, etwas zu sagen – aber dich, ja?«

»Ja.«

»Schade«, sagte sie, »daß du so katholisch bist.«

»Warum schade?«

»Sonst würde ich dir meine Brust zeigen. Ich würde sie dir so gern zeigen – dir –, alle sprechen darüber, die Jungens rufen mir Sachen nach, aber noch nie hat jemand sie gesehen.«

»Noch nie?«

»Nein«, sagte sie, »noch nie.«

»Zeig es mir«, sagte er.

»Es wird nicht dasselbe sein wie damals, du weißt.«

»Ich weiß«, sagte er.

»War es schlimm für dich?«

»Nur, weil Mutter so schlimm war. Sie war ganz außer sich und erzählte es überall. Für mich war es nicht schlimm. Ich hätte es vergessen. Komm«, sagte er.

Ihr Haar war glatt und hart; das überraschte ihn, er hatte geglaubt, es müsse weich sein, aber es war so, wie er sich Glasfäden vorstellte.

»Nicht hier«, sagte sie; sie schob ihn vor sich her, langsam, denn er ließ ihren Kopf nicht los, beobachtete scharf ihr Gesicht, während sie beide sich wie in einem fremden, von ihnen erfundenen Tanzschritt von der offenen Verandatür weg durch die Küche schoben; er schien auf ihren Füßen zu stehen, sie ihn mit jedem Schritt hochzuheben.

Sie öffnete die Küchentür, schob ihn langsam durch die Diele, öffnete die Tür zu ihrem Zimmer.

»Hier«, sagte sie, »in meinem Zimmer, nicht dort.«

»Mirzowa«, flüsterte er.

»Wie kommst du auf diesen Namen? Mirzow heiße ich, und Katharina.«

»Alle nennen dich so, und ich kann nicht anders an dich denken. Zeig es mir jetzt.« Er wurde rot, weil er wieder »es« gesagt hatte und nicht »sie«.

»Es macht mich traurig«, sagte sie, »daß es für dich eine Sünde ist.«

»Ich will es sehen«, sagte er.

»Niemand –«, sagte sie, »mit niemand darfst du darüber sprechen.«

»Nein.«

»Versprichst du es?«

»Ja – aber einem muß ich es sagen.«

»Wem?«

»Denk nach«, sagte er leise, »denk nach, du weißt das doch alles.« Sie biß sich auf die Lippen, hielt immer noch den Mantel fest um die Brust gerafft, sah ihn nachdenklich an und sagte: »Natürlich, dem darfst du es sagen, aber niemand sonst.«

»Nein«, sagte er, »zeig es mir jetzt.«

Wenn sie lacht oder kichert, dachte er, schieß ich; aber sie lachte nicht: sie zitterte vor Ernst, ihre Hände flatterten, als sie die Knöpfe öffnen wollte, ihre Finger waren eiskalt und starr.

»Komm her«, sagte er leise und sanft, »ich mache es.« Seine Hände waren ruhig, sein Schrecken saß tiefer als der ihre; unten in den Fußgelenken spürte er ihn, es schien ihm, als seien sie biegsam wie Gummi und er würde umkippen. Er öffnete die Knöpfe mit der rechten Hand, fuhr mit der linken dem Mädchen übers Haar, wie um sie zu trösten.

Ihre Tränen kamen ganz plötzlich, lautlos, ohne Ankündigung, ohne Getue. Sie liefen einfach die Wangen herunter.

»Warum weinst du?«

»Ich habe Angst«, sagte sie, »du nicht?«

»Ich auch«, sagte er, »ich habe auch Angst.« Er war so unruhig, daß er den letzten Knopf fast abgerissen hätte, und er atmete tief, als er die Brust der Mirzowa sah; er hatte Angst gehabt, weil er sich vor dem Ekel fürchtete, vor dem Augenblick, wo er aus Höflichkeit würde heucheln müssen, um diesen Ekel zu verbergen, aber er ekelte sich nicht und brauchte nichts zu verbergen. Er seufzte noch einmal. So plötzlich, wie sie gekommen waren, hörten die Tränen des Mädchens auf zu fließen. Sie blickte ihn gespannt an: jede Regung seines Gesichts, den Ausdruck seiner Augen, alles nahm sie genau in sich auf, und jetzt schon wußte sie, daß sie ihm Jahre später einmal dankbar sein würde, weil er es gewesen war, der die Knöpfe geöffnet hatte.

Er blickte genau hin, berührte sie nicht, schüttelte nur den Kopf, und ein Lachen stieg in ihm auf.

»Was ist«, fragte sie, »darf ich auch lachen?«

»Lach nur«, sagte er, und sie lachte.

»Es ist sehr schön«, sagte er, und er schämte sich wieder, weil er »es« gesagt hatte, nicht »sie«, aber er konnte dieses »sie« nicht aussprechen.

»Mach es wieder zu«, sagte sie.

»Nein«, sagte er, »mach du es zu, aber warte noch einen Augenblick.« Still war es, scharf drang das Sonnenlicht durch den gelben Vorhang, der dunkelgrün gestreift war. Dunkle Streifen lagen auch über den Gesichtern der Kinder. Mit vierzehn, dachte der Junge, kann man noch keine Frau haben.

»Laß mich's zumachen«, sagte das Mädchen.

»Ja«, sagte er, »mach es zu«, aber er hielt ihre Hände noch einen Augenblick zurück, und das Mädchen sah ihn an und lachte laut heraus.

»Warum lachst du jetzt?«

»Ich bin so froh, und du?«

»Ich auch«, sagte er, »ich bin froh, daß es so schön ist.«

Er ließ ihre Hände los, ging ein paar Schritte zurück und wandte sich ab, als sie die Bluse zuknöpfte.

Er ging um den Tisch herum, betrachtete den offenen Koffer, der auf dem Bett lag, Pullover waren übereinander gestapelt, Wäsche zu Päckchen sortiert, das Bett war schon abgezogen, der Koffer lag auf dem blauen Bezug der Matratzen.

»Du wirst also wirklich fahren?« fragte er.

»Ja.«

Er ging weiter, blickte in den offenen Kleiderschrank: nur leere Bügel hingen dort, an einem baumelte noch eine rote Haarschleife. Er klappte die Schranktüren zu, blickte auf das

Bücherbord, das über ihrem Bett hing: nur noch ein gebrauchtes Löschblatt lag da, eine Broschüre, schräg gegen die Wand gestellt, war liegengeblieben: »Was jeder vom Weinbau wissen muß.«

Als er sich umblickte, lag der Mantel auf dem Boden. Er hob ihn auf, warf ihn über den Tisch und lief hinaus.

Sie stand mit dem Fernglas in der Hand in der Küchentür, zuckte zusammen, als er ihr die Hand auf die Schulter legte, ließ das Glas sinken und sah ihn erschrocken an.

»Geh jetzt«, sagte sie, »du mußt jetzt gehen.«

»Laß michs's noch einmal sehen.«

»Nein, die Regatta ist bald zu Ende, jetzt kommt meine Mutter, um mich zum Zug zu bringen. Du weißt, was passiert, wenn dich jemand hier sieht.«

Er schwieg, ließ seine Hand auf ihrer Schulter. Sie lief schnell weg, an die andere Seite des Tisches, nahm ein Messer aus der Schublade, schnitt sich ein Stück von der Gurke ab, biß hinein, legte das Messer wieder hin. »Geh«, sagte sie, »wenn du mich noch lange so anstarrst, siehst du aus wie der Apotheker oder wie dieser Drönsch.«

»Sei still«, sagte er. Sie sah ihn erstaunt an, als er plötzlich auf sie zukam, sie an der Schulter packte; sie führte über seinen Arm hinweg das Stück Gurke zum Mund und lächelte. »Verstehst du denn nicht«, sagte sie, »ich war so froh.«

Er blickte zu Boden, ließ sie los, ging zur Veranda, sprang auf die Brüstung und rief: »Gib mir deine Hand.« Sie lachte, lief zu ihm hin, legte das Stück Gurke aus der Hand und hielt ihn mit beiden Händen fest, stemmte sich gegen die Mauer, während sie ihn langsam aufs Dach der Laube herunterließ.

»Irgend jemand wird uns schon gesehen haben«, sagte er.

»Sicher«, sagte sie, »kann ich loslassen?«

»Noch nicht. Wann kommst du aus Wien zurück?«

»Bald«, sagte sie, »soll ich bald kommen?« Er stand schon mit beiden Füßen auf dem Dach und sagte: »Jetzt kannst du loslassen.« Aber sie ließ nicht los, sie lachte: »Ich komme zurück. Wann soll ich kommen?«

»Wenn ich es wieder sehen darf.«

»Das kann lange dauern.«

»Wie lange?«

»Ich weiß nicht«, sagte sie, sah ihn nachdenklich an. »Zuerst sahst du aus wie im Traum, dann plötzlich fast wie der Apotheker; ich will nicht, daß du so aussiehst und Todsünden tust und gebunden wirst.«

»Laß jetzt los«, sagte er, »oder zieh mich wieder 'rauf.«

Sie lachte, ließ ihn los, nahm das Stück Gurke wieder von der Brüstung und biß hinein.

»Auf etwas schießen muß ich«, sagte er.

»Schieß nicht auf Lebendes«, sagte sie, »schieß auf Tennisbälle oder auf – auf Einmachgläser.«

»Wie kommst du auf Einmachgläser?«

»Ich weiß nicht«, sagte sie, »ich könnte mir denken, daß es herrlich ist, auf Einmachgläser zu schießen. Es klirrt sicher und spritzt – warte«, sagte sie hastig, als er sich abwenden und hinunterklettern wollte; er wandte sich zurück und blickte sie ernst an. »Und du könntest«, sagte sie leise, »an der Schranke stehen, am Wasserturm, weißt du, und könntest in die Luft schießen, wenn mein Zug vorbeifährt. Ich werde im Fenster liegen und winken.«

»O ja«, sagte er, »das werde ich tun, wann fährt dein Zug?«

»Zehn nach sieben«, sagte sie, »dreizehn nach passiert er die Schranke.«

»Dann wird es Zeit«, sagte er, »auf Wiedersehen, du kommst zurück?«

»Ich werde kommen«, sagte sie, »sicher.« Und sie biß sich auf die Lippen und sagte leise noch einmal: »Ich werde kommen.«

Sie sah ihm zu, wie er sich an der Wetterfahne festhielt, bis seine Füße die Latten der Pergola erreicht hatten. Er lief über den Rasen, auf die Terrasse, kletterte ins Haus, sie sah ihn wieder über die Messingleiste gehen, den Karton mit den

Tennisbällen aufnehmen, zurückkehren, sie hörte den Kies unter seinen Füßen knirschen, als er mit dem Karton unter dem Arm an der Garage vorbei wieder auf die Straße lief.

Hoffentlich vergißt er nicht, sich noch einmal umzuwenden und zu winken, dachte sie. Dort stand er schon, winkte, an der Ecke der Garage, zog die Pistole aus der Tasche, drückte sie mit dem Lauf gegen den Karton und winkte noch einmal, bevor er um die Ecke lief und verschwand.

Sie flog mit dem Fernglas wieder hoch, stach sich runde Stücke Blau heraus, Medaillen aus Himmel; Rhenania und Germania, Flußufer mit Regattawimpel, runder Horizont aus Flußgrün mit Fetzen von Fahnenrot.

Mein Haar würde schön knistern, dachte sie, es knisterte schon, als er es berührte. Und auch in Wien gibt es Wein.

Weinberg: hellgrün, saure Trauben, Laub, das sich die Fettsäcke um ihre Glatzen banden, um diesem Bacchus ähnlich zu sein. Sie suchte die Straßen ab, dort, wo sie mit dem Glas in sie einfallen konnte: die Straßen waren leer, sie sah nur parkende Autos; der Eiskarren stand noch da, den Jungen fand sie nicht, ich werde, dachte sie lächelnd, während sie das Glas wieder zum Fluß schwenkte, ich werde doch dein Jerusalem sein.

Sie wandte sich nicht um, als die Mutter die Haustür aufschloß und in die Diele trat. Schon Viertel vor sieben, dachte sie, hoffentlich schafft er es, bis dreizehn nach an der Schranke zu sein. Sie hörte, wie das Kofferschloß zuschnappte und der winzige Schlüssel darin umgedreht wurde, hörte die harten Schritte, und sie zuckte zusammen, als der Mantel über ihre Schultern fiel; die Hände der Mutter blieben auf ihren Schultern liegen.

»Hast du das Geld?«

»Ja.«

»Die Fahrkarte?«

»Ja.«

»Die Brote?«

»Ja.«

»Den Koffer ordentlich gepackt?«

»Ja.«

»Nichts vergessen?«

»Nein.«

»Niemand etwas erzählt?«

»Nein.«

»Die Adresse in Wien?«

»Ja.«

»Die Telefonnummer?«

»Ja.«

Dunkel war die kleine Pause, erschreckend, die Hände der Mutter glitten an ihren Schultern herunter, über ihre Unterarme. »Ich fand es besser, nicht hier zu sein in den letzten Stunden. Es ist leichter, ich weiß es. Ich habe so oft Abschied genommen – und es war gut, daß ich dich einschloß, du weißt es.«

»Es war gut, ich weiß es.«

»Dann komm jetzt ...« Sie wandte sich um; es war schlimm, die Mutter weinen zu sehen, es war fast, als wenn ein Denkmal weinte: die Mutter war immer noch schön, aber dunkel war diese Schönheit, hager. Ihre Vergangenheit hing über ihr wie ein schwarzer Heiligenschein. Fremde Vokabeln schwangen in der Legende von Mutters Leben mit: Moskau – Kommunismus – rote Nonne, ein Russe, der Mirzow hieß; den Glauben verloren, Flucht, und im Hirn turnten die Dogmen des verlorenen Glaubens weiter; es war wie in einem Webstuhl, dessen Spulen sich weiterdrehten, obwohl die Wolle ausgegangen war: herrliche Muster ins Nichts gewebt, nur das Geräusch blieb, der Mechanismus blieb; wenn nur ein Gegenpol da war: Dulges, die Stadtväter, der Pfarrer, die Lehrerinnen, die Nonnen; wenn man die Augen schloß, konnte man auch an Gebetsmühlen denken, Gebetsmühlen der Ungläubigen, die rastlose, vom Winde gedrehte Klapper, die Diskussion hieß; nur manchmal, sehr selten, hatte die Mutter ausgesehen, wie sie jetzt aussah: wenn sie Wein getrunken hatte, und die Leute sagten dann: Ach, sie ist doch ein echtes Zischbrunner Mädchen geblieben.

Es war gut, daß die Mutter rauchte; auf die Zigarette zufließend, von Rauch umhüllt, sahen die Tränen nicht so ernst aus, eher wie gespielte Tränen, aber Tränen würde die Mutter am wenigsten spielen.

»Ich werde es ihnen heimzahlen«, sagte sie, »es quält mich zu sehr, daß du weg mußt. Daß ich nachgeben muß.«

»Komm doch mit mir.«

»Nein, nein – du wirst zurückkommen, ein, zwei Jahre vielleicht, und du wirst zurückkommen. Tu niemals das, was sie von dir denken. Tu's nicht, und komm jetzt.«

Sie schlüpfte in die Ärmel des Mantels, knöpfte ihn zu, tastete nach der Fahrkarte, nach dem Portemonnaie, lief in ihr Schlafzimmer, aber die Mutter schüttelte den Kopf, als sie den Koffer nehmen wollte. »Nein, laß«, sagte sie, »und schnell jetzt – es wird Zeit.«

Hitze hing im Treppenhaus, Weindunst stieg aus dem Keller hoch, wo der Apotheker Wein auf Flaschen gefüllt hatte: säuerlicher Geruch, der zum verschwommenen Violett der Tapete zu passen schien. Die engen Gassen: die dunklen Fensterhöhlen, Hauseingänge, aus denen ihr die Sachen nachgerufen worden waren, Sachen, die sie nicht verstand. Schnell. Stärker war jetzt der Lärm, der vom Flußufer kam, Autos wurden angelassen: die Regatta war zu Ende. Schnell.

Der Mann an der Sperre duzte die Mutter: »Ach, Käte, geh schon ohne Bahnsteigkarte durch.« Ein Betrunkener taumelte durch die dunkle Unterführung, grölte und schlug eine volle Weinflasche gegen die feuchte schwarze Wand; Splitter klirrten, und wieder stieg ihr Weingeruch in die Nase. Der Zug war schon eingelaufen, die Mutter schob den Koffer in den Gang. »Tu nie, was sie von dir denken, tu's nie.«

Wie gut es war, den Abschied so knapp zu halten: nur

eine einzige Minute blieb, lang war sie, länger als der ganze Nachmittag. »Du hättest sicher gern das Fernglas mitgenommen. Soll ich's dir schicken?«

»Ja, schick es mir. Ach, Mutter.«

»Was ist denn?«

»Ich kenn ihn ja kaum.«

»Oh, er ist nett, und er freut sich, dich dort zu haben – und er hat nie an die Götter geglaubt, an die ich glaubte.«

»Und er trinkt keinen Wein?«

»Er mag ihn nicht – und er hat Geld, handelt mit so Sachen.«

»Mit welchen Sachen?«

»Ich weiß nicht genau: Kleider wahrscheinlich oder so was. Es wird dir gefallen.«

Kein Kuß. Denkmäler darf man nicht küssen, auch wenn sie weinen. Ohne sich umzuwenden, verschwand die Mutter in der Unterführung: eine Salzsäule des Unglücks, konserviert in der Bitterkeit ihrer Irrtümer; am Abend würde sie die Gebetsmühle in Gang setzen, einen Monolog halten, wenn Dulges in der Küche saß: »Sind Tränen nicht eigentlich ein Überrest bürgerlicher Empfindungen? Kann es in der klassenlosen Gesellschaft Tränen geben?«

An der Schule vorbei, am Schwimmbad, unter der kleinen Brücke durch, die lange, lange Mauer der Weinberge, Wald – und an der Schranke, die am Wasserturm den Weg absperrte, sah sie die beiden Jungen, hörte den Knall, sah die schwarze Pistole in Pauls Hand und schrie: »Jerusalem, Jerusalem!«, und sie schrie es noch einmal, obwohl sie die Jungen nicht mehr sehen konnte. Sie wischte die Tränen mit dem Ärmel ab, nahm den Koffer und taumelte in den Gang hinein. Ich werde den Mantel nicht ausziehen, dachte sie, noch nicht.

III

»Was hat sie denn gerufen?« fragte Griff.

»Hast du es nicht verstanden?«

»Nein, du? Was war es?«

»Jerusalem«, sagte Paul leise. »Jerusalem, sie hat es noch gerufen, als der Zug schon vorbei war. Komm.« Er blickte enttäuscht auf die Pistole, die er gesenkt hielt, den Daumen am Sicherungsflügel. Er hatte geglaubt, sie würde lauter knallen und würde rauchen: er hatte damit gerechnet, daß sie rauchen würde: mit rauchender Pistole in der Hand hatte er am Zug stehen wollen, aber die Pistole rauchte nicht, sie war nicht einmal heiß, er schob vorsichtig den Zeigefinger über den Lauf, zog ihn zurück. »Komm«, sagte er, Jerusalem, dachte er, ich habe es verstanden, aber ich weiß nicht, was es bedeutet.

Sie gingen vom Weg ab, parallel zur Bahnlinie, Griff mit dem Marmeladenglas unter dem Arm, das er von zu Hause mitgenommen hatte, Paul mit der gesenkten Pistole in der Hand; im grünen Licht wandten sie ihre Gesichter einander zu.

»Willst du es wirklich tun?«

»Nein«, sagte Paul, »nein, man soll ...« Er wurde rot, wandte sich ab. »Hast du die Bälle auf den Baumstamm gelegt?«

»Ja«, sagte Griff, »sie rollten immer herunter, aber dann habe ich eine Rille in der Rinde gefunden.«

»Wieviel Abstand?«

»Eine Handbreit, wie du gesagt hast – du«, sagte er leiser, blieb stehen, »ich kann nicht nach Hause zurück, ich kann nicht. In dieses Zimmer. Du begreifst doch, daß ich in dieses Zimmer nicht zurückgehen kann.« Er nahm das Marmeladenglas in die andere Hand, hielt Paul, der weitergehen wollte, am Rockärmel fest. »Das kann ich doch nicht.«

»Nein«, sagte Paul, »in dieses Zimmer würde ich auch nicht zurückgehen.«

»Meine Mutter würde mich zwingen, es sauber zu machen. Du, ich kann doch nicht – auf dem Boden herumrutschen, die Wände, die Bücher, alles sauber machen. Sie würde daneben stehen.«

»Nein, das kannst du nicht. Komm!«

»Was soll ich tun?«

»Warte, erst schießen wir, komm . . .« Sie gingen weiter, wandten manchmal ihre grünen Gesichter einander zu, Griff ängstlich, Paul lächelnd.

»Du mußt mich erschießen«, sagte Griff, »du, du mußt es tun.«

»Du bist verrückt«, sagte Paul, er biß sich auf die Lippen, hob die Pistole, legte auf Griff an, der duckte sich, wimmerte leise, und Paul sagte: »Siehst du, du würdest schreien, dabei ist sie gesichert.«

Er nahm die linke Hand vor die Augen, als sie in die Lichtung kamen, blinzelte zu den Tennisbällen hin, die auf einem gefällten Baum aufgereiht lagen: drei waren noch makellos, weiß und haarig, wie das Fell des Lammes, die anderen schmutzig von der feuchten Walderde.

»Geh hin«, sagte Paul, »stell das Glas zwischen den dritten und den vierten Ball.« Griff taumelte durch die Lichtung, stellte das Glas hinter die Bälle, so daß es schräg stand und nach hinten wegzukippen drohte.

»Der Abstand ist zu klein, es geht nicht dazwischen.«

»Weg«, sagte Paul, »ich schieße, komm an meine Seite.«

Er wartete, bis Griff neben ihm im Schatten stand, hob die Pistole, zielte, drückte ab, und erschreckt vom Echo des ersten Schusses knallte er wild drauflos, das ganze Magazin leer – hell kam das Echo der beiden letzten Schüsse aus dem Wald zurück, als er längst schon nicht mehr schoß. Die Bälle lagen noch da, nicht einmal das Marmeladenglas war getroffen. Es war ganz still, roch nur ein wenig nach Pulver – der Junge stand noch da, mit der erhobenen Pistole in der Hand, er stand da, als würde er ewig dort stehen bleiben. Er war blaß, die Enttäuschung füllte seine Adern mit Kälte, und in seinen Ohren knallte das helle Echo, das gar nicht mehr da war: helles, trockenes Gebell tönte aus der Erinnerung in ihn zurück. Er schloß die Augen, öffnete sie wieder: die Bälle lagen noch da, und nicht einmal das Marmeladenglas war getroffen.

Er zog seinen Arm wie aus sehr weiter Ferne zu sich heran, tastete über den Lauf: der war wenigstens ein bißchen heiß. Paul riß mit dem Daumennagel das Magazin heraus, schob ein neues ein und legte den Sicherungsflügel herum.

»Komm her«, sagte er leise, »du bist an der Reihe.«

Er gab Griff die Pistole in die Hand, zeigte ihm, wie er sie entsichern mußte, trat zurück und dachte, während er im Schatten an seiner Enttäuschung schluckte: Hoffentlich triffst du wenigstens, hoffentlich triffst du. Griff warf den Arm mit der Pistole hoch, senkte ihn dann langsam ins Ziel – das hat er gelesen, dachte Paul, irgendwo gelesen, es sieht aus, als wenn er es gelesen hätte – und Griff schoß stotternd: einmal – dann wurde es still; da lagen die Bälle, und das Glas stand noch da; dann dreimal – dreimal auch kläffte das Echo auf die beiden Jungen zurück. Friedlich wie ein seltsames Stilleben lag der dunkle Baumstamm da, mit seinen sechs Tennisbällen und dem Glas voll Pflaumenmus.

Nur Echo kam, es roch ein wenig nach Pulver, und Griff reichte Paul kopfschüttelnd die Pistole zurück.

»Einen Schuß hab' ich noch gut«, sagte Paul, »den ich eben in die Luft schoß – dann bleiben für jeden noch zwei, und einer bleibt übrig.«

Diesmal zielte er lange, aber er wußte, daß er nicht treffen würde, und er traf auch nicht: dünn und einsam kam das Echo seines Schusses auf ihn zurück, das Echo drang wie ein roter Punkt in ihn ein, kreiste in ihm, flog wieder aus ihm heraus, und er war ruhig, als er Griff die Pistole gab.

Griff schüttelte den Kopf. »Die Ziele sind zu klein, wir müssen größere wählen, vielleicht die Bahnhofsuhr oder die Reklame für Waffenbier?«

»Wo ist eine?«

»An der Ecke, dem Bahnhof gegenüber, wo Drönsch wohnt.«

»Oder eine Fensterscheibe, oder den Samowar bei uns zu Hause. Wir *müssen* etwas treffen. Hast du denn wirklich mit deiner Pistole bei acht Schuß siebenmal getroffen? Eine Konservendose auf dreißig Meter?«

»Nein«, sagte Griff, »ich habe gar nicht geschossen, noch nie vorher.« Er ging auf den Baumstamm zu, trat mit dem rechten Fuß nach den Bällen, dem Marmeladenglas, die Bälle rollten ins Gras, das Glas rutschte ab und kippte auf den weichen Waldboden, der im Schatten des Baumstamms ohne Gras geblieben war. Griff packte das Glas, wollte es gegen den Baum werfen, aber Paul hielt seinen Arm zurück, nahm ihm das Glas aus der Hand und stellte es auf den Boden. »Bitte, laß es«, sagte er, »laß es – ich kann es nicht sehen. Laß es stehen, soll Gras drüber wachsen, viel Gras…«

Und er dachte sich aus, wie das Gras wuchs, bis das Einmachglas überdeckt war; Tiere schnupperten daran, Pilze wuchsen in dichter Kolonie, und er ging nach Jahren im Wald spazieren und fand es: die Pistole verrostet, das Mus zu einem modrigen, schwammartigen Schaum verwest. Er nahm das Glas, legte es in eine Höhlung am Rande der Lichtung und warf mit den Füßen lockere Erde darüber. »Laß es«, sagte er leise, »laß auch die Bälle – nichts haben wir getroffen.«

»Gelogen«, sagte Griff, »alles gelogen.«

»Ja, alles«, sagte Paul, aber während er die Pistole sicherte und in die Tasche steckte, flüsterte er: »Jerusalem, Jerusalem.«

»Woher wußtest du, daß sie wegfährt?«

»Ich habe ihre Mutter getroffen, als ich auf dem Wege zu dir war.«

»Aber sie kommt zurück?«

»Nein, sie kommt nicht zurück.«

Griff ging noch einmal in die Lichtung, trat nach den Bällen, zwei rollten weiß und lautlos in den schattigen Wald.

»Komm her«, sagte er, »sieh dir das an, wir haben viel zu hoch gehalten.«

Paul ging langsam hinüber, sah den zerfetzten Brombeerstrauch, Einschüsse an einer Tanne, frisches Harz, einen geknickten Ast.

»Komm«, sagte er, »wir schießen auf die Waffenbierreklame, die ist so groß wie ein Wagenrad.«

»Ich geh' nicht in die Stadt zurück«, sagte Griff, »nie mehr, ich werde nach Lübeck fahren, ich habe die Fahrkarte schon in der Tasche. Ich komme nicht wieder.«

Sie gingen langsam den Weg, den sie gekommen waren, zurück, an der Schranke vorbei, an der langen Weinbergmauer, vorbei an der Schule. Längst waren die parkenden Autos weg, aus der Stadt herauf klang Musik. Sie kletterten auf die beiden Pfeiler des Friedhofseingangs, saßen drei Meter voneinander entfernt auf gleicher Höhe und rauchten.

»Siegerehrung«, sagte Griff, »Ball. Weinlaub um die Stirn. Dort unten kannst du die Waffenbierreklame an Drönschs Haus sehen.«

»Ich werde sie treffen«, sagte Paul, »du kommst nicht mit?«

»Nein, ich bleibe hier, ich werde hier sitzen und warten, bis du sie heruntergeschossen hast. Dann geh' ich langsam nach Dreschenbrunn, steig' dort in den Zug und fahr' nach Lübeck. Ich werde baden, lange im salzigen Wasser baden, und ich hoffe, es wird Sturm sein, hohe Wellen und viel salziges Wasser.«

Sie rauchten schweigend, blickten sich manchmal an, lächelten, lauschten in die Stadt hinunter, aus der der Lärm immer heftiger aufstieg.

»Haben die Hufe wirklich gedonnert?« fragte Griff.

»Nein«, sagte Paul, »nein, es war nur ein Pferd, und seine Hufe klapperten nur – und die Lachse?«

»Ich habe nie einen gesehen.« Sie lächelten sich zu und schwiegen eine Zeitlang.

»Jetzt steht mein Vater vor dem Schrank«, sagte Paul dann, »mit hochgekrempelten Ärmeln, meine Mutter breitet das Wachstuch aus; jetzt schließt er die Schublade auf; vielleicht sieht er den Kratzer, den ich gemacht habe, als mir der Schraubenzieher ausrutschte; aber er sieht es nicht, es ist jetzt dunkel in der Ecke dort; er öffnet die Schublade, stutzt, denn die Scheckbücher und Kontoauszüge liegen nicht so, wie er sie eingeordnet hat – er wird unruhig, schreit meine Mutter an, wirft den ganzen Krempel auf die Erde, wühlt in der Schublade herum – jetzt, gerade jetzt – genau jetzt.« Er blickte auf die Kirchturmuhr, deren großer Zeiger gerade auf die Zehn rutschte, während der kleine ruhig vor der Acht stand. »Früher«, sagte Paul, »ist er Divisionsmeister im Pistolenreinigen gewesen; in drei Minuten eine Pistole auseinandergenommen, gereinigt, wieder zusammengesetzt – und zu Hause mußte ich immer neben ihm stehen und die Zeit stoppen: nie brauchte er mehr als drei Minuten.«

Er warf den Zigarettenstummel auf den Weg, starrte auf die Kirchturmuhr. »Punkt zehn vor acht war er immer mit allem fertig, dann wusch er sich die Hände und war immer noch Punkt acht am Stammtisch.« Paul sprang von dem Pfeiler herunter, reichte Griff die Hand hinauf und sagte: »Wann werde ich dich wiedersehen?«

»Lange nicht«, sagte Griff, »aber zurück komm ich mal. Ich werde bei meinem Onkel arbeiten, Fische einmachen, aufschlitzen – die Mädchen lachen immer, und abends gehen sie ins Kino, vielleicht – sie kichern nicht, bestimmt nicht. Sie haben so weiße Arme und sind so hübsch. Sie steckten mir Schokolade in den Mund, als ich noch klein war, aber so klein bin ich ja nicht mehr. Ich kann nicht –«, sagte er leiser, »du verstehst, daß ich in dieses Zimmer nicht zurückgehen kann. Sie würde neben mir stehen, bis es ganz sauber ist. Hast du Geld?«

»Ja, ich habe mein ganzes Feriengeld schon. Willst du was?«

»Ja, gib mir was, ich schick's dir zurück, später.«

Paul öffnete sein Portemonnaie, zählte die Münzen, öffnete die Tasche für die Scheine. »Mein ganzes Geld für Zalligkofen, ich kann dir achtzehn Mark geben. Willst du sie?«

»Ja«, sagte Griff; er nahm den Schein, die Münzen, schob alles zusammen in die Hosentasche. »Ich warte hier«, sagte er, »bis ich höre und sehe, daß du die Waffenbierreklame herunterknallst; schieß schnell und das ganze Magazin leer. Wenn ich es höre, wenn ich es sehe, gehe ich langsam nach Dreschenbrunn und steige in den nächsten Zug. Aber sag' niemand, daß du weißt, wo ich bin.«

»Nein«, sagte Paul; er lief, stieß im Laufen Steine beiseite, schrie laut, um das wilde Echo seiner Stimme zu hören, als er durch die Unterführung rannte; er ging erst langsamer, als er an der Bahnhofsmauer entlang auf die Kneipe in Drönschs Haus zukam; er ging immer langsamer, wandte sich um, aber er konnte den Friedhofseingang noch nicht sehen, nur das große schwarze Kreuz in der Mitte des Friedhofs und die weißen Grabsteine oberhalb des Kreuzes; je näher er auf den Bahnhof zukam, um so mehr Gräberreihen sah er unterhalb des Kreuzes: zwei Reihen, drei, fünf, dann den Eingang, und Griff saß noch da. Paul ging quer über den Bahnhofsvorplatz, langsam; sein Herz schlug heftig, aber er wußte, daß es keine Angst war, eher Freude, und am liebsten hätte er das ganze Magazin in die Luft hineingeschossen und »Jerusalem« geschrien; es tat ihm fast leid um die große, runde Waffenbierreklame, auf der zwei gekreuzte Säbel einen Bierkrug, der schäumend überlief, zu schützen schienen.

Ich muß treffen, dachte er, bevor er die Pistole aus der Tasche nahm, ich muß. Er ging an den Häusern vorbei, trat rückwärts in den Eingang zu einer Metzgerei und hätte fast einer Frau, die den fliesenbelegten Gang aufwusch, auf die Hände getreten. »Du Lümmel«, sagte sie aus dem Halbdunkel heraus, »mach, daß du wegkommst.«

»Entschuldigen Sie«, sagte er und stellte sich außen neben

den Eingang. Die Seifenlauge lief zwischen seinen Füßen über den Asphalt in die Gosse. Von hier ist es am besten, dachte er, sie hängt genau vor mir, rund wie ein großer Mond, und ich muß sie treffen. Er nahm die Pistole aus der Tasche, entsicherte sie und lächelte, bevor er sie hochhob und anlegte: er fühlte nicht mehr, daß etwas zerstört werden mußte, und doch mußte er schießen: es gab Dinge, die man tun mußte, und wenn er nicht schoß, würde Griff nicht nach Lübeck fahren, nicht die weißen Arme der hübschen Mädchen sehen und nie mit einer von ihnen ins Kino gehen. Er dachte: Mein Gott, hoffentlich bin ich nicht zu weit davon entfernt – ich *muß* treffen, ich *muß*; aber er hatte schon getroffen, das Klirren des fallenden Glases war fast lauter als das Geräusch der Schüsse. Erst brach ein rundes Stück aus der Reklame heraus: der Bierkrug, dann fielen die Säbel, er sah, wie der Putz aus der Hauswand in kleinen Staubwolken heraussprang, sah den Eisenkranz, der die Lichtreklame gehalten hatte, Glasreste hingen noch wie Fransen am Rand.

Am deutlichsten hörte er die Schreie der Frau, die aus dem Flur gestürzt war, dann zurücklief und drinnen im Dunkel weiter schrie – auch Männer schrien, aus dem Bahnhof kamen Leute, wenige; viele stürzten aus der Kneipe. Ein Fenster wurde geöffnet, und oben erschien für einen Augenblick Drönschs Gesicht. Aber niemand kam ihm nahe, weil er die Pistole noch in der Hand hielt. Er blickte nach oben zum Friedhof hin: Griff war nicht mehr zu sehen.

Unendlich viel Zeit verging, ehe jemand kam und ihm die Pistole aus der Hand nahm. Er konnte noch an vieles denken: Jetzt, dachte er, brüllt Vater schon seit zehn Minuten im Haus herum, schiebt Mutter die Schuld zu, Mutter, die längst erfahren hat, daß ich zu Katharina hinaufgeklettert bin; alle wissen es, und niemand wird verstehen, daß ich es tat und daß ich dies tat: auf die Lichtreklame schießen. Vielleicht wäre es besser gewesen, ich hätte in Drönschs Fenster geschossen. Und er dachte: Vielleicht sollte ich beichten gehen, aber sie werden mich nicht lassen; und es war acht, und nach acht konnte man nicht mehr beichten. Das Lamm hat mein Blut nicht getrunken, dachte er, o Lamm.

Nur ein paar Scherben hat es gegeben, und ich habe Katharinas Brust gesehen. Sie wird wiederkommen. Und nun hat Vater wirklich einmal Grund, die Pistole zu reinigen.

Er konnte sogar noch an Griff denken, der nun auf dem Weg nach Dreschenbrunn war, über die Höhen, an den Weinbergen vorbei, und er dachte noch an die Tennisbälle und das Marmeladenglas, von dem er die Vorstellung hatte, daß es längst überwuchert war.

Sehr viele Leute standen um ihn herum in weitem Abstand. Drönsch lag jetzt oben im Fenster, mit aufgestützten Armen, die Pfeife im Mund. Nie will ich so aussehen, dachte er, nie. Drönsch sprach immer von Tirpitz. »Tirpitz ist Unrecht geschehen. Die Geschichtswissenschaft wird Tirpitz noch einmal Gerechtigkeit widerfahren lassen. Objektive Forscher sind am Werke, um die Wahrheit über Tirpitz herauszufinden.« – Tirpitz? Ach ja.

Von hinten, dachte er, das hätte ich mir denken können, daß sie von hinten kommen. Kurz bevor der Polizist ihn packte, roch er dessen Uniform: ihr erster Geruch war Reinigungsbenzin, ihr zweiter Ofenqualm, ihr dritter . . .

»Wo wohnst du, du Lümmel?« fragte der Polizist.

»Wo ich wohne?« Er blickte den Polizisten an. Er kannte ihn, und der Polizist mußte ihn kennen: er brachte doch immer die Verlängerung für Vaters Waffenschein, freundlich war er, lehnte die Zigarre dreimal ab, bevor er sie annahm. Auch jetzt war er nicht unfreundlich, und sein Griff war nicht fest.

»Ja, wo du wohnst.«

»Ich wohne im Tal der donnernden Hufe«, sagte Paul.

»Das ist nicht wahr«, rief die Frau, die den Flur geputzt hatte, »ich kenne ihn doch, er ist der Sohn . . .«

»Ja, ja«, sagte der Polizist, »ich weiß. Komm«, sagte er, »ich bring dich nach Hause.«

»Ich wohne in Jerusalem«, sagte Paul.

»Hör jetzt auf damit«, sagte der Polizist, »und komm.«

»Ja«, sagte Paul, »ich werde damit aufhören.«

Die Leute schwiegen, als er vor dem Polizisten her die dunkle Straße hinunterging. Er sah aus wie ein Blinder: die Augen auf einen bestimmten Punkt gerichtet, und doch schien er an allem vorbeizusehen; nur eins sah er: die zusammengefaltete Abendzeitung des Polizisten. Und er konnte in der ersten Zeile lesen: »Chruschtschew« und in der zweiten: »offenes Grab.«

»Mein Gott«, sagte er zu dem Polizisten, »Sie wissen doch genau, wo ich wohne.«

»Natürlich weiß ich's«, sagte der Polizist, »komm!«

Ich bin bereit, dem Rhein alles zu glauben: nur seine sommerliche Heiterkeit habe ich ihm nie glauben können; ich habe diese Heiterkeit gesucht, aber nie gefunden. Vielleicht ist es ein Augenfehler oder ein Gemütsfehler, der mich hinderte, diese Heiterkeit zu entdecken. Mein Rhein ist dunkel und schwermütig, ist zu sehr Fluß händlerischer Schläue, als daß ich ihm sein sommerliches Jünglingsgesicht glauben könnte. Ich bin mit den weißen Schiffen gefahren, über die Rheinhöhen gegangen, mit dem Fahrrad von Mainz bis Köln, von Rüdesheim bis Deutz, von Köln bis Xanten gefahren, im Herbst, im Frühjahr und im Sommer, ich habe während des Winters in kleinen Hotels gewohnt, die nahe am Fluß lagen, und mein Rhein war nie der Sommer-Rhein.

Mein Rhein ist der, den ich aus meiner frühesten Kindheit kenne: ein dunkler, schwermütiger Fluß, den ich fürchtete und liebte; drei Minuten nur von ihm entfernt bin ich geboren; ich konnte noch nicht sprechen, soeben laufen, da spielte ich schon an seinen Ufern: bis zu den Knien wateten wir im Laub der Alleebäume, suchten nach unseren Papierrädern, die wir dem Ostwind anvertraut hatten, der sie – zu schnell für unsere Kinderbeine – westwärts, trieb, auf die alten Festungsgräben zu.

Es war Herbst, Sturm herrschte, Regenwolken und der bittere Rauch der Schiffsschornsteine hingen in der Luft; abends war Windstille, Nebel lag im Rheintal, dunkel tuteten die Nebelhörner, rote, grüne Signallichter an den Mastkörben schwebten wie auf Gespensterschiffen vorbei, und wir beugten uns über das Brückengeländer und hörten die hellen, nervösen Signalhörner der Flößer, die rheinabwärts fuhren.

Zweifellos gibt es zwei Rheine: den oberen, den Weintrinkerrhein, den unteren, den Schnapstrinkerrhein, den man

weniger kennt, und für den ich plädiere; ein Rhein, der sich
mit seinem Ostufer nie so recht ausgesöhnt hat, bis heute
nicht; wo früher die Opferfeuer der Germanen rauchten,
rauchen jetzt die Schornsteine, von Köln rheinabwärts bis
weit nördlich von Duisburg: rote, gelbe, grüne Flammen,
die gespenstische Kulisse großer Industrien, während das
westliche, das linke Ufer mehr noch einem Hirtenufer gleicht:
Kühe, Weidenbäume, Schilf und die Spuren römischer Win-
terlager; hier standen sie, die römischen Soldaten, starrten
auf das unversöhnliche Ostufer, opferten der Venus, dem
Dionys, feierten die Geburt der Agrippina: ein rheinisches
Mädchen war die Tochter des Germanicus. Schwester Caligu-
las, Mutter Neros, Frau und Mörderin des Claudius', später
von ihrem Sohn Nero ermordet. Rheinisches Blut in den
Adern Neros!

Geboren war sie inmitten von Kasernen: Reiterkasernen,
Matrosenkasernen, Fußvolkkasernen, und im Westen auch
damals schon die Villen der Händler, Verwaltungsbeamten,
Offiziere, Warmwasserbäder, Schwimmhallen; noch hat die
Neuzeit diesen Luxus nicht ganz eingeholt, der zehn Meter
unter den Spielplätzen unserer Kinder im Schutt der Jahr-
hunderte begraben liegt.

Zu viele Heere hat dieser Fluß gesehen, der alte grüne
Rhein: Römer, Germanen, Hunnen, Kosaken, Raubritter –
Sieger und Besiegte, und – als letzte Boten der sich voll-
ziehenden Geschichte – die den weitesten Weg hatten: die
Jungen aus Wisconsin, Cleveland oder Manila, die den Handel fortsetzten, den römische Söldner um das Jahr Null
herum begonnen hatten.

Zuviel Handel, zuviel Geschichte hat dieser breite, grün-
lichgrau dahinfließende Rhein gesehen, als daß ich ihm sein
sommerliches Jünglingsgesicht glauben könnte. Glaubhafter ist seine Schwermut, seine Dunkelheit; auch die düsteren
Ruinen der Raubritterburgen auf seinen Bergen sind nicht
Relikte eines sehr fröhlichen Interregnums. Römischer Flit-
ter wurde im Jahre Null hier gegen germanische Frauenehre

getauscht und im Jahre 1947 Zeißgläser gegen Kaffee und Zigaretten, die kleinen weißen Räucherstäbchen der Vergänglichkeit. Nicht einmal die Nibelungen, die dort wohnten, wo der Wein wächst, waren ein sehr fröhliches Geschlecht: Blut war ihre Münze, eine Münze, deren eine Seite Treue, deren andere Verrat war.

Der Weintrinkerrhein hört ungefähr bei Bonn auf, geht dann durch eine Art Quarantäne, die bis Köln reicht: hier fängt der Schnapstrinkerrhein an; das mag für viele bedeuten, daß der Rhein hier aufhört. Mein Rhein fängt hier an, er wechselt in Gelassenheit und Schwermut über, ohne das, was er oben gelernt und gesehen hat, zu vergessen; immer ernster wird er auf seine Mündung zu, bis er in der Nordsee stirbt, seine Wasser sich mit denen des großen Ozeans mischen; der Rhein der lieblichen mittelrheinischen Madonnen fließt auf Rembrandt zu und verliert sich in den Nebeln der Nordsee.

Ich habe immer noch Angst vor dem Rhein, der im Frühjahr böse werden kann, wenn Hausrat im Fluß dahintreibt, ertrunkenes Vieh, entwurzelte Bäume; wenn auf die Uferbäume Plakate mit dem roten Wort »Warnung« geklebt werden, die lehmigen Fluten steigen, wenn die Ketten, an denen die mächtigen schwimmenden Bootshäuser befestigt sind, zu reißen drohen; Angst vor dem Rhein, der so unheimlich und so sanft durch die Träume der Kinder murmelt, ein dunkler Gott, der bewiesen haben will, daß er noch Opfer fordert: heidnisch, Natur, nichts von Lieblichkeit, wird er breit wie ein Meer, dringt in Wohnungen ein, steigt grünlich in den Kellern hoch, quillt aus Kanälen, brüllt unter Brückenbögen dahin: Undines gewaltiger Vater.

Im März 1945 stellte sich mir die Frage: »Wenn jedermann jedermann die geladene Pistole auf die Brust setzen und erschießen kann, wo verbirgt sich in einer solchen Situation ein fahnenflüchtiger Soldat?« Als ich diese Frage für mich beantwortete: »In der Armee, deren Fahnen er verließ«, stand ich wahrscheinlich unter dem Einfluß Chestertons, bei dem ich als Junge gelesen hatte: »Wo verbirgt der Weise ein Blatt? Antwort: Im Walde.« Ich war nicht weise, nicht logisch, nicht einmal konsequent: nach einer Woche schon war ich rückfällig, hatte mir aber vor dem Rückfall die Frage gestellt: »Worunter verbirgt sich jetzt am besten ein fahnenflüchtiger Soldat?«, und mir die Antwort erteilt: »Unter einem Maschinengewehr Modell 1942, das er nicht bedienen kann.« Diese Tarnung war gut gewählt, doch ich war immer noch nicht weise, war immer noch nicht weder logisch noch konsequent. Das Maschinengewehr wurde mir nach sieben Kilometern zu schwer, und ich versenkte es in einer Jauchegrube nahe bei dem Dörfchen Drinsahl zwischen Waldbröl und Nümbrecht. Das wäre ein pointiertes Kriegsende gewesen. Zum Glück war's mir nicht vergönnt, den Krieg so pointiert, so schlau zu beenden. Auf dem weiteren Weg nach Haus (meine Frau wohnte zwölf Kilometer weit), verirrte ich mich, geriet statt west- ostwärts, spürte plötzlich, nicht bildlich, sondern wortwörtlich, eine Pistole auf meiner Brust. Die Mündung war hart, sie wurde mir fest gegens Herz gedrückt: Es war der letzte (und eindrucksvollste) Gruß der deutschen Wehrmacht.

Die nächste Frage lautet: »Wie gründet man eine Kampfkommandantur?« Antwort: »Man lädt eine Pistole, entsichert sie, stellt sich an eine Straßenkreuzung, möglichst in einen dunklen Hauseingang, und wartet auf Soldaten, die ihre Einheit verloren oder sich von jener in friedlicher Absicht entfernt haben. Taucht ein Soldat auf, geht man mit energischem Schritt auf ihn zu, setzt ihm die geladene und entsicherte Pistole auf die Brust und fordert ihn auf, sich unverzüglich der soeben gegründeten Kampfkommandantur einzuverleiben. Man muß bereit sein, nicht nur wirklich zu schießen, auch wirklich zu töten. Das Recht dazu ist durch Führerbefehl verliehen, man tut also nicht unrecht, wenn man jeden tötet, der sich weigert, der soeben gegründeten Kampfkommandantur beizutreten. Später kann man sich sogar auf Befehlsnotstand berufen. Wenn man tot ist, gibt es keinen Befehlsverweigerungsnotstand.

Außer der Pistole, den Patronen und der Entschlossenheit zu töten, braucht man nur die entsprechende historische Situation.«

Die entsprechende historische Situation war in den Monaten März bis Mai 1945 gegeben. Es lag vor: der Führerbefehl. Es waren vorhanden: umherschweifende Soldaten in ausreichender Zahl.

Am 8. April 1945 wurde ich auf die oben beschriebene Weise der Kampfkommandantur Brüchermühle einverleibt, wurde noch einmal mit einem Maschinengewehr (das ich nicht bedienen konnte) ausgerüstet, erlebte einige Stunden Todesangst (das Wäldchen zwischen Brüchermühle und Eiershagen lag genau in dem Planquadrat, das von der amerikanischen Artillerie systematisch unter Beschuß genommen wurde), hob am Mittag des folgenden Tages die Hände.

Das Örtchen Brüchermühle liegt zwischen den Ortschaften Sengelbisch und Löffelsterz, etwa zwei bis zweieinhalb Kilometer nordwestlich Denklingen. Man findet es, wie alle bisher erwähnten Ortschaften, auf der Karte ›Sieg-, Sülz-, Agger-, Bröl- und Wahnbachtal‹, die herausgegeben von Oberlandmesser Hans Holtz, Coblenz-Pfaffendorf, im Verlag Schaar und Dathe zu Trier (leider o. J.) erschienen ist.

Die letzten Stationen meiner Laufbahn als Angehöriger der deutschen Wehrmacht: Kampfkommandantur Brüchermühle, die Gefangenensammelstellen Waldbröl und Ros-

bach/Sieg, die Gefangenenlager Sinzig/Rhein, Namur/
Meuse, Attichy/Aisne, Waterloo bei Brüssel, Weeze/Nieder-
rhein, die Entlassungsstelle Bonn/Rhein, wo ich am 15. 9.
1945 entlassen wurde. Woraus entlassen? Gefangengenom-
men hatten mich amerikanische Soldaten, zuletzt in Obhut
gehabt Briten, bewacht war ich von Belgiern, denen innerhalb der britischen Zone der Regierungsbezirk Köln als Be-
satzungsgebiet zuerkannt worden war. Entlassen wurde ich
am 15. 9. 1945 aber aus deutscher Gefangenschaft.

Bekleidung: ein ungarischer Offiziersmantel, aus feinem
Tuch, mit roten Aufschlägen. Ein Flanellhemd, englischer
Herkunft, von einem barmherzigen amerikanischen Neger,
der sich meiner Blöße erbarmte, mir geschenkt. Das Hemd
war weich, warm zivil, auf der Brust aber zwischen aufge-
nähter Tasche und Knopfreihe, dort, wo er, der etwas größer als ich gewesen ist, sein Herz gehabt haben muß, ein Ein-
schußloch, von geschickter Frauenhand kunstgestopft.
Schuhe: amerikanisch, Hose: amerikanisch, von so guter
Qualität, daß ich sie noch drei Jahre lang trug. Strümpfe,
Mütze, Taschentuch: deutsche Wehrmacht. Privatbesitz:
eine Blechbüchse, in die mein Name eingekratzt war, fünf
Monate lang war sie mir Tasse, Topf und Teller gewesen;
eine leere belgische Einliter-Bierflasche; vier Zigaretten und
eine halbe, Marke: Belga; zwei Stück Seife angelsächsischer
Herkunft. Mein Alter: nicht ganz achtundzwanzig. Beruf:
Student. Diese Bezeichnung war irreführend, sie war nur
eine Tarnungsvorstufe zu dem beschriebenen Maschinengewehr gewesen. Diese irreführende Tarnbezeichnung erwies sich in den kommenden Jahren als so nützlich, wie sie
in den vergangenen gewesen war. Die Wirtschaftsämter ver-
langten, bevor einer die Markenzuteilung bekam, Beweise
für ›Beruf und Tätigkeit‹, und so wies ich rasch Beruf und
Tätigkeit nach, indem ich mich an der Kölner Universität
einschrieb. Weiteren Gebrauch von dieser irreführenden
Bezeichnung machte ich nicht. Bald besaß ich ein weiteres
Dokument, das die merkwürdige Bezeichnung ›Arbeitspaß‹

trug. In diesem Dokument war ich als ›Hilfsarbeiter‹ bezeichnet; das war weder eine Tarnung noch irreführend. Beruf und Tätigkeit standen für mich schon seit dem siebzehnten Lebensjahr fest: Schriftsteller. Hätte ich diese Tätigkeit nicht nur ausgeübt, sondern auch zugegeben: das hätte in den Jahren, die vergangen waren, allzu leicht nach Weimar, in schlechte Gesellschaft, in den Jahren, die vor mir lagen, zu umständlichen Beweisen geführt.

Unter den herrlichen Bäumen des Bonner Hofgartens, an einem sonnigen Herbsttag aus deutscher Gefangenschaft entlassen. Unter welchem Wort sich die Täuschung verbarg, ist so selbstverständlich, daß ich mich fast schäme, wenn ich das Wort doch noch hervorhebe: entlassen.

In alten Notizbüchern denkwürdige Budgetziffern. Zwei Pfund Mehl, ein halbes Pfund Butter: 325 Mark. Das Monatsgehalt einer Lehrerin. Ein Brot, fünf Astern: 40 Mark, fünfzig Gramm Tee 75, eine Schachtel Streichhölzer 5, vier Zigaretten 32 Mark, fünfundzwanzig Gramm Tee 37.50, zehn Pfund Kartoffeln 75 Mark und für Zeitungen, Zeitschriften, Bücher 60 Mark. Das Monatsgehalt einer Lehrerin. Hintereinander drei Posten und zwei Monatsgehälter: für Briketts (gestohlene) 250, 220, 160 Mark. Eine Lehrerin hätte zwanzig Monate monatlich arbeiten müssen, aber ist nicht ein Monat ein Monat ein Monat?

Strom war kontingentiert, Schwarzhandel mit Kilowatt noch nicht erfunden, Bestechung nicht möglich. Manchmal aber wird der Beruf eines Schriftstellers auch nach Anbruch der Dunkelheit noch ausgeübt, außerdem muß sich einer – unverschämt, wie Schriftsteller nun einmal sind – hin und wieder Hände und Füße wärmen. Jemand zeigte mir, wie man die Zählscheibe des Meters stoppt: man bohrt unten ein Loch in die plombierte Blechverkleidung, umwickelt einen drei- bis vierzölligen Nagel oben mit Watte, stößt ihn durch das Loch gegen die Zählscheibe, die weiß-rot, weiß-rot rotierend die verbrauchten Einheiten zählt; stellt man fest, daß die Zählscheibe tatsächlich in ihrer Bewegung inne-hält, keilt man den Nagel fest, beobachtet die Scheibe zur Kontrolle noch ein paar Sekunden – und ungezählt fließt der Strom durch den Meter in die Leitung, Licht und Wärme verbreitend. Es war nicht nur der falsche Trick, ich wandte ihn auch ungeschickt an, die Watte rutschte, ohne daß ich's bemerkte, ab, und der Nagel hinterließ auf der Zählscheibe jene Kratzspuren, die mich überführten noch bevor ich ge-stand. Richtig ist es, die Plombe zu lösen, die Zählscheibe durch einen Magneten zu lähmen. Es gab Spitzel, sie beka-men Prämien, wenn sie einen erwischten, der auf die oben beschriebene Art nicht nur gegen die ›Bewirtschaftungsbe-stimmungen‹ verstieß, sondern auch Diebstahl beging. Es galt der Grundsatz, der zwölf Jahre lang gegolten hatte: Man darf alles, man darf sich nur nicht erwischen lassen. Ich war erst verärgert, dann erleichtert, als ich erwischt wurde.

Beim Milchausschenken wurde das Halblitermaß zweimal in den Milchkübel getaucht, kam zweimal voll heraus, wurde zweimal in die Milchkanne entleert – doch, wie kam's bloß, daß die Kanne immer ein Achtel- bis ein Viertelliter weniger enthielt, als sie hätte enthalten müssen? Das erste deutsche Wirtschaftswunder fand lange vor dem amtlich festgesetzten Datum statt. Ist Wirtschaftswunder nur Wirtschaftstrick, Wirtschaftszauber nur Wirtschaftsschwindel? Ist es nur eine Art Kümmelblättchen, zu dem sich immer wieder Gutgläu-bige einfinden? Oh, ihr Taschenspieler der Hungerjahre, ich habe eure Finger-Vorübungen für das zweite Wirtschafts-wunder gesehen. Wie kam's nur, daß zwei Achtel Butter nie ein volles Viertel ergaben? Sind denn nicht zwei Achtel ein Viertel ein Viertel ein Viertel? Kümmelblättchen, Kümmel-blättchen, unter welcher schmutzigen Karte liegt meine Zeit, unter welcher liegt deine Arbeit, unter welcher unser Geld? Weggezaubert unsere Zeit, unsere Arbeit, unser Geld. Küm-melblättchen, wo liegt die nächste Kampfkommandantur, wer lädt seine Pistole und setzt sie mir auf die Brust? Zeit, Geld, Arbeit – oder Leben!

Oberstes Sprichwort der Groß- und Kleinbourgeoisie: Es wird einem nichts geschenkt. O doch: die Adresse war englisch, der Name irisch, und in manchem Paket waren dreizehn Monatsgehälter für eine Lehrerin. Zeit, Arbeit, Geld geschenkt. Dreizehn ist eine schöne Zahl. In Irland nennt man die Dreizehn das Bäckerdutzend. Kauft man zwölf, bekommt man – manchmal sogar heute noch – dreizehn Eier. Ein geschenktes Dutzend Eier besteht ohnehin aus dreizehn. Und ein barmherziger Neger, der sich meiner Blöße erbarmte, schenkte mir ein Flanellhemd, und der Bauer Peters in Berzbach gab uns täglich Milch, die nicht entrahmt war.

Es gab damals mehr ehrliche Schwarzhändler als ehrliche Händler. Inzwischen gibt es nur noch einen Wirtschaftsminister, den die Preise nichts angehen.

Manchmal werde ich gefragt: Wie kann man in Köln leben?! Diese peinliche, auf eine schlüpfrige Weise snobistische Frage beantworte ich hier nicht für die Frager, sondern für mich. Wie kann man in Gelsenkirchen-Rotthausen, in Berlin, Niederdollendorf, Frankfurt, Oberdreisbach oder München leben!? Ich vermute, indem man sein Brot ißt, seine Arbeit tut, hin und wieder schläft, trinkt, und so weiter. (Die Frage: Wie kann man in Köln leben? ist übrigens typisch für eine bestimmte Art neudeutscher Chuzpe, die so ahnungslos ausverkauft, wie sie ahnungslos auf eine provinzlerische Art Modenschau abhält.)

Als wir Köln wiedersahen, weinten wir. Wir kamen über die geländerlose, von Lehm glitschige Behelfsbrücke von Deutz herüber, ein englischer Panzer, der uns entgegenkam und ins Rutschen geriet, drängte uns fast in den Rhein. Wieder und noch einmal: Todesangst.

Das zerstörte Köln hatte, was das unzerstörte nie gehabt

hatte: Größe und Ernst. Das Schicksal war in seiner Un-
barmherzigkeit genau gewesen. Die Zerstörung war vollständig und kriegstechnisch vollkommen sinnlos: das war
der angemessene Zustand für einen Ort, in dem wir leben
wollten. Tränen, und von Allerheiligen noch die Kränze und
Blumen auf den Trümmergrundstücken.

Das unzerstörte Köln war, bis in die wilden Bacchanalien
hinein, die in Luftschutzbunkern stattfanden, während die
Bomben fielen – es war unernst gewesen, unordentlich auch,
und, obwohl fast ein Jahrhundert lang Festung und große
Garnison, nie militaristisch. Der Härte, die sich unter rhei-
nischem Humor verbirgt, einer Härte, die kriminell werden
kann, waren die ordentlichen und korrekten Preußen nie ge-
wachsen. Köln war nie so recht Großstadt, immer Stadt,
seine Verdorbenheit saß tiefer als die pointierte Verdorbenheit der gängigen Großstadt, die sich so leicht verfilmen
läßt.

Köln war richtiger, es war heiler als jede unzerstörte länd-
liche oder kleinstädtische Idylle, in der einer friedlich hätte
Kartoffeln stehlen, Tabak pflanzen, Heiles schreiben, sich
ausruhen und hätte einschlafen können.

Es kam eine Zeit – deutscheste Form des Perfektions-
Perversionsspiels: ›Wer ist der erste im ganzen Land?‹ – in
der es eine Art Wettstreit der deutschen Städte gab, welche
die am meisten zerstörte sei. Uns war Köln zerstört genug.
Als wir wieder dorthin zogen, hatte es, glaube ich, dreißigtausend Einwohner. Jahrelang noch blieben die Trümmer-
loren die einzigen Verkehrsmittel innerhalb der Stadt, jahrelang lagen am Allerheiligentag Kränze und Blumen auf den
Trümmergrundstücken. (Wo wollte sie heute einer hinle-
gen?) Köln schlief länger als andere zerstörte Städte. Es
mußte ›Spritzen‹ bekommen, bekam sie. (›Spritzenland,
Spritzenland, wer hat dir deinen Ernst und deine Würde genommen?‹)

Ich weiß nicht, warum ich mich weigerte, zu tun, was als
jeden heimkehrenden Bürgers erste Pflicht mit neudemokra-

tischem Enthusiasmus propagiert wurde: mich mit Schaufel und Hacke an der Enttrümmerung zu beteiligen. Es war nicht nur das Gefühl, besseres zu tun und genug getan zu haben, es war nicht nur Faulheit, nicht nur Gleichgültigkeit gegenüber einem ›Aufbauwillen‹, dessen Geist sich nicht artikulierte. Vielleicht erinnerte mich die Art, wie sie da zusammenstanden, auf Schaufel und Hacke gestützt, einander von Krieg, Gefangenschaft und politischen Irrtümern erzählten, zu sehr an Stammtisch und Kampfkommandanturen gleichzeitig. (Beide, Stammtisch und Kampfkommandantur, sind ja inzwischen beliebte Modelle geworden.)

Köln war eine große Stadt, und die einzige Möglichkeit, Hoffnung zu haben, war, in dieser zerstörten Stadt zu wohnen. Die Frage: Wie kann man in Köln leben?! ist inzwischen snobistischer und schlüpfriger, als sie je hat sein können. Ich erkenne in dieser Frage das alte (nicht unberechtigte) preußische Mißtrauen gegenüber jenem Rheinland, das 1815 an Preußen fiel. Wenn schon gestellt, dann müßte die Frage längst lauten: Wie kann man in Deutschland leben?, und daraus ergäbe sich die zweite Frage: Ist Köln deutsch? Die überraschende Antwort lautet: ja. Der Zweifel an diesem Ja ist in der ersten Frage, mag sie stellen, wer will, immer enthalten. Die letzten Zweifel über dieses Ja fielen von mir, als ich an einem regnerischen Novembertag 1945 über die geländerlose, von Lehm glitschige Brücke mit meiner Frau, meiner Schwester und meinem Bruder zum ersten Mal seit Kriegsende wieder von Deutz nach Köln hinüberging. In der Stadt wohnten nicht nur dreißigtausend Einwohner, außerdem noch: zwei Madonnen. Die eine schön, später Trümmermadonna genannt, die andere nicht schön, aber groß, sehr alt, erdhaft, unsymmetrisch, mit gläsernen Augen. Sie steht in Sankt Maria im Kapitol.

I

Bevor ich zum eigentlichen Thema dieses Erzählwerks (Werk hier im Sinn von Uhrwerk zu verstehen) komme, zur Familie Bechtold, in die ich am 22. September 1938, nachmittags gegen fünf Uhr im Alter von einundzwanzig Jahren eintrat, möchte ich zu meiner Person einige Erklärungen abgeben, von denen ich zuversichtlich hoffe, daß sie mißverstanden werden und Mißtrauen erwecken. So vieles spricht dafür, daß es jetzt endlich an der Zeit sei, wenigstens einige der Geheimnisse zu lüften, denen ich aufrechte Haltung, gesunde Seele in einem gesunden Leib, dessen Gesundheit umstritten ist, Disziplin und Standhaftigkeit verdanke, die meine Freunde mir vorwerfen, meine Feinde mir ankreiden, die dem unbefangenen unparteiischen Zeitgenossen zur Stärkung dienen mögen in einer Zeit, die unser aller Ausharren erfordert bei, in, für: Hier mag jeder Leser wie auf einem vorgedruckten Wunschzettel einsetzen, was ihm im Augenblick als das Notwendigste erscheint: Abwehr-, Angriffs-, Einsatzbereitschaft bei, für oder in einem FC, CV, KWG, der NATO, SEATO, dem Warschauer Pakt, Ost *und* West, Ost *oder* West; es darf sogar jeder Leser auf den häretischen Gedanken kommen, die Windrose weise ja auch Himmelsrichtungen wie Nord und Süd auf; es können hier aber auch sogenannte Abstrakta eingesetzt werden: Glaube, Unglaube, Hoffnung, Verzweiflung, und sollte es jemand, der sich ganz und gar jeder führenden Hand beraubt sieht, an Konkreta wie Abstrakta mangeln, so empfehle ich ein möglichst vielbändiges Lexikon, wo er sich irgend etwas zwischen Aachen und Zabbaione aussuchen mag . . .

Wenn ich weder die milde Kirche der Gläubigen noch die gestrenge Kirche der Ungläubigen erwähnt habe, so geschieht das nicht aus Vorsicht, es geschieht aus nackter

Angst, ich könnte wieder dienstverpflichtet werden: Das Wort Dienst (»Ich habe Dienst.« »Ich muß zum Dienst.« »Ich bin im Dienst.«) hat mir immer Angst eingeflößt.

Zeit meines Lebens, nachdrücklich erst seit jenem 22. September 1938, an dem ich eine Art Wiedergeburt erlebte, ist es mein Ziel gewesen, dienstuntauglich zu werden. Ich habe dieses Ziel nie ganz erreicht, war einige Male nahe daran. Jederzeit war ich bereit, nicht nur Pillen zu schlucken, Injektionen zu erdulden, den Verrückten zu spielen (was am kläglichsten mißlang), ich ließ mir sogar von Menschen, die ich nicht für meine Feinde hielt, die aber Grund hatten, mich für ihren Feind zu halten, in den rechten Fuß schießen, die linke Hand mit einem Holzsplitter durchbohren (nicht unmittelbar, sondern vermittels eines solide gebauten deutschen Eisenbahnwaggons, mit dem zusammen ich in die Luft gejagt wurde), ich ließ mir sogar an den Kopf und ins Hüftgelenk schießen; Ruhr, Malaria, gewöhnlicher Durchfall, Nystagmus und Neuralgie, Migräne (Meunière) und Mykose – nichts führte zum Ziel. Immer wieder bekamen Ärzte mich diensttauglich. Ernsthaft versucht, mich dienstuntauglich zu schreiben, hat nur ein Arzt; das beste, was bei diesem Versuch herauskam, war eine zehntägige *Dienstreise* mit Dienstreiseausweis, dienstlichen Verpflegungsmarken, dienstlichen Hoteleinweisungen nach Paris – Rouen – Orléans – Amiens – Abbéville. Ein netter Augenarzt (Nystagmus) schanzte mir diese Reise zu; an Hand einer umfangreichen Liste sollte ich in den genannten Städten für ihn les œuvres complètes de Frédéric Chopin zusammenkaufen, der für ihn, wie er mir gestanden hatte, dasselbe war wie der Absinth für die frühen Symbolisten. Er war nicht böse, doch traurig und enttäuscht, daß ich ausgerechnet die valses nicht komplett bekam, und besonders das Fehlen der valse Nr. 9 As-Dur, die ich nirgendwo hatte auftreiben können, erfüllte ihn mit Bitterkeit. Es nützte nichts, daß ich mir rasch eine Oberflächen-Soziologie zurechtzimmerte und ihm ausführlich erklärte, dies Stück sei

natürlich für alle klavierspielenden Damen in Groß-, Klein-
wie Landstädtchen eine melancholische Kostbarkeit; er
blieb enttäuscht, und als ich ihm vorschlug, mich doch in
den unbesetzteren Teil Frankreichs zu schicken, ihm – wiederum ausführlich – erklärte, in Marseille, Toulouse, Toulon
herrsche gewiß nicht jene stickige Inlandsluft, die die valse
Nr. 9 As-Dur zur begehrten Droge mache – da lächelte er
nur listig und sagte: »Das könnte Ihnen so passen.« Wahrscheinlich meinte er, da unten könnte ich leicht desertieren,
und wenn er das verhindern wollte, dann gewiß nicht, weil
er's mir nicht gönnte (wir hatten nächtelang Schach miteinander gespielt, uns nächtelang über Desertion unter-
halten, er hatte mir nächtelang Chopin vorgespielt), sondern
wahrscheinlich, weil er mich vor Torheiten bewahren wollte.
Ich versichere hiermit an Eides Statt, daß ich wirklich da
unten nicht desertiert wäre, und zwar einzig und allein, weil
ein liebend Weib in der Heimat meiner harrte, später Weib
und Kind, noch später nur noch Kind. Jedenfalls, seine Anstrengungen, meinen Nystagmus zu kultivieren, ließen nach,
und ein paar Tage später trat er mich als »wissenschaftlich
interessant« – diesen Terminus kreide ich ihm als die ge-
meinste Form des Verrates an – an den beratenden Ophthalmologen der Heeresgruppe West ab, dessen Schultergeraupe
ich so erdrückend fand wie die von ihm ausgestrahlte wissen-
schaftliche Bedeutung. Aus Rache, wie ich annehme (er muß
meine Abneigung gespürt haben), spritzte er mir zwei Tage
hintereinander irgendein tückisches Zeug in die Augen, das
mir den Kinobesuch unmöglich machte. Ich konnte nur drei
bis vier Meter weit sehen, und im Kino habe ich immer gern
hinten gesessen. Alles, was weiter als drei bis vier Meter von
mir entfernt war, bot sich sowohl verzerrt wie neblig, und
ich lief durch Paris wie ein Hänsel ohne Gretels tröstende
Hand. Dienstuntauglich wurde ich nicht, nur als »Vom
Schießen befreit« zur Truppe zurückgeschickt. Mein Vor-
gesetzter (hübsches Wort, das mir auf der Zunge zergeht!)
drehte einfach den Diphtong im Schießen um und verurteilte

mich zu einer Beschäftigung, in der ich schon einigermaßen erfahren war. Unter Altgedienten ist diese Beschäftigung gemeinhin als »Scheißetragen« bekannt. Ich wende diesen Terminus nur zögernd an, nur um der historischen Wahrheit willen und aus Respekt vor jeglichem Jargon. Meine ersten Erfahrungen in diesem ehrwürdigen fäkalischen Handwerk hatte ich drei Jahre vorher schon erworben, als ich während des Spatenexerzierens plötzlich, denn vorher hatte ich's ganz gut gekonnt, beim Kommando »Spaten ab« meinen damaligen Vorgesetzten mit der Schneide des Spatens in die Kniekehle geschlagen hatte. Nach meinem Beruf gefragt, gab ich diesen wahrheitsgemäß und so naiver- wie leichtfertigerweise als »Student der Philologie« an und wurde auf Grund der sattsam bekannten Achtung der Deutschen vor jeglicher Art und Abart geistiger Beschäftigung in die fäkalischen Gefilde verdammt, um dort »ein Mensch zu werden«.

Ich wußte also noch, wie man sich aus einem alten Gurkeneimer, einer Stange, Draht und Nägeln eine Kelle zurechtzimmert, auch waren mir die physikalischen wie chemischen Voraussetzungen bekannt, und so ging ich einige Wochen lang morgens zwischen sieben und halbeins, nachmittags zwischen halbzwei und halbsechs mit je einem Gurkeneimer in je einer Hand durch ein langgestrecktes französisches Straßendorf in der Nähe von Mers-les-Bains und düngte die korrekten Anpflanzungen des Bataillonskommandeurs, der, im Zivilberuf Rektor einer ländlichen Volksschule, eine genaue Nachahmung seines heimatlichen Schulgartens angelegt hatte: Kohl, Zwiebeln, Porree, Möhren, eine erhebliche Kolonie von Maisstengeln (»für meine Hühnchen«). Das Peinliche an diesem Bataillonskommandeur war die Feierabendgepflogenheit, »menschlich zu werden«, sich mir zu nähern und mit mir »ins Gespräch zu kommen«. Ich mußte, um diesen Stilbruch zu verhindern – menschlich werdende Vorgesetzte sind mir immer entsetzlich gewesen –, um meine Würde zu wahren, ihn auf seine aufmerksam zu machen, jedesmal einen ganzen Eimer Fäkalien opfern, ihm vor die Füße kippen, gleichzeitig verhindern, daß der Eindruck entstand, es wäre Ungeschicklichkeit, und doch die Absicht nicht *zu* deutlich werden lassen, denn es ging mir darum, ihm den Rangunterschied klarzumachen. Persönlich hatte ich nichts gegen ihn: er war mir vollkommen gleichgültig. Man sieht: auch bei der Ausübung des niedrigsten aller Handwerke sind die Stilfragen entscheidend. Jedenfalls gelang es mir, mich durch Auslegen eines Fäkaliengürtels für ihn unnahbar zu halten. Daß er vor Ekel (es spritzten ihm ein paar Partikelchen ins Gesicht) einen Gallenanfall bekam, ist nicht meine Schuld: *so* empfindlich hätte er eben als Hauptmann der Reserve nicht sein dürfen. Seine Geliebte (die er sich zu Hause bestimmt nicht hätte leisten können, sie wurde in den Lohnlisten des Bataillons als *dienst*verpflichtete Küchenhilfe geführt), spielte im Schlafzimmer ihm zum Trost ausgerechnet die valse Nr. 9 As-Dur, und ich hatte sie immer, habe sie noch im Verdacht, daß sie es gewesen ist, die mir die Noten dazu in Abbéville vor der Nase weggeschnappt und meine Nystagmus-Karriere verdorben hat. An milden Herbstabenden spazierte sie manchmal, ganz in Violett, mit einer Reitpeitsche in der Hand durchs Dorf; blaß, mehr verdorben als verderbt, eine verkörperte Madame Bovary collaborateuse.

Hier soll der geduldige Leser verschnaufen. Ich schweife nicht ab, sondern zurück, verspreche feierlich: das Fäkalienthema ist noch nicht ganz erschöpft, Chopin aber endgültig erledigt, jedenfalls in seiner Qualität, als Quantität werde ich, schon aus kompositorischen Gründen, mich seiner noch einige Male bedienen müssen. Es wird nicht mehr vorkommen. Reuevoll schlage ich mir an die Brust, jene, deren Quantität bei meinem Hemdenschneider zu erfahren wäre, deren Qualität aber so schwer zu definieren ist. Gern würde ich mich hier mit einem klaren dienstverpflichtenden Bekenntnis vorstellen; etwa: politische Gesinnung: demokratisch, aber träfe das noch auf jemanden zu, der es abgelehnt hat, sich mit Hauptleuten »gemein« zu machen, der, wenn auch mit Fäkalien, sich Distanz verschafft? Oder nehmen wir eine andere Rubrik: Religionszugehörigkeit. Da böte sich leicht eine der gängigen Abkürzungen an; die Auswahl ist gering: ev., ev. luth., ev. ref., k., rk., ak., isr., jd., vd. Es ist mir immer schon peinlich vorgekommen, daß Religionen, um deren Sinn sich die zu ihr Bekennenden und deren Umwelt seit zwei-, seit sechstausend – seit vierhundert Jahren bemühen, sich auf eine schäbige Abkürzung reduzieren lassen, aber selbst wenn ich wollte, könnte ich keine der Abkürzungen liefern.

Ich will hier sofort einen Fehler offenbaren, der fast ein Geburtsfehler ist und mir Schwierigkeiten wie Zwielichtigkeiten genug eingebracht hat. Meine Eltern, mischehelich miteinander verbunden, liebten einander zu sehr, als daß einer dem anderen den Schmerz hätte zufügen können, meine Konfession endgültig festzulegen (erst bei der Beerdigung meiner Mutter erfuhr ich, daß sie der evangelische Teil gewesen ist). Sie hatten ein sehr kompliziertes System gegenseitiger Hochachtung entwickelt: abwechselnd ging je einer von ihnen sonntags in die Trinitatiskirche am Filzengraben, der andere jeweils nach St. Maria in Lyskirchen; eine Art höherer konfessioneller Höflichkeit, deren hübschester Schnörkel darin bestand, daß jeweils am dritten Sonntag keiner in eine der beiden Kirchen ging. Mein Vater hat mir zwar immer wieder versichert, daß ich durch Taufe zum Christenvolk gehöre, aber ich habe nie an irgendeiner Art Religionsunterricht teilgenommen. Ich tappe immer noch – obwohl ich mich den Fünfzig nähere – im Dunkel, gelte beim Finanzamt, da ich keine Kirchensteuer zahle, als Atheist. Gern würde ich Jude werden, um das peinliche »vd« in dieser Rubrik loszuwerden, aber mein Vater meint, dann müßte ich bei seinem Tode, wenn er endlich das Geheimnis preisgibt, wieder aus der jüdischen Gemeinde austreten, und das könnte mir mißverständlich interpretiert werden. So bezeichne ich mich gern privat als »kommender Christ«, was mich in den unberechtigten Verdacht bringt, ich wäre Adventist. Ich bin, was die Konfession betrifft, ein unbeschriebenes Blatt, Anlaß zur Verzweiflung, den Atheisten ein Dorn im Auge, den Christen ein »ungeklärter Fall«, bekenntnisunfreudig, unreif, zu höflich meiner verstorbenen Mutter gegenüber; schließlich ist – wie mir ein Diener Gottes neulich sagte – »Höflichkeit keine theologische Kategorie«. Schade, sonst wäre ich wohl ein sehr frommer Mann. Nicht nur was mich, auch was alle anderen in diesem Erzählwerk auftretenden Personen betrifft, möchte ich es nicht als fertige Niederschrift anlegen, sondern wie eins jener Malhefte, die uns allen noch aus unserer glücklichen Kindheit bekannt sind: um einen Groschen (im Einheitspreisgeschäft sogar zwei für einen Groschen) konnten sie erworben werden. Sie waren das Standardgeschenk einfallsloser und sparsamer Tanten und Onkel, die den Besitz eines Malkastens oder eines Satzes Farbstifte einfach voraussetzten. In diesen Heften waren teilweise die Linien, oft nur Punkte vorgezeichnet, die man zu Linien verbinden konnte. Schon bei der Verbindung der Linien herrschte künstlerische Freiheit, in *voller* künstlerischer Freiheit konnte man dann die verbundenen Linien mit Farbe ausfüllen. Eine durch Kragen und Tonsur, im übrigen frei zu variierende, offensichtlich aber als Priester vorgeschlagene Figur konnte man mit dem gängigen Schwarz des Weltklerikers, doch auch mit Weiß, Rot, Braun oder gar Violett ausfüllen. Weil in der oberen Hälfte der jeweiligen Malseite auch noch Raum für zeichnerische Freiheit blieb, konnte die Kopfbedeckung zwischen Birett und Tiara variieren. Man hätte auch einen Rabbi draus machen oder vermittels eines Beffchens klar auf eine nachreformatorische Konfession verweisen können. Notfalls schnappte man sich ein Lexikon, schlug »Priesterkleidung« auf und wußte dann genau, welche Hals-, Haupt-, Fußbekleidung (etwa Franziskanersandalen) notwendig war, um den gewünschten oder angestrebten Diener Gottes zu erzielen. Natürlich konnte man auch den durch sparsame

Umrisse vorgeschlagenen »Priester« einfach ignorieren und einen Bauern, Bäcker oder Bierbrauer, auch einen Cäsaren, Chiromanten oder Clown erstellen. Eine mit Knipszange ausgestattete, durch Punkte und Umrisse auf ziemlich plumpe Weise als Schaffner vorgeschlagene Figur konnte nach Belieben in einen Straßenbahn-, Eisenbahn-, Omnibusschaffner verwandelt werden, und wenn einer (was nicht einmal durch eine gedruckte Gebrauchsanweisung verboten war) die Knipszange durch ein paar geschickte Striche in eine erkaltete Tabakspfeife oder sie, zum Spazierstock verlängert, in dessen Krücke verwandelte, konnte ein Museumsdiener, Fabrikspförtner oder beim Regimentstreffen wacker mitmarschierender Veteran daraus werden. Ich jedenfalls machte von dieser Verwandlungsfreiheit immer ausgiebigen Gebrauch, verwandelte zum Entsetzen meiner Mutter immer eindeutig als Köche vorgeschlagene Figuren in Chirurgen während der Operation, indem ich den Löffel zum Skalpell machte, die Mütze durch Verbreiterung des Gesichts flacher erscheinen ließ. Mit Frauenumrissen ging ich noch rücksichtsloser um: ich entwarf sie alle, weil mir Gitter so leicht von der Hand gingen, als Nonnen, die mein Vater allerdings manchmal für Haremsdamen hielt.

Jeder wird einsehen: Ein paar gelieferte Umrisse, denen durch geschickt hingestreute Punkte eine gewisse Richtung gewiesen wird, erlauben viel mehr Freiheit als die so heftig begehrte absolute Freiheit, die sich der Phantasie des einzelnen ausliefert, dem bekanntlich nichts, gar nichts einfällt, dem ein leeres Blatt Papier soviel Anlaß zur Verzweiflung bietet wie eine leere Stunde, wenn plötzlich die Bildröhre streikt. Nicht nur, um mein Porträt zu verwischen, widme ich hier der aussterbenden Kunst des Kolorierens einige Abschiedstränen und -gedanken. Seitdem unsere Kinder gelernt haben, auf leeres Papier ausstellungsreif zu malen und mit vierzehn über Kafka zu sprechen, werden manche Erwachsenenausstellungen so peinlich wie manche Erwachsenenerklärungen zur Literatur. Ein Lämmchen, das wirklich naiv ist und außerdem noch das Lächeln der Auguren zu entziffern versteht, weiß natürlich seinen Eingeweiden, bevor es geschlachtet wird, eine interessante und vieldeutige Anordnung zu geben und durch vorheriges Verschlucken von Steck-, Näh- und Briefnadeln, Partei- und sonstigen -abzeichen oder Kirchensteuererklärungen sein Gewölle ein wenig auszustaffieren, während so ein Lämmchen, das weder naiv ist noch das Lächeln der Auguren zu deuten versteht, seine Eingeweide so darbietet »wie sie wirklich sind«: kümmerlich Gedärm, aus dem keinerlei Zukunft heraufbeschworen werden kann. Ich biete also ein paar Striche, ein paar Punkte, die der Leser als Malvorlage für die Ausschmückung des Rohbaus jener Gedächtniskapelle verwenden mag, als die dieses kleine Erzählwerk gedacht ist: er darf es als Fresko oder als Sgraffito, auch als Putzmosaik auf die rohen Wände übertragen.

Vorder- und Hintergrund gebe ich ganz frei: für erhobene Zeigefinger, empört oder verzweifelt gerungene Hände, für geschüttelte Köpfe, in großväterlicher Strenge und Allweisheit verzogene Lippen, gerunzelte Stirnen, für zugehaltene Nasen, geplatzte Kragen (mit oder ohne Krawatten, Beffchen etc.), für Veitstanz und Schaum vor den Lippen, hingeworfene oder hingestreute Gallen- und Nierensteine, an deren Zutagetreten ich schuldig werden mag.

Ich setze wie ein geiziger Onkel oder eine sparsame Tante den Besitz eines Malkastens oder eines Satzes Farbstifte voraus. Wer nur einen Bleistift, ein Tintenfaß oder einen Rest Tusche zur Hand hat, mag's monochrom versuchen.

Als Ersatz für möglicherweise vermißte Doppel-Drei-Vier-Bödigkeit schlage ich Vielschichtigkeit vor: den Humus der Historie, der uns kostenlos zur Verfügung steht, den Schutt der Geschichte, der noch billiger als kostenlos zu haben ist. Es darf auch jeder meine, die Füße der Musterfigur verlängern oder mir die Archäologen-Angel in die Hand malen, damit dann Neckisches an Land ziehen: einen

Armreif der Agrippina, den jene, selbst betrunken, bei einer Rauferei mit betrunkenen Matrosen der römischen Rheinflotte genau dort verloren hat, wo mein Elternhaus stand (und wieder steht), oder einen Schuh der heiligen Ursula, vielleicht auch einen von der begeisterten Menge abgerissenen, in neuzeitliche Kanäle, von dort in historisch interessantere Schichten gespülten Mantelknopf des Generals de Gaulle. Was *ich* bisher geangelt habe, hat die Mühe gelohnt: einen Schwertknauf des Germanicus, den jener verlor, als er zu heftig, fast schon nervös (vielleicht gar hysterisch) an seinem Wehrgehänge zerrte, um einer murrenden Menge römisch-germanischer Meuterer jenes Schwert zu zeigen, mit dem er sie so oft zum Sieg geführt. Eine guterhaltene germanische Blondlocke, die ich ohne die geringste Schwierigkeit als vom Haupt des Thumelicus stammend identifizieren konnte, und einiges mehr, das ich nicht aufzähle, um nicht den Neid der Touristen und deren Angel- und Schürflust zu wecken.

Jetzt aber schwenken wir weder ab noch zurück, sondern gehen geradenwegs aufs Ziel zu, nähern uns endlich einer gewissen Realität: Köln. Gewaltige Erbschaft, ungeheuerliche historische Fracht (jedenfalls den Breiten entsprechend ungeheuerlich). Machen wir, was die Matrosen »klar Schiff« nennen, bevor wir im Schlamm der Geschichte versinken. Müßte ich nur die Tatsache berücksichtigen, daß Caligula von hier aus, um so trügerischen wie betrügerischen Ruhm zu erwerben, künstlich Feindberührung mit Tencterern und Sigambrern herbeiführte, dann schwämmen wir schon ins Uferlose davon, würden uns vergebens bemühen, Dämme zu errichten. Wenn ich zur Caligula-Schicht, der vierten von unten, durchdringen wollte, müßte ich alle oberen Schichten, etwa zwölf, ganz abtragen und fände allein die oberste schon mit Schutt, Mörtel, Möbelresten, Menschengebein, Stahlhelmen, Gasmaskenbüchsen, Koppelschlössern durchsetzt, nur oberflächlich plattgewalzt oder plattgetreten, und wie sollte ich den Nachgeborenen erklären, was – abgesehen von allem anderen – die Koppelaufschrift »Gott mit uns« bedeutet haben kann? Da ich schon zugegeben habe, in Köln geboren zu sein (eine Tatsache, die Links-, Rechts-, Mittel- und Diasporakatholiken zu so verzweifeltem Händeringen veranlassen wird wie rheinische und andere Protestanten und Doktrinäre jeglicher Färbung, also fast jeden), so will ich, um das Mißtrauen wenigstens so gut zu nähren wie die Mißverständnisse, mindestens vier Straßen als die, in der ich geboren, zur freien Auswahl anbieten: Rheinaustraße, Große Witschgasse, Filzengraben und Rheingasse, und wer jetzt meint, ich rückte damit mein Elternhaus bedenklich nahe an jene Gefilde, in denen Nietzsche scheiterte, Scheler aber gedieh, dem sei gesagt, in keiner dieser Straßen wurde und wird jenes Gewerbe ausgeübt, für dessen Vertreterin die betrunkenen römischen Matrosen Agrippina hielten, und wenn nun geübte Schnüffler sich auf den Weg machen, herauszufinden, wo Agrippina sich nun *wirklich* gerauft, wo Thumelicus *wirklich* an Land kam, wo Germanicus seine berühmte Rede hielt, dann will ich zur weiteren Verwirrung hinzufügen, daß ich, wenn Besucher in meiner Vitrine die Elfenbeinbüchse finden und mich fragen, wes Haar sie enthalte, dieses gelegentlich auch als vom Haupt eines Lochnermodells oder vom heiligen Engelbert stammend ausgebe: solche Verwechslungen sind in Pilgerstädten erlaubt und üblich.

Nach meiner Volkszugehörigkeit gefragt, gebe ich unumwunden folgende Auskunft: Jude, Germane, Christ. Das mittlere Glied dieser Trinität ist ersetzbar durch irgendeine der zahlreichen reinen oder gemischten Volksbezeichnungen, wie Köln sie anzubieten hat: sei es rein samojedisch, schwedisch-samojedischer Mischling, slowenisch-italienisch; auf die beiden äußeren Klammern – Jude-Christ –, die mein völkisches Gemisch zusammenhalten, kann ich nicht verzichten; wer keins von dreien ist oder nur eins von dreien (etwa nur slawisch-germanischer Mischling), wird hiermit für diensttauglich erklärt und aufgefordert, sich unverzüglich einen Musterungsbescheid zu holen. Die Bedingungen sind bekannt: sauber gewaschen und jederzeit bereit, sich nackt auszuziehen.

II

Damit ist die innere Musterzeichnung beendet, kommen wir rasch zur äußeren; 1,78 m groß, dunkelblond. Gewicht: normal. Besondere Merkmale: leichter Schräggang (wegen des Schusses in die Hüfte).

Als ich am 22. September 1938 gegen vier Uhr fünfundvierzig nachmittags vor dem Kölner Hauptbahnhof eine Straßenbahn der Linie 7 bestieg, trug ich ein weißes Hemd, eine dunkel-olivgrüne Hose, der jeder (damals) Eingeweihte sofort angesehen hätte, daß es eine Uniformhose war. Wer mir nicht allzu nahe getreten, meinen Geruch also nicht hätte bemerken können, hätte mich als »ganz ordentlich« bezeichnet. Überraschend für die, die mich kannten (weil jeder, der mich kennt, weiß, daß ich von meinem Ur-Urgroßvater väterlicherseits, der aus einem Dorf bei Nijmwegen stammte, mit Anankasmus, dem Laster des Handwaschzwangs, belastet bin, damit liefere ich einen zusätzlichen Punkt, der ins Ungewiß-Unendliche führt) – deshalb wahrscheinlich rührend –, wirkten meine schmutzigen Fingernägel. Für die schmutzigen Fingernägel lege ich eine eindeutige Erklärung vor: in der Zwangs- und Schicksalsgemeinschaft, deren Uniform ich eigentlich hätte tragen müssen (ich hatte sie, sobald der Zug abgefahren war, auf der Toilette ausgezogen und in den Koffer gesteckt, bis auf die Hose, die ich anständiger- und die Schuhe, die ich notwendigerweise nicht ausziehen konnte), in dieser Zwangsgemeinschaft hatte ich ganz die dort übliche Gewohnheit angenommen, mir vor dem Mittagessen, wenn der Vorgesetzte die Fingernägel auf Sauberkeit kontrollierte, diese rasch mit der Gabel zu säubern. So lief ich also an diesem Tag, den ich fast ganz in der Eisenbahn verbrachte (kein Geld, im Speisewagen zu essen, also keine Gabel, die Fingernägel zu säubern), noch am späten Nachmittag mit schmutzigen Fingernägeln durch die Weltgeschichte. Heute noch, fünfundzwanzig Jahre später, muß ich mich bei feierlichen wie gewöhnlichen Essen mit Gewalt zurückhalten, mir mit der Gabel rasch die Fingernägel zu säubern, und ich habe schon manchen ärgerlichen Kellnerblick herausgefordert, weil man mich für einen Proleten hielt, aber auch manchen anerkennenden, weil man mich für einen Snob hielt. Indem ich diese Angewohnheit mitteile, möchte ich die Leser auf die unauslöschlichen Wirkungen erzieherischer Kräfte bei militärischen Organisationen hinweisen. Wenn eure Kinder also mit schmutzigen Fingernägeln zu Tisch erscheinen, schickt sie am besten unverzüglich zur Musterung, danach unverzüglich zum Militär. Sollte den Leser Ekel überkommen, oder gar hygienische Bedenken, so sei hinzugefügt, daß wir in dieser Schicksalsgemeinschaft natürlich anschließend unsere Gabeln am Hosenbein abzuwischen, später dann in der heißen Suppe abzuspülen pflegten. Hin und wieder, wenn ich – was selten vorkommt – allein: d. h. weder von meiner Schwiegermutter noch von meiner Enkelin begleitet und kontrolliert, noch in Gesellschaft von Geschäftsfreunden auf der Reichard-Terrasse einen Imbiß zu mir nehme, greife ich so ungehemmt wie instinktiv zur Gabel und säubere mir tatsächlich damit die Fingernägel. Neulich fragte mich ein durchreisender Italiener vom Nebentisch her, ob das eine deutsche Sitte sei, was ich ohne Zögern bejahte. Ich wies sogar auf Tacitus hin und auf den in der italienischen Renaissance-Literatur schon bekannten Begriff des »forcalismo teutonico« – er schrieb's unverzüglich in sein Reisetagebuch, und als er fragend noch einmal mir zuflüsterte: »formalismo tautonico?« ließ ich's dabei, weil ich fand, es klang so hübsch.

Bis auf die schmutzigen Fingernägel sah ich also ganz ordentlich aus. Sogar meine Schuhe waren blitzblank geputzt. Nicht von meiner Hand (das zu tun, habe ich mich bis auf den heutigen Tag standhaft geweigert), sondern von der Hand eines Schicksalsgenossen, der seinen Dank für ihm von mir geleistete Dienste nicht anders abzustatten wußte. Geld, Tabak, Materielles irgendwelcher Art, wagte er mir aus Taktgefühl nicht anzubieten, er war Analphabet, und ich schrieb für ihn glühende Briefe an zwei Mädchen in Köln, deren Adresse, wenn auch nicht weit von meinem Elternhaus entfernt (nur zwei bis sieben Straßen weit), aber doch in mir völlig unvertrautem Milieu (eben jenem, mit dem Agrippina schon verwechselt, in das Nietzsche hineingeraten, in dem der späte Scheler ganz zu Hause war) zu finden gewesen wäre. Dieser mein Schicksalsgenosse, ein Zuhälter namens Schmenz, stürzte sich immer in wilder Dankbarkeit auf meine Schuhe, Stiefel, wusch mir Hemden und Socken, nähte mir Knöpfe an, bügelte Hosen – weil meine glühenden Briefe bei den Adressatinnen Entzücken hervorriefen. Die Briefe waren ganz edel, fast esoterisch, stark stilisiert, und gerade das ist in diesem Milieu beliebt wie Dauerwellen. Einmal gab mir Schmenz sogar die Hälfte des Karamelpuddings ab, mit dem unsere Sonntage dort verschönert wurden, und ich habe lange Zeit geglaubt, er möge Karamelpudding nicht (Zuhälter sind die verwöhnteste Sorte Mensch, mit der ich je zu tun gehabt habe), bis ich später glaubhaft belegt bekam, daß Karamelpudding zu seinen Lieblingsspeisen gehörte. Da sich bald herumsprach, wie glühend ich Briefe zu schreiben verstand, machte ich nicht nur not-, sondern fast schon mit Gewalt gezwungen eine Praxis, wenn auch nicht gerade als Schrift- so doch als Briefsteller auf. Die Honorare bestanden größtenteils in merkwürdigen Vergünstigungen: mir *nicht* mehr den Tabak aus dem Spind und das Fleisch vom Teller zu klauen, mich beim Frühsport *nicht* mehr in den schlammigen Straßengraben zu stoßen, mir bei Nachtmärschen *kein* Beinchen mehr zu halten, und was es in diesen Schicksalsgemeinschaften so alles an Vergünstigungen gibt. Manche meiner Freunde, Marxisten und Antimarxisten, haben mir später vorgeworfen, ich hätte, indem ich diese Liebesbriefe schrieb, falsch gehandelt. Es wäre meine Pflicht gewesen, bei diesen »Analphabeten durch sich stauende Liebesglut eine Bewußtseinsveränderung zu bewirken, durch diese möglicherweise eine Meuterei herbeizuführen«, und es wäre meine Pflicht gewesen, als aufrechter Mann jeden Morgen im schlammigen Straßengraben nach Halt zu suchen. Ich gebe ja reumütig zu, daß ich falsch gehandelt habe, inkonsequent war, aus zwei höchst unterschiedlichen Gründen, von denen der erste ein mir angeborener Fehler, der zweite ein Milieumangel ist: Höflichkeit, Angst vor Schlägereien. Tatsächlich wäre es mir lieber gewesen, wenn Schmenz mir nicht die Stiefel geputzt und die anderen mich weiterhin in den Straßengraben geschubst oder mein Zigarettenpapier weiterhin in den Morgenkaffee getunkt hätten, aber ich brachte weder die Unhöflichkeit noch den Mut auf, sie an diesen Vergünstigungen zu hindern. Ich klage mich an, bekenne mich ohne Einschränkung schuldig, und vielleicht senken sich jetzt die schon zu verzweifeltem Ringen erhobenen Hände, glätten sich die gerunzelten Stirnen wieder und wischt sich der eine oder andere den Schaum aus den Mundwinkeln. Ich verspreche hiermit feierlich, daß ich am Schluß dieses Erzählwerks ein umfassendes Geständnis ablegen, eine fix und fertige Moral liefern werde, auch eine Interpretation, die allen Interpreten vom Obertertianer bis zum Meisterinterpreten im Oberseminar Seufzen und Nachdenken ersparen wird. Sie wird so abgefaßt sein, daß auch der einfache, der unbefangene Leser sie »mit nach Hause nehmen kann«, weit weniger kompliziert als die Anleitung zur Ausfüllung des Antrags auf Lohnsteuerjahresausgleich. Geduld, Geduld, wir sind noch nicht am Ende. Ich gebe ja zu, daß ich in der freien, pluralistischen Industriegesellschaft natürlich einen freien, souverän trinkgeldverschmähenden Schuhputzer vorziehe.

Lassen wir mich zunächst mit meinen schmutzigen Fingernägeln, den blankgeputzten Schuhen für ein paar Minuten in der Straßenbahn Nr. 7 allein. Liebenswert und altmodisch (heutzutage sind die Straßenbahnen ja die reinsten Rein- und Rausschmeißmaschinen) wackelt die 7 um den Ostchor des Domes herum, schwenkt in Unter Taschenmacher ein, auf den Altermarkt zu, ist dem Heumarkt schon nahe – und erst an der Malzmühle, spätestens in der Kurve am Malzbüchel, wo ich abzuspringen pflegte, werde ich mich entscheiden müssen, ob ich zuerst nach Hause gehen und meinem Vater beistehen werde (oder meinen Eltern. Das Telegramm meines Vaters »Mutter verstorben«, dem ich die zeitweilige Befreiung aus dieser Zwangsgemeinschaft verdankte, hätte gut ein Bluff sein können. Meine Mutter wäre fähig gewesen, Richmodis von Aducht zu spielen), oder ob ich bis zum Perlengraben durchfahren werde, um zuerst die Bechtolds zu besuchen. Lassen wir diese Frage unbeantwortet, bis die Bahn an der Malzmühle angekommen ist, schwenken zurück in das Fäkalienviertel des Lagers jener Schicksalsgemeinschaft, wo ich Engelbert Bechtold kennenlernte, der im folgenden so genannt wird, wie in Köln jeder Engelbert: Engel. So wurde er zu Hause genannt, im Lager, von mir, so sah er aus.

Der sehnliche Wunsch jenes Vorgesetzten, den ich beim Spatenexerzieren mit der scharfen Schneide des Spatens in die Kniekehle geschlagen hatte (nicht einmal absichtlich, wie meine marxistischen und anderen Freunde mir vorwerfen, sondern – ein Geständnis, das sie und alle anderen zur Verzweiflung bringen wird – von einer unsichtbaren himmlischen Vernunft getrieben) – der sehnliche Wunsch dieses Vorgesetzten, aus mir einen Menschen zu machen, hatte mich spornstreichs in jene Gefilde verbannt, wo Engel, im Lager eine mythische Gestalt, seit drei Monaten ununterbrochen und ungebrochen den verschiedensten schmutzigen Beschäftigungen nachging: alltäglich die Riesenlatrine zu leeren, die ohne Kanalanschluß war (ich erspare mir und dem Leser statistische Einzelheiten), die Küchenabfälle in Schweinekübel zu füllen, die Öfen der Anführer zu säubern und anzuzünden, deren Kohlenbecken zu füllen, die Spuren

von deren Gelagen (hauptsächlich mit Bier und Likör ver-
mischten erbrochenen Kartoffelsalat) zu entfernen, den fast
unübersehbaren Vorrat an Kartoffeln im Keller ständig nach
faulen Kartoffeln abzusuchen, das Ausbreiten der Fäulnis zu
verhindern.

Sobald ich Engel gegenüberstand, wußte ich, daß nicht
mein Wille, noch weniger so etwas Dummes wie Absicht,
nicht der Fluch des Anführers – sondern eben jene unsicht-
bar waltende himmlische Vernunft mich zur Menschwerdung dorthin geschickt hatte. Als ich Engel sah, wußte ich
auch: Wenn er schon in irgendeine Art Dienst geriet, mußte
er Fäkalien tragen, und es war für mich eine Ehre, in seiner
Gesellschaft das gleiche zu tun.

In diesen Zwangs- und Schicksalsgemeinschaften wird
der Adel der Menschwerdung nie durch Vorteile, immer
nur durch Nachteile verliehen. (Geduld: ich weiß sehr wohl,
wie so ein Nachteil sich ins Vorteilhafte verwandelt und
werde entsprechend aufpassen!) Ich empfinde meine Chopin-
Dienstreise immer noch als kleinen Makel, mag auch meine
relative Jugend – ich war zweiundzwanzig – entschuldigend
ins Gewicht fallen. Andere Vorteile (die nicht etwa »verwandelte Nachteile« waren, sondern echte Vorteile) empfinde ich nicht als Makel, etwa den, daß ich in meiner Eigenschaft als Bataillonskohlenschlepper – man sieht, ich habe
nicht *nur* Fäkalien getragen – mit der Oberin eines Klosters
der Benediktinerinnen von der ewigen Anbetung in einem
Städtchen bei Rouen komplizierte, aus Gründen höherer
Erotik sehr in die Länge gezogene Verhandlungen führte,
stundenlange Gespräche, die sich über eine Woche hinzogen
(ich mußte ihr unter anderem die Angst ausreden, ich könnte
ein Provokateur sein), um im Austausch gegen gute Fettkohle, die sie für ihre Wäscherei dringend brauchte, wö-
chentlich zwei Wannenbäder genehmigt zu bekommen. Wir
beide, sie und ich, entwickelten dabei eine höhere Mathematik der Diplomatie und Erotik, bei der Pascal und Peguy
Pate standen. Und obwohl sie wußten, daß meine Konfes-

sionszugehörigkeit ungeklärt war, luden mich die Schwestern am Maria-Himmelfahrts-Tag zu einer Festandacht ein, bewirteten mich anschließend mit Tee und Streuselkuchen (meine Abneigung gegen Kaffee war der Oberin bekannt). Ich revanchierte mich chevaleresk durch einen Extrazentner Fettkohle und drei schneeweiße Offizierstaschentücher, die ich – worauf ich besonders stolz bin – eigenhändig aus einem Depot der deutschen Wehrmacht gestohlen hatte und auf die ich auf eigene Kosten von einer gelähmten Lehrerin hatte sticken lassen: »Macht euch Freunde mit dem ungerechten Mammon. Votre ami allemand.« Es würde dieses Erzählwerk unnötig komplizieren, wollte ich andere oder gar alle Vorteile aufzählen, die ich genoß, zum Beispiel: daß eine sehr hübsche rumänische Jüdin in einem Textilladen in Jassy mich auf beide Wangen, den Mund und die Stirn küßte mit der merkwürdigen, auf jiddisch gemurmelten Erklärung: »Weil Sie zu so einem armen Volk gehören« – die Sache hatte eine Vor- und eine Nachgeschichte, ich gebe nur den einfachen Mittelteil, weil das andere zu kompliziert darzustellen wäre. Von einem ungarischen Obristen, der mir bei einer Urkundenfälschung behilflich war, will ich erst gar nicht anfangen.

Machen wir rasch eine doppelte Schwenkung, zuerst zurück zur Straßenbahn Nr. 7, die soeben die Malzmühle passiert hat, sich quengelig den Mühlenbach hinauf, auf den Waidmarkt zuquält – dann zurück ins Fäkalienviertel jenes Lagers, wo ich mich plötzlich Engel gegenübersah, der auf einem Mauervorsprung zwischen Küche, Krankenrevier und Latrine sein Frühstück verzehrte: ein Stück trockenes Brot, eine selbstgedrehte Zigarette, einen Becher Kaffeeersatz. So wie er da saß, erinnerte er mich an die Straßenfeger zu Hause, deren würdigen Frühstücksstil, wenn sie am Tauzieherdenkmal saßen, ich immer bewundert, um den ich sie immer beneidet habe. Engel war, wie alle Lochnerengel, blond, fast goldhaarig, klein, fast vierschrötig, und obwohl sein Gesicht – breite Nase, zu kleiner Mund, fast schon verdächtig hohe Stirn – keinerlei klassische Merkmale aufwies, wirkte er strahlend. Die dunklen Augen ganz und gar unmelancholisch. Als ich vor ihm stand, sagte er: »Tag«, nickte, als wären wir seit vierhundert Jahren dort verabredet gewesen und ich hätte mich nur unmerklich verspätet, sagte, ohne den Kaffeebecher abzusetzen: »Du solltest meine Schwester heiraten«; den Kaffeebecher auf dem Mauervorsprung absetzend, fügte er hinzu: »Sie ist hübsch, obwohl sie mir gleicht, sie heißt Hildegard.«

Ich schwieg, wie nur einer schweigen kann, der Botschaft und Befehl eines Engels entgegennimmt. Engel rieb die Glut von seiner Zigarette an der Mauer ab, steckte den Stummel in die Tasche, nahm die beiden leeren Gurkeneimer auf und fing an, mir sachliche Anweisungen über meine bevorstehende Tätigkeit zu geben, hauptsächlich physikalische Einzelheiten über das Aufnahmevolumen einer Kelle in Kilo, die Tragfähigkeit der Stange, an der die Kelle befestigt war. Er fügte noch ein paar chemische Einzelheiten hinzu, ersparte sich aber Hygienisches, wohl, weil über der Latrine ein großes Schild hing: »Nach dem Stuhlgang, vor dem Essen, Händewaschen nicht vergessen.« Man sieht, wer seine Kinder unverzüglich zum Militär schickt, braucht nicht zu fürchten, es würde irgend etwas vergessen. Wenn man bedenkt, daß im Speisesaal ein Schild hing mit der Aufschrift: »Arbeit macht frei«, so weiß jeder, daß sowohl für Lyrik wie für Weltanschauung gesorgt war.

Nur vierzehn Tage lang übte ich gemeinsam mit Engel jene Tätigkeiten aus, die mich heute noch befähigen, jederzeit mein Brot als Kanalarbeiter oder Kartoffelsortierer zu verdienen. Nie mehr habe ich soviel Kartoffeln auf einmal gesehen, wie im Keller unter der Küche lagerten: durch winzige Schlitze fiel mattes Tageslicht auf ein bräunliches Gebirge, das sich wie ein brodelnder Sumpf zu bewegen schien, süßlich alkoholische Dünste füllten den Raum, wenn wir einen ganzen Haufen verfaulter Kartoffeln aussortiert und zum Wegtragen bereitgelegt hatten. Der positive Teil unserer Tätigkeit bestand darin, die kostbaren Früchte eimerweise (zur Beruhigung aller Mütter sei hinzugefügt, in *anderen* Eimern) fürs abendliche gemeinsame Kartoffelschälen in die Küche hinaufzutragen und dort in bereitstehende Kübel zu schütten. Wenn wir die ersten Eimer in die Küche hinaufbrachten, wurde uns als erstes erteilt, was der Küchenchef (einer der wenigen nicht gerichtlich Vorbestraften in dieser Zwangsgemeinschaft) den Schneckensegen nannte, d. h.: wir mußten uns auf den schmierigen Boden werfen, rund um den riesigen Herd kriechen, durften dabei den Kopf nur so weit über den Boden erheben, wie notwendig war, das Gesicht vor Schürfungen zu bewahren. Als einzig zulässige Fortbewegungskraft galt das Abstoßen mit den Zehen, wenn wir Hände oder Knie zu Hilfe nahmen oder erschöpft innehielten, mußten wir zur Strafe singen, was uns befohlen wurde mit den Worten: »Ein Lied, ein fröhlich' Lied!«, und ich weiß bis heute nicht, ob es pure Eingebung war oder innere Verständigung zwischen Engel und mir: jedenfalls stimmte auch ich schon beim erstenmal jenes Lied an, das für Engel zum Repertoire zu gehören schien: »Deutschland, Deutschland über alles.« Man sieht, daß auch die patriotischen Partien unseres Gemüts beim Akt der Menschwerdung nicht vernachlässigt wurden, und wer fürchtet, seine Söhne könnten je vergessen, daß sie Deutsche sind, sollte sie noch unverzüglicher, als auf Seite 211 vorgeschlagen wurde, zum Militär schicken und ihnen eine möglichst harte Ausbildung wünschen. Gewissenhaft wie ich immer war, überlegte ich während des Singens, ob das Lied, das wir sangen, auch wirklich als fröhlich bezeichnet werden konnte. Die hier beschriebene Methode – das teile ich als Vorschuß auf die fällige Interpretation mit – ist übrigens die beste und wirksamste, einem jungen Menschen seine jeweilige Nationalität oder Volkszugehörigkeit unauslöschlich einzuprägen. Ich empfehle sie auch für Schweizer, Franzosen und andere Nationen. Nicht jeder hat ja das

Glück, von hübschen Jüdinnen in rumänischen Läden geküßt zu werden.

Niemand wird erstaunt sein, zu erfahren, daß wir zu erschöpft waren, regelrecht, mit jener Vollkommenheit zu singen, die in Gesangvereinen gepflegt wird. Wir murmelten nur in einer Art Singsang den unvergeßlichen und unvergessenen Text litanesk auf den klebrigen Fliesenboden. Später wurde mir – ausgerechnet mir! – das Singen des Deutschlandliedes untersagt, nachdem der oberste Anführer, unser Lagerchef, mich einmal im Kartoffelkeller aufgesucht, auf meinen fehlenden Taufschein hin angebrüllt und unverhofft – ob auch unbegründet weiß ich bis heute nicht, die Sache blieb zweifelhaft – mit »Judenlümmel« anbrüllte, was ich immer als eine Art Taufe oder Beschneidung empfunden habe. Seitdem durfte ich das Deutschlandlied nicht mehr singen, sang statt dessen: »Ich weiß nicht, was soll es bedeuten.«

Niemand wird auch erstaunt sein zu erfahren, daß ich mit Engel kaum noch, über Hildegard gar nicht mehr mit ihm sprach. Meistens waren wir gegen halb zehn Uhr morgens schon so erschöpft, daß wir nur noch taumelnd unseren verschiedenen Pflichten nachgingen und vor Erschöpfung und Ekel erbrachen. So blieben Kopfnicken und -schütteln unsere einzigen Verständigungsmittel. Auch wurde uns durch Erbrechen, Kopfschmerzen, Erschöpfung besser bewußt, wie wenig unsere Nachteile sich in Vorteile zu verwandeln drohten. Wenn Engel auf eine bestimmte Art – halb entschuldigend, halb ergeben – mit den Schultern zuckte, wußte ich, daß er sich auf einen Stapel Kartoffelsäcke setzen und einen Rosenkranz beten würde (»Ich hab's meiner Mutter versprochen«).

Natürlich gab's auch in dieser Zwangsgemeinschaft die »Nach-Feierabend-Menschlichkeit«, sogar eine »Während-des-Dienstes«-Variante derselben, die durch einen jungen Anführer vertreten und praktiziert wurde, einen edel aussehenden ehemaligen Studenten der evangelischen Theologie, der sich manchmal uns näherte, um »ins Gespräch zu kommen«. Ich hatte für ihn immer eine Spezialmischung aus verfaulten Kartoffeln und Fäkalien bereitstehen, die ich um mich herum ausleerte, während Engel in seiner christlichen Demut tatsächlich mit ihm »ins Gespräch kam«, und – etwa zweimal in den vierzehn Tagen je drei Minuten – Worte wie »Notwendigkeit«, »Weltgeist«, »Schicksal« entgegennahm, wie ein bescheidener Bettler eine Scheibe vertrockneten Brotes entgegennimmt.

Inzwischen war die 7 längst in Waidmarktnähe, und ich dachte nur noch an Hildegard Bechtold. In den vergangenen vierzehn Tagen hatte ich manchmal vorgehabt, sie schriftlich blindlings um »ihre Hand zu bitten« (ich wußte damals keinen anderen und weiß bis heute keinen besseren Ausdruck), aber gerade in diesen Tagen bedrängten mich meine abendlichen Briefkunden über die Maßen, bedrohten mich, weil ihnen mein Vokabularium nun doch zu »fein« wurde. Die groben Zärtlichkeiten, die meine Briefkunden ihren Partnerinnen mitzuteilen wünschten (primäre wie sekundäre Geschlechtsmerkmale wurden miteinander, diese Kombinationen wiederum mit allen möglichen Körperteilen kombiniert), verlagerte ich auf eine noch edlere Ebene, entwickelte einen Manierismus, der mich heute noch befähigte, von jeglicher Art männlichem Absender an jegliche Art weiblichen Adressaten Briefe zu schreiben, die jede Zensur passieren würden, ohne daß irgend etwas verschwiegen oder ausgesprochen worden wäre. Ich könnte also auch jederzeit mein Brot als Briefsteller verdienen. Da ich immer schon gern mit möglichst schwarzer Tinte oder möglichst weichen Bleistiften auf möglichst weißes Papier geschrieben habe, rechne ich meine Briefstellerei zu den Vorteilen, deren ich mich nicht schäme.

Am Waidmarkt war meine Unruhe fast schon zur Nervosität geworden, kaum noch eine Minute und ich würde am Perlengraben aussteigen. Die Entscheidung war gefallen. (Meine Mutter war tot, und ich wußte es.) Da ich auch hier, auf der Plattform der 7, durch einen Fäkaliengeruchsgürtel in meinem elfenbeinernen Turm gefangengehalten war, nahm ich die sogenannte Umwelt mit jener traumhaften Unschärfe (oder Schärfe) wahr, die sich beim Blick durch Gefängnisluken bildet. Ein SA-Mann (wie konnte nur ein Mensch solch eine Uniform anziehen!), ein offenbar zu den gebildeten Ständen zählender Herr mit Seidenkrawatte, ein junges Mädchen, das mit unschuldigen Fingern aus einer Papiertüte Weintrauben aß, und die Schaffnerin, deren junges, etwas grobes Gesicht durch jene Direkt-Erotik, die Kölner Schaffnerinnen einmal auszeichnete, verschönert war – sie alle mieden mich wie einen Aussätzigen. Ich zwängte mich zum Ausgang durch, sprang ab, stürzte den Perlengraben hinunter, stieg drei Minuten später die Treppe zum vierten Stockwerk eines Mietshauses empor. Dem nach Wirklichkeit forschenden Interpreten schlage ich vor, mit drei Minuten Radius einen Halbkreis westlich Severinstraße um die Haltestelle Perlengraben zu schlagen, sich eine der Straßen auszusuchen, die in seinem Halbkreis hängenbleibt – um den Radius korrekt zu liefern, müßte ich allerdings meine Geschwindigkeit mitliefern: ich schlage irgendeine zwischen Jesse Owens und einem überdurchschnittlichen Amateur vor. Ich war nicht erstaunt, über der Wohnungstür der Bechtolds ein Transparent zu erblicken mit der Aufschrift: »Seht ihn! Wen? Den Bräutigam. Seht ihn! Wie? Als wie ein Lamm.« Als ich auf den Klingelknopf drücken wollte – fast überflüssig, das zu sagen, aber besser ist besser –, öffnete Hildegard die Tür, fiel mir in die Arme, und aller schlimme Geruch war von mir genommen.

III

Es liegt weder in meiner Absicht noch liegt es innerhalb meiner Fähigkeiten, hier auch nur andeutungsweise die Macht der Liebe zu schildern oder gar zu erklären. Eins steht fest: Liebe auf den ersten Blick war es nicht. Erst eine Stunde

später, als ich schon die Einweihungsriten der Bechtold-
sippe überstanden hatte, der Verlobungskaffee schon getrunken, der Verlobungskuchen halb verzehrt war, kam ich
dazu, Hildegard richtig anzusehen. Ich fand sie viel schöner,
als die Ähnlichkeit mit Engel hatte versprechen können,
und ich war erleichtert darüber. Obwohl ich sie schon seit
vierzehn Tagen liebte, war es doch angenehm, sie schön zu
finden. Wenn ich jetzt mitteile, daß wir, Hildegard und ich,
uns von nun an nicht sehr oft, aber sooft wir konnten, in den
Armen lagen, und noch einmal ins Gedächtnis rufe, daß ich
diese Tatsache der Lenkung jener himmlischen Vernunft zu-
schreibe, die mir eingab, beim Kommando »Spaten ab«
plötzlich alles Gelernte zu vergessen, so werden, fürchte ich,
um ihre Söhne besorgte Eltern jetzt auf den Gedanken kommen, ihre Söhne nicht nur aus erzieherischen Gründen zum
Militär zu schicken, auch, auf daß sie auf dem Umweg über
das falsch ausgeübte Kommando »Gewehr ab« (Spaten haben sie ja heutzutage nicht mehr) zu einer so lieben, so klugen und schönen Frau kommen wie ich. Deshalb möchte ich
hier warnend an das Märchen von Frau Holle (und andere
einschlägige Märchen) erinnern, in denen der absichtslos
Gutes Tuende weitaus bessere Früchte erntet als der ab-
sichtsvoll ihn Nachahmende, und möchte noch einmal beschwören: ich tat's nicht absichtlich. (Hier lasse ich etwas
Platz für die knirschenden Zähne der Zornigen, die, ab-
sichtstrunken, wie sie nun einmal sind, nicht wahrhaben
wollen, daß eine himmlische Vernunft den Absichtslosen
zum Guten führen kann.) Natürlich sind mir nicht alle Absichten jener lenkenden Vernunft bekannt: *eine* hat bestimmt
darin bestanden, die Familie Bechtold nicht nur auf Kriegs-,
sondern auf Lebenszeit mit Kaffee zu versorgen (mein Vater
betrieb einen Kaffeegroßhandel, den ich inzwischen geerbt
habe). Eine Nebenabsicht: mir in Gestalt meiner beiden
Schwäger jene Zwanzigerjahredämonie vor Augen zu führen, von der ich bis zum 22. September 1938 keine Ahnung
hatte (Kind bürgerlicher Eltern, Abitur, ein Semester Bert-

ram, bis dahin keine Mitgliedschaft in NS- und anderen Organisationen). Weitere mögliche Absichten: mir in dem Augenblick, da meine Mutter gestorben war, meine Schwiegermutter zu bescheren, die mich liebte wie meine eigene Mutter (sie wäre nicht nur bereit gewesen, sich scheintot zu stellen, in ihrer direkten Art ging sie später so weit, sich zum Wehrbezirkskommandeur durchzuschlagen und ihn ein »schwachsinniges, spießiges, idiotisches Stück« zu nennen, weil er mir einmal nicht den Urlaub verlängern wollte, als meine kleine Tochter Scharlach hatte). Andere Absichten: meinem Vater in Gestalt des alten Bechtold auf Lebensdauer einen Gesprächspartner zuzuführen, mit dem er über die Nazis schimpfen konnte, oder Engels jüngsten Bruder Johann, der ein leidenschaftlicher Zigarettenraucher war, für die Dauer der Tabakrationierung, also für fast elf Jahre, mit meiner Ration zu versorgen. Möglicherweise hat diese lenkende Vernunft auch einen ökonomischen Ausgleich im Sinn gehabt: wir hatten Geld, die Bechtolds nicht. Sicher bin ich nur, was den Kaffee betrifft: keine Familie wäre in den Zeiten, die wir kommen sahen, ohne Kaffee so aufgeschmissen gewesen wie die Bechtolds. Jedes einzelne Familienmitglied fragte bei jeder Gelegenheit: »Soll ich noch etwas Kaffee machen?« obwohl man jederzeit sicher sein konnte, daß schon vier- oder fünfmal Kaffee aufgegossen worden war. Später, als der Krieg wirklich ausbrach, beging ich gleich zwei Kapitalsünden auf einmal: ich huldigte sowohl der Statistik wie der Psychologie: indem ich den Bechtoldschen Kaffeeverbrauch von etwa zweihundert Pfund jährlich auf fünfundsiebzig herabsetzte, die Kriegsdauer – ob aus Pessimismus oder mystischer Verliebtheit in die Ziffer 7 weiß ich nicht – auf sieben Jahre und meinen Vater veranlaßte, eine entsprechende Menge Rohkaffee sicher einzulagern. Und ich hämmerte meiner Schwiegermutter Sparsamkeit im Kaffeeverbrauch ein, entwarf vor ihrem entsetzten Auge das Bild einer kaffeelosen Epoche, wenn sie nicht sparsam sei.

IV

Bevor ich fortfahre, will ich feierlich versichern, daß von jetzt ab das Fäkalienthema so erledigt ist, wie Chopin schon auf Seite 203 war. Auch mit der Schilderung erzieherischer Maßnahmen bei militärischen Organisationen bin ich am Ende. Es könnte zu leicht der Verdacht entstehen, dieses Erzählwerk wäre antimilitaristisch oder gar abrüstungsfreundlich bzw. aufrüstungsfeindlich. O nein, es geht um Höheres, um – wie jeder unvoreingenommene Leser längst weiß – um die Liebe und um die Unschuld. Daß die Umstände, unter, die Details, mit denen ich beides hier zu schildern versuche, die Erwähnung gewisser Formationen, Organisationen, Institutionen notwendig macht, ist nicht meine Schuld, sondern die eines Schicksals, mit dem jeder hadern mag, soviel er Lust hat. Meine Schuld ist es nicht, daß ich deutsch schreibe, im Kartoffelkeller einer deutschen Schicksalsgemeinschaft von deren oberstem Anführer zum Juden gebrüllt, im Hinterzimmer eines rumänischen Trödlerladens von einer hübschen Jüdin zum Deutschen geküßt wurde. Wäre ich in Ballaghadereen geboren, so würde ich mit möglichst dunkler Tinte oder möglichst weichen Bleistiften auf möglichst weißem Papier von der Liebe und von der Unschuld unter ganz anderen Umständen, mit anderen Details erzählen. Von Hunden und Pferden und Eseln würde ich singen, von lieblichen Maiden, die ich nach dem Tanz hinter der Hecke geküßt, denen ich versprochen hätte, was zu halten ich vorhatte, dann aber nicht halten konnte: die Ehe. Von Heide, Moor, vom Wind, der in Torfgräben heult, dunkles Wasser in dunklen Torfgräben peitscht, daß sie aufwallen wie der schwarze Tweedrock einer Maid, die sich ertränkte, weil der, der sie küßte und ihr die Ehe versprach, Priester wurde und von dannen zog. Viele Seiten würde ich beschreiben, um das Lob der Hunde von Dukinella zu singen; diese klugen und treuen Tiere, reinrassige wie Bastarde, hätten längst ein Denkmal in Worten verdient. So, wie es aber ist, spitze

ich den Bleistift aufs neue, nicht um Unerfreuliches zu berichten, sondern zu berichten, was war – und so kehren wir
seufzend nach Köln zurück, in jene Straße, die im westlichen
Halbkreis von drei Minuten um den Perlengraben herum zu
finden wäre, wenn sie gefunden werden könnte. Versunken
ist sie nicht, weggefegt worden ist sie, weggekratzt, und um
im Malheft diese Seite nicht vollkommen blank zu halten
und dem Unsinn Tür und Tor zu öffnen, gebe ich drei kleine
Merkmale bekannt: ein Zigarettengeschäft, ein Pelzgeschäft,
eine Schule und viele gelblich-weiße Häuserfassaden, fast
von der Farbe, doch nicht von der Größe, wie ich sie in
Pilsen sah. Ich schlage vor, daß gelehrige und folgsame Mal-
schüler drei Bagger zeichnen, von denen je einer das Pelz-,
das Zigarettengeschäft und die Schule wegträgt, und über
die Seite als Motto schreiben: »Arbeit macht frei.«
  Schlimm ist nur, daß niemand wissen wird, wo sie die
Plakette aufhängen sollen, wenn Engel eines Tages in den
Geruch der Heiligkeit kommt. Ich weiß sehr wohl, daß ich
nicht die Ritenkongregation vertreten, ohne advocatus dia-
boli gar keine Heiligsprechung anregen darf, aber da meine
Konfessionszugehörigkeit ungeklärt ist, wird's, hoffe ich,
niemand kränken, wenn ich einer Kirche, zu der ich wahrscheinlich nicht gehöre, einen Heiligen zuschanze. Es geschieht – wie alles in diesem Erzählwerk – ohne Absicht.
Natürlich wird die Tatsache, daß Engel mir sowohl Heirats-
vermittler wie Schwager gewesen ist, Böswillige sofort zu
einem »Aha« veranlassen, aber kann ich nicht, da für die
Malvorlage die Rubrik Religionszugehörigkeit freibleiben
muß, wenigstens darauf hinweisen, daß ich mit Engel vierzehn Tage lang zusammengewesen bin, und so ein wenig
vom Geruch der Heiligkeit dazu benutzen, den Geruch der
Fäkalien endgültig aus diesem Erzählwerk zu vertreiben?
Ich sehe schon, man gönnt's mir nicht und·wittert Absichten. So lasse ich's dann, schon deshalb, weil Höflichkeit (an-
geblich) keine theologische Kategorie ist. Außerdem lebt
mein Vater noch, ist längst nicht mehr Wechselkirchgänger,

sondern gar keiner mehr, gibt mir keinen Einblick in seine Steuererklärung, schimpft immer noch gemeinsam mit dem alten Bechtold, meinem Schwiegervater, über die Nazis. Die beiden widmen sich ganz einem weiteren gemeinsamen Interesse: Kölner Schichten zu ergründen. Sie buddeln in einem Schacht, den mein Vater in unserem Hof hat graben und überdachen lassen, und versichern glaubhaft, wenn auch kichernd, die Überreste eines Venustempels entdeckt zu haben. Meine Schwiegermutter ist auf ihre reizende Art katholisch, ganz nach dem Kölner Motto: »Was katholisch ist, bestimmen wir hier selbst.« Wenn ich notgedrungen über Glaubensfragen mit ihr spreche (ich bin Vater einer vierundzwanzigjährigen Tochter, die auf innigen Wunsch meiner verstorbenen Frau katholisch erzogen wurde, dann aber evangelisch heiratete, selbst wieder Mutter eines auf ihren innigen Wunsch katholisch erzogenen dreijährigen Töchterchens ist), ihr an Hand glaubhafter Informationen beweise, daß ihre Ansicht nicht mit der von ihrer Kirche amtlich bezeugten übereinstimmt, so tut sie das mit einem Spruch ab, den ich nur zögernd wiedergebe: »Dann hat sich eben der Papst geirrt.« Und wenn gar – was manchmal unvermeidlich ist – kirchliche Amtsträger zugegen sind und ihrem Privatpapismus widersprechen, bleibt sie unbeirrt und beruft sich auf etwas, das so wenig beweisbar wie widerlegbar ist: »Wir Kerkhoffs (sie ist eine geborene Kerkhoff) sind immer Instinktkatholiken gewesen.« Es ist nicht meine Sache, ihr das auszureden. Ich habe sie zu gern. Um die Verwirrung über diese liebenswürdige Person (die während des Krieges einmal eigenhändig einen Feldjäger, der nach ihrem desertierten Sohn Anton fahndete, die Treppe hinunterwarf, buchstäblich warf) zu vervollständigen, füge ich als Detail fürs Malheft noch hinzu, daß sie sechs Wochen lang Zellenleiterin der KP gewesen ist, bis ihr klar wurde, daß »diese Sache« mit ihrem Instinktkatholizismus nicht übereinging, außerdem eine Rosenkranzbruderschaft geleitet hat und noch leitet.

Ich schlage als Grundierung für wenigstens eine der Seiten, die ihr im Malheft gewidmet werden, ein Blau vor, wie jedermann, der je den Himmel über Neapel gemalt hat, es sicher bereit hat. Wenn der Leser jetzt »gar nicht mehr weiß, was er von ihr halten soll«, habe ich mein Ziel erreicht, und nun darf jeder zu Farbstiften, Malkasten oder Palette greifen und meiner Schwiegermutter jene Färbung geben, die für ihn der Ausdruck für »zwielichtig« oder »skandalös« ist. Ich schlage ein mattes, auf Rot zu changierendes Lila vor. Sehr viel mehr werde ich über meine Schwiegermutter nicht berichten, sie ist mir zu kostbar, als daß ich sie ins volle Licht stellen möchte, ich halte den größeren Teil von ihr in meiner privaten Dunkelkammer fest. Gern gebe ich noch äußere Merkmale von ihr preis: sie ist klein, ursprünglich zart gewesen, »aber tüchtig in die Breite gegangen«, immer noch trinkt sie ungewöhnliche Mengen Kaffee, hat sich im hohen Alter, mit zweiundsiebzig, noch ans Rauchen begeben und befaßt sich mit ihren Enkelkindern auf »ganz und gar unfaire Weise«: die Kinder meines verstorbenen Schwagers Anton, der ein »erklärter Atheist und vollkommen linker Bruder war«, zwei junge Mädchen zwischen achtzehn und einundzwanzig, schleppt sie in die Küche ab, betet mit ihnen Rosenkranz und sagt ihnen das Glaubensbekenntnis vor; die Kinder meines überlebenden Schwagers Johann (ein Junge, ein Mädchen, zehn bzw. zwölf), die in starrer Kirchengläubigkeit erzogen werden, »impft sie mit Renitenz und Aufruhr«. (Alles, was in Anführungsstrichen steht, sind wörtliche Zitate von ihr.)

Ich bin für sie immer noch »der nette Junge, der meine Hilde so glücklich gemacht und mit meinem Engel monatelang (dabei waren es nur zwei Wochen) Scheiße getragen hat«. (Wieder bin ich um der historischen Echtheit willen gezwungen, das harte Wort zu nennen.) Beides hat sie so wenig vergessen wie die Tatsache, daß »er mich in Krieg und Frieden immer mit Kaffee versorgt hat«. Vielleicht spricht es für sie, daß sie meine materiellen Verdienste immer zuletzt nennt. Im übrigen hält sie mich für »wahnsinnig naiv«, schon deshalb, weil ich »tumb genug war, es soweit kommen zu lassen, daß regelrecht auf ihn geschossen, daß er sogar getroffen wurde«.

Dafür hat sie kein Verständnis. Sie meint, ein »intelligenter Mensch, der tatsächlich und nachweisbar mit der Sache (damit meint sie in diesem Fall die Nazi-Angelegenheit) nichts zu tun hatte, hätte das vermeiden müssen«. Wahrscheinlich hat sie recht, und wenn ich mit ihr zu argumentieren beginne und sie daran erinnere, wie Engel gestorben ist, sagt sie: »Du weißt ganz gut, daß Engel nicht intelligent oder mehr als das war«, und damit hat sie recht. Ich weiß selbst nicht, warum ich es dazu kommen ließ, daß tatsächlich auf mich geschossen, daß ich sogar getroffen wurde, warum ich mich, obwohl »vom Schießen befreit«, in die Schußlinien begab, ohne selbst zu schießen. Es bleibt ein dunkler Punkt in meinem Bewußtsein und meinem Gewissen. Wahrscheinlich war ich es einfach leid, Chopin zu hören; vielleicht war ich auch nur des Westens müde und sehnte mich nach dem Osten; ich weiß nicht genau, was es war, das mich das Attest des beratenden Ophthalmologen der Heeresgruppe West einfach ignorieren ließ. Hildegard schrieb damals, sie verstehe mich, aber ich selber verstand mich nicht. Meine Schwiegermutter hat schon recht, wenn sie das Wort tumb mit meiner damaligen und heutigen Haltung in Zusammenhang bringt. Es bleibt vollkommen ungeklärt, dunkel, und ich bevollmächtige jeden, mit schwarzer Tusche und einem Wattebausch mir dort, wo mein Bewußtsein untergebracht sein müßte, einen saftigen Klecks ins Malheft zu hauen. Den Gedanken an Desertion jedenfalls hatte ich aufgegeben, es lockte mich nicht, die jeweilige Gefangenschaft mit irgendeiner zu vertauschen. »Was spielen denn die Russen so auf dem Klavier?« fragte mich meine Schwiegermutter, wenn ich aus der Schußlinie vorübergehend nach Hause kam. Ich sagte wahrheitsgemäß, ich hätte erst ein paarmal Klavierspiel gehört und immer Beethoven. »Das ist gut«, sagte sie, »sehr gut.«

Hier, in der Mitte unseres Idylls, will ich eine Pflicht nachholen und eine oder zwei Seiten für die Errichtung einer Andachtsnische vorschlagen, in der ich nur die Gefallenengedenktafel für die Verstorbenen dieses Erzählwerks ausfülle.

1. Hildegard Schmölder, geborene Bechtold, geboren am 6. Januar 1920, gestorben am 31. Mai 1942, während eines Bombenangriffs auf Köln in einer Straße Nähe Chlodwigplatz. Ihre sterblichen Überreste wurden nie gefunden.

2. Engelbert Bechtold, genannt Engel, geboren am 15. September 1917, erschossen am 30. 12. 1939 zwischen Forbach und St. Avold von einem französischen Posten, der ihn, der nur überlaufen wollte, für einen Angreifer gehalten haben muß. Seine sterblichen Überreste wurden nie gefunden.

3. Anton Bechtold, geboren am 12. Mai 1915, erschossen an einem Februartag 1945 hinter der Terrasse des Café Reichard in Köln, zwischen dem jetzigen Funkhaus und der jetzigen Domherrensiedlung, nicht weit vom Verkehrsamt, just in front of the cathedral, wo heute ahnungslose Touristen und noch ahnungslosere Rundfunkredakteure Eiskaffee schlürfen. Seine sterblichen Überreste wurden nicht gefunden, wohl aber sein Dossier. Er wird in den Akten als »zweimal fahnenflüchtig« bezeichnet, des Diebstahls von und Schwarzhandels mit Heeresgut sowie beschuldigt, in den Kellern zerstörter Altstadthäuser in der Nähe der Hohepforte eine Gruppe von Deserteuren organisiert und zu regelrechten Abwehrkämpfen gegen die »Ordnungsorgane der großdeutschen Wehrmacht« formiert zu haben. Seine Witwe, Monika Bechtold, sprach einst sehr viel »darüber«, heute spricht sie »nicht mehr darüber«.

Ich gebe diese kleine Totenkapelle inmitten unseres Idylls schmucklos, sozusagen als Rohbau. Mag jeder nach Wunsch oder Geschmack Heckenrosen, Stiefmütterchen oder Liguster als Schmuck verwenden. Sogar Rosen sind erlaubt, es dürfen auch Gebete gesprochen werden, es ist sogar gestattet, über die Vergänglichkeit des Menschen in seinem Gebein zu meditieren. Die, die beten möchten, bitte ich vor allem, Anton nicht zu vergessen: ich mochte ihn nie, ihm aber wünsche ich, wenn die Posaunen des Gerichts ertönen, einen Kuß vom lieblichsten der Engel des Gerichts, von einem Nebenengel, der nicht berechtigt ist, Posaune zu blasen, nur, sie zu putzen. Ich wünsche Anton Erlösung von seiner geheuchelten Dämonie, von seiner Verkanntheit und seiner Verkennung. Mag der Engel ihm zurückgeben, was auch er einmal gehabt haben muß: Unschuld.

V

Damit ist auch das Kriegsthema fast erschöpft, jedenfalls für die Dauer dieses Erzählwerks, und wir kehren in den tiefen, zu tiefen Frieden jenes Septembernachmittags zurück, an dem ich Hildegard zum erstenmal küßte und aller schlimme Geruch plötzlich von mir genommen war.

Was die Bechtolds ihre Diele nannten, war ein etwa acht Quadratmeter großes, lichtloses Viereck, von dem fünf Türen abgingen: drei in Schlafzimmer, eine in die Küche, eine ins Badezimmer. An den schmalen Mauerstürzen zwischen den Türen waren Garderobehaken direkt in die Wand geschlagen. Kleider, Mäntel, Jacken, Schals, zerschlissene Morgenröcke und »Mutters komische Hüte« baumelten daran, und bei jeder Gelegenheit klemmte sich manches in jede sich öffnende Tür, mußte rasch beiseite geschoben werden, manchmal von innen, wobei Hände geklemmt wurden.

In dem Augenblick, als Hildegard in meinen Armen lag, öffneten sich drei Türen: Frau Bechtold kam aus der Küche, der Alte aus dem Schlafzimmer, Anton und Johann aus ihrem Zimmer und die vier stimmten gemeinsam – Hilde, die fünfte, weinte stumm und selig an meiner Brust – den Choral an: »Seht ihn! Wie? Als wie ein Lamm.«

Spätestens hier wird der kluge Leser wissen, was wir, er und ich, nun auch dem weniger klugen Leser nicht länger vorenthalten sollten: daß dieses Erzählwerk wirklich eine reine Idylle werden soll, in der Kloakendüfte dieselbe Funktion haben wie anderswo Rosendüfte, in der die Auseinandersetzung mit dem Krieg vermieden oder zumindest sehr reduziert wird, die Nazi-Angelegenheit wie etwas zwischen Schnupfen und Schwefelregen abgetan werden soll, und wenn auf einer der nächsten Seiten auch noch Engel und ich, räumlich voneinander getrennt, doch gemeinsam in die SA eintreten, wenn auch nur fiktiv, denn wir machten unseren Dienst ja anderswo und trugen nie die schreckliche SA-Uniform, so weiß jedermann, daß ich doch besser in Ballaghadereen geboren wäre, nicht das Kölner Wappen, sondern besser eine Leier als Wasserzeichen für mein Briefpapier gewählt hätte. Umsonst bin ich Deutscher, vergebens Kölner, und wenn ich noch gestehe, daß ich nach dem Krieg den väterlichen Kaffeehandel übernahm und mich im Augenblick standhaft weigere, empört oder beunruhigt zu sein, wenn der Umsatz des soeben abgelaufenen Jahres sich als dreikommasieben Prozent weniger gesteigert erwies als der Umsatz des Vorjahres, der um vierkommaneun Prozent gegenüber dem des Vorvorjahres gesteigert werden konnte, dann wird einleuchtend, daß meine Schwäger recht hatten, wenn sie mir den Spitznamen »Gänseblümchen« gaben. Vergebens versuche ich die Nervosität meines Prokuristen durch Gratifikationen zu beruhigen. Meine Anspielungen auf den feurigen Wagen, der Elias in den Himmel entführte, versteht er nicht, sowenig wie die Tatsache, daß ich meiner dreijährigen Enkelin erlaube, mit unseren komplizierten und kostspieligen Buchungsmaschinen zu spielen; und wenn ich die Reparaturrechnungen dem Finanzamt aufbrumme, ist er empört, moralisch entrüstet, wie über die Tatsache, daß ich diese Errungenschaften der Wissenschaft als Weiterentwicklungen des Webstuhls bezeichne. Seine Befürchtung, es ginge »abwärts«, schreckt mich nicht. Wohin sonst sollte es gehen? Ich muß mich zurückhalten, wenn ich zum Leystapel hinunter, die Frankenwerft entlang gehe: mich nicht hineinzuwerfen in die dunklen Fluten des Rheins. Nur die Hand meiner Enkelin hält mich zurück und der Gedanke an meine Schwiegermutter. Was soll mir der Kaffeehandel, wo ich Teetrinker bin?

Mein Vater und mein Schwiegervater halten mich nicht zurück. Ihr Alter hat sie über eine neue Schwelle des Genießertums getragen, die so alt ist wie der Schutt, in dem sie wühlen. Sie sind »ganz mit Köln verschmolzen«, und nicht Weisheit, nur die geschwundene Potenz hindert sie daran, ihre kichernde Genüßlichkeit durch Venusfreuden zu vollenden. Der alte Bechtold, dessen proletarische Bravour mir einst imponiert hat, ist ganz soigniert geworden, und nicht nur die hechelnden Zungen, wenn die Alten aus ihrem Schacht hochsteigen, einen Stein oder eine bekritzelte Scherbe ans Tageslicht fördern, erinnern mich an Hunde. Ihr Kichern bestärkt in mir den Verdacht, daß wir nur Köder gewesen sind: Engel, Hildegard, ich, jeder ein Köder für jeden – und im Hintergrund muß immer jemand gekichert haben. Was mit uns geschah oder von uns getan wurde, paßte immer jemand: ob wir Kaffee abwogen, Fäkalien trugen, auf uns schießen ließen, lebten oder starben. Der Tod meiner Mutter paßte vorzüglich: den Bechtolds, mir, sogar meinem Vater, der ihre »Leiden nicht mehr mit ansehen konnte«; auch ihr, sie konnte die Visagen und Uniformen nicht ertragen, war nicht fromm und nicht unschuldig, nicht erfahren und nicht verdorben genug, in einer Kloake zu leben. Was der evangelische Pastor an ihrem Grab sagte, war so peinlich, daß ich es nicht wiederholen möchte. Gewisse Erscheinungsformen der Heuchelei übergehe ich mit himmlischer Höflichkeit. Wenn die Posaunen des Gerichts ertönen, werden die Engel ihm hoffentlich nicht alle Worte, die er in seinem Leben gesprochen hat, wie ein ganzes Gebirge aus Zuckerwatte in den Mund zurückwürgen.

Als er nach der Beerdigung meinem Vater und mir kondolierte, blickte er mißbilligend auf meine Zivilkleider, flüsterte streng: »Warum tragen Sie nicht das Kleid der Ehre?«, und dieser Bemerkung wegen erkläre ich ihn hiermit zur unsympathischsten Person dieses Erzählwerks, für weitaus unsympathischer als den Anführer, der uns im Kleid der Ehre den Schneckensegen erteilte. Dem Pfarrer hielt ich nur stumm meine schmutzigen Fingernägel hin, wie zum Appell. Das ist die einzige absichtliche Frechheit, der ich mich rühmen kann. Ich sah ihn erst zwanzig Jahre später als Onkel meines Schwiegersohnes bei der Trauung meiner Tochter wieder, hielt ihm wieder meine – diesmal sauberen – Fingernägel hin, und das war keine absichtliche Frechheit, sondern, wie jeder Psychologe weiß, nur eine simple Reflexbewegung. Er wurde knallrot, stotterte, als er weitersprach, lehnte unsere Einladung zum Frühstück ab, und mein Schwiegersohn ist mir heute noch böse, weil ich »die Harmonie des Tages« gestört habe.

Dieses Vor- und Zurückgreifen mag den Leser nicht nervös machen. Spätestens im siebten Schuljahr weiß ja jedes Kind, daß man das Wechsel der Erzählebene nennt. Es ist nichts anderes als der Schichtwechsel in der Fabrik; d. h.: bei mir sind durch diese Wechsel die Stellen markiert, wo ich meinen Bleistift neu spitzen muß, bevor ich weitere Striche und Punkte liefere. Man sieht mich hier als Einundzwanzigjährigen, als Dreiundzwanzigjährigen, wird mich als Fünfundzwanzigjährigen sehen, dann erst wieder als fast Fünfzigjährigen. Man sieht mich als Bräutigam, als Ehemann, dann erst wieder als Witwer und Großvater – fast zwanzig Jahre sind unbeschriebene Blätter, für die ich wohl einige dekorative Formen, aber keinerlei Inhalte liefern werde. Gehen wir rasch mit neugespitztem Bleistift auf die Ebene »Nachmittag des 22. September 1938, gegen Viertel nach fünf« zurück.

VI

Das Begrüßungslied ist verklungen, ich spüre Hildegards Tränen feucht auf Hals und Wangen, einige ihrer langen Haare liegen, lochnerblond, auf meinem weißen Hemd. Aus

der offenen Küchentür dringt der Geruch frisch aufgegosse-
nen Kaffees – wer wird mir einen Tee machen in diesem
Haus? –, frischgebackenen Rodons (anderswo Gugelhupf
geheißen). Durch die offene Schlafzimmertür sehe ich Anton Bechtolds Staffelei, auf der ein wüstes, ganz in Violett
und Gelb gehaltenes Malwerk eindeutig (für meinen Geschmack *zu* eindeutig) als eine auf violetter Couch ruhende
nackte Frau zu erkennen ist. Durch die andere offene Tür
erblicke ich einen ganzen Stapel Lederstücke, ungefähr
fünfzig mal achtzig Zentimeter groß, rotgelb, einen Schusterstuhl und eine in einem riesigen, als Teich mit Schwänen
aufgemachten Aschenbecher verqualmende Zigarre. Der
alte Bechtold hatte nach einem mißglückten Vergleichsver-
fahren und einem geglückten, aber nicht betrügerischen
Bankrott seinen Schuhmacherladen schließen müssen, betrieb jetzt im Wohnzimmer eine kleine Flickschusterei und
verdiente im übrigen »Brot kann man's nicht nennen, nennen wir's schlicht Luft« (Zitat von meiner Schwiegermutter)
als Ledervertreter.

Verlegenes Schweigen herrscht, wie es nach Wundern
wohl natürlich ist. Wenn hier einer gern fragen möchte:
»Woher wußten die Bechtolds, daß Sie kommen würden,
und wenn sie wußten, daß Ihre Mutter gestorben war – woran übrigens genau gestorben? –, wie konnte Engelbert
ihnen dann so rasch Nachricht zukommen lassen, daß der
Empfang für Sie so gut vorbereitet werden konnte?«, so
bleibt mir als einzig ehrliche Antwort jenes Achselzucken
des vollkommen Ahnungslosen, mit dem ich schon so manchen Frager zur Verzweiflung gebracht habe. Wenn ich gar
noch erkläre, daß das Lager jener Schicksalsgemeinschaft
mehr als dreihundert Kilometer von Köln entfernt und mitten in jenen Wäldern lag, aus denen die meisten der Grimmschen Märchen stammen; daß Engel permanente Ausgangs-
sperre hatte, die Bechtolds zwar gewußt haben müssen, daß
ich kam, aber nachweislich nicht wußten, daß meine Mutter
gestorben war – so kann ich nur auf englische Boten oder

tam-tam-artige Nachrichtenmittel verweisen; *ich* jedenfalls weiß keine andere Erklärung – und mitten in dieses verlegene Schweigen hinein sagte der alte Bechtold mit einer Kopfbewegung, die mich gruseln machte (sie erinnerte mich so an Schergenkopfbewegungen): »Am besten macht ihr's gleich mit ihm ab.« Ich wurde aus Hildegards Armen gerissen, in Richtung Staffelei weggeführt, eine Tür wurde hinter mir zugeworfen. Ich sah zwei unordentliche Betten, zwei Kommoden, ein Bücherregal mit verdächtig wenig Büchern (etwa sieben bis zehn), aber viel Malzeug, im übrigen aber etwa zwölf frische Malwerke, die alle einer von Anton gemalten Sündenserie entstammten (»Sünde bürgerlich, Sünde kleinbürgerlich, Sünde proletarisch, Sünde kirchlich« etc.). Ich wurde auf eine hölzerne Wäschekommode gedrückt, Johann gab mir einen ledernen Würfelbecher in die Hand und forderte mich auf, »auf dem Fußboden mein Glück zu versuchen«. Ich schüttelte den Würfelbecher, stülpte ihn auf den Boden – es war mein erstes und letztes Würfelspiel, und doch nickten Anton und Johann anerkennend zu meiner Technik. Ich warf zwei Fünfen und eine Sechs, was den rauchenden Johann veranlaßte, wütend mit seiner Zigarette in die Luft zu schnippen und »Scheiße« (Zitat!) zu rufen. Ich muß hier zur Ergänzung beifügen, daß diese beiden männlichen Bechtolds im Gegensatz zu Engel und ihrem Vater dunkelhaarig, klein, zäh waren und kleine Teufelsschnurrbärtchen trugen. Als ich, nachdem die beiden kümmerliche Zweien und Dreien gewürfelt hatten, schüchtern nach dem Einsatz fragte, wurde ich stumm aufgefordert, ein zweites Mal zu würfeln, und als ich dieses Mal zwei Fünfen und eine Vier warf, stießen die beiden düstere Worte aus, die ich mit der gleichen himmlischen Höflichkeit übergehe wie des Pfarrers Heuchelei. Gewisse Formen männlicher Offenheit in der Sexual-Terminologie sind mir so verdächtig wie Zuckerwatte, es sei denn, es handele sich wie bei Zuhältern um Berufsjargon. Ich war wohl auch wegen meines Umganges mit Zuhältern in diesem Punkt etwas verwöhnt, stilempfindlich: jedenfalls errötete ich nicht, was die beiden erwartet zu haben schienen. Ich schwitzte, spürte, daß der schlimme Geruch mir plötzlich wieder anhaftete, erfuhr aber erst, als ich auch die dritte Runde klar gewonnen hatte, worum hier gewürfelt wurde: wer von den drei Brüdern Bechtold das schwere Los auf sich nehmen sollte, in die SA einzutreten. Ich war ausersehen, stellvertretend für Engel den Würfelbecher zu schwingen. Dem alten Bechtold war von einem ehemaligen Schulkameraden, dem u. a. die Lederversorgung der SA-Stürme Köln Mitte-Süd, -West und -Nord oblag, angedeutet worden, er könne »mit einem beträchtlichen Auftrag rechnen, wenn sich wenigstens einer deiner Söhne entschließt, in unsere Reihen einzutreten«. Daß trotz Widerspruchs meiner Schwiegermutter einer eintrat, trotz meiner Würfelsiege Engel es war, der um Aufnahme in die SA bat, ich ihn dort nicht allein lassen wollte und gleichzeitig mit ihm um Aufnahme bat; daß wir beide unglückseligerweise angenommen wurden, obwohl unser oberster Anführer uns ein sehr schlechtes Zeugnis ausstellte, ich nicht einmal einen Taufschein vorweisen konnte – solche komplizierten Vorgänge zu erläutern oder gar glaubhaft zu machen, übersteigt meine Fähigkeiten: ich schlage für diese Seite des Malheftes ein wildes Bleistiftgewölle vor, das als stilisiertes Dickicht gelten mag. Wenn ich nun noch gestehe, daß ich jede, aber auch jede Kriegsweihnacht, wo immer ich sie auch verbringen mochte (eine verbrachte ich im Gefängnis), ein Päckchen mit einem halben Pfund Spekulatius, drei Zigaretten und zwei Printen geschickt bekam mit dem Absender »SA-Sturm Köln Mitte-Süd« und einem hektographierten Schreiben, das anfing mit »An unsere SA-Kameraden an der Front« und unterzeichnet war mit »Euer Euch mit seinen Wünschen begleitender Sturmführer«, so weiß jeder, daß ich mit Recht in die Kategorie der Nutznießer des Systems eingeordnet worden bin, wenn auch der alte Bechtold nie seinen Auftrag bekam und niemals auch nur eine Unze Leder an die SA verkaufte. Es ist bitter genug, Torheiten zu begehen, noch bitterer aber sind vergebliche Torheiten. Immerhin setzt mich dieses Geständnis in die Lage, für sechs meiner Lebensjahre einen saftigen Beitrag für die jeweilige Seite des Malheftes zu liefern: je einen viereckigen, etwa sechs mal acht Zentimeter großen Karton.

Ich will nicht versäumen, den außer meinem Vater, meiner Schwiegermutter und meinem Schwiegervater einzig Überlebenden des Jahres 1938 zu erwähnen: meinen Schwager Johann. Nach sündhafter Jugend ließ er sich im Krieg tatsächlich stählen und reinigen, kehrte, ganz der (katholischen) Religion seiner Väter zurückgegeben, als ehemaliger Feldwebel der Infanterie heim, studierte, promovierte, ergriff die ehrenwerte Laufbahn eines Textilkaufmanns (Dr. rer. pol.), tut heute seinen verstorbenen Bruder »als radikal linken Vogel« ab. Mich behandelt er mit Mißtrauen, weil der Makel der SA-Mitgliedschaft immer noch an mir haftet. Natürlich weigere ich mich aus himmlischer Höflichkeit, ihn an die Würfelszene im Schlafzimmer meiner Schwäger zu erinnern. Ich glaube, wenn ich ihn tatsächlich daran zu erinnern versuchte, würde er mich anblicken, als wäre ich ein Lügner.

Wenn ich weder meine Tochter noch meine Enkelin, nicht meinen Schwiegersohn noch meine Schwiegermutter als Überlebende oder einfach Lebende hier erwähne, so deshalb, weil ich mit ihnen noch etwas vorhabe. Ich werde sie in der Reihenfolge, in der sie mir sympathisch sind, auf den abschließenden Seiten dieses idyllischen Malheftes als Schlußsteine verwenden. Ich werde sie ein wenig behauen, stilisieren, auf daß sie sich einfügen und dekorativ wirken.

Wenn meine Schwiegermutter damals auf einer raschen Hochzeit bestand, geschah das nicht aus Berechnung, wenn sie mir auch immer wieder gesteht, wie froh sie war, ihre Tochter so gut unter die Haube zu bekommen. Es war ihre Sorge um Legalisierung und Sanktionierung von etwas, das sie »evidente Sinnlichkeit« und »dieses ewige Miteinander«

nannte. Sie gab auch offen zu, daß sie Angst vor »unehelichen oder verdächtig kurz nach der Hochzeit geborenen Enkelkindern« habe. Da ich großjährig war, die Fotokopiermaschinen im Zuge der Arier-Nachweis-Bewegung auf Hochtouren liefen, jede Urkunde rasch um geringen Preis zu beschaffen war (außer meinem Taufschein), gab's nach einer hastigen und tristen Beerdigung (meiner Mutter) eine hastige Hochzeit, von der sogar ein Foto existiert. Hildegard wirkt auf diesem Foto überraschend melancholisch, man kann die höhnisch grinsenden Gesichter meiner beiden Schwäger bewundern. Es gibt eine standesamtliche Heiratsurkunde mit Hakenkreuzen und Hoheitsadlern, in der ich als »Student der Philologie, zur Zeit Arbeitsmann« bezeichnet werde. Da unser Bund auf Hildegards Wunsch auch kirchlich gesegnet wurde, gibt es auch eine kirchliche Heiratsurkunde mit dem Stempel der Pfarre St. Johann Baptist. Ein Hochzeitsfrühstück gab's in der Bechtoldschen Wohnung (»Nein, das laß ich mir nicht nehmen, nein«), es wurde auch eine Quadrille und eine Polonaise improvisiert, bevor wir in das hastig gemietete möblierte Zimmer Nähe Chlodwigplatz (Monatsmiete 25 Mark) entlassen wurden, um eine Ehe zu führen, die etwa dreiundzwanzig Stunden hätte dauern dürfen, doch fast eine Woche dauerte. Wenn jugendliche und auch ältere Leser diese Dauer als zu kurz für eine Ehe halten, so erlaube ich mir darauf hinzuweisen, daß schon manche Ehe von zwanzigjähriger Dauer nicht eine Woche gedauert hat, und wenn die Tatsache, daß ich nicht schon am ersten Tag, sondern erst am siebten verhaftet und in eine (andere) Zwangsgemeinschaft geführt wurde, Mißtrauen gegen oder Verachtung für die damaligen Behörden erweckt, muß ich auf die Standhaftigkeit der Sippe Bechtold und meines Vaters verweisen, die uns als »mit unbekanntem Ziel verreist« erklärten. Wer uns wirklich verraten hat, ist nie herausgekommen. Ich wurde im Butter-Eier-Käse-Geschäft Batteux auf der Severinstraße verhaftet, als ich, immer noch in olivgrüner Hose, mit einem blauweißgestreiften Einkaufsnetz Butter und Eier (schon auf Marken) für unser Frühstück kaufte (die frischen Brötchen hatte ich schon im Netz), während Hildegard unser Zimmer aufräumte. Tumb, in eine Art glückseliger Zeitlosigkeit versunken, nahm ich die beiden Kerle in olivgrünen Uniformen, die mich plötzlich am Arm packten, für einen bösen Traum, die Schreie der netten Verkäuferinnen bei Batteux für Sympathiekundgebungen (was sie auch waren). Ich leistete Widerstand, stieß auch (gegen meine Gewohnheit) Schimpfworte aus, zeigte bei den späteren Verhören nicht nur keine Reue, sondern offenbar etwas, das in den Akten hübscherweise als »trotziger Stolz« vermerkt ist. Die restlichen Wochen, die ich in der Schicksalsgemeinschaft hätte verbringen müssen, verbrachte ich in Gefängnissen und Verliesen verschiedener Art, wenige Tage davon im Kölner Stadtgefängnis, aus dem heraus ich den schriftlichen Antrag auf Aufnahme in die SA stellte. Engel habe ich nie, Hildegard erst eindreiviertel Jahr später wiedergesehen. Wir durften ein paar zensierte Briefe wechseln; ein zensierter Brief ist für mich nie ein Brief gewesen, als Lebenszeichen lasse ich ihn gelten. Einige illegale Besuche, die Hildegard mir, ich ihr abstattete, kann ich nicht als Ehe, nur als Rendezvous bezeichnen. Inzwischen war ich, mit einem entsprechenden Dossier ausgestattet, von der einen in die andere Schicksalsgemeinschaft übergewechselt, führte noch einmal im Jahr 1940, als meine Tochter geboren wurde, fünf Tage Ehe, noch einmal vierzehn Tage im Anfang des Jahres 1941, nachdem ich von jener Kopfverletzung genesen war, die ein Franzose mir verschaffte, der allen Grund hatte, mich für seinen Feind zu halten. Ich lief nämlich in ihn hinein; als er nachts mit zwei Maschinengewehren, die aus der Waffenkammer meiner damaligen Schicksalsgemeinschaft stammen mußten, über die Straße lief. Ich bat ihn in bestem Oberinnenfranzösisch, mich doch nicht in eine Situation zu bringen, die mich zu Unhöflichkeiten – welche, wußte ich überhaupt nicht – zwingen könne, die Dinger einfach hinzuwerfen und

wegzulaufen, oder meinetwegen *mit* den Dingern so wegzulaufen, daß ich, ohne unhöflich zu sein, ihm folgen könne,
ohne ihn einzuholen, denn an Kampfhandlungen liege mir
nichts – aber er ließ mich gar nicht ausreden, schoß mir mit
seiner Pistole in den Kopf, ließ mich blutüberströmt auf der
Straße liegen und brachte mich in die peinliche Lage, »mich
überraschenderweise als Held zu entpuppen«, wie der Anführer der Schicksalsgemeinschaft es später nannte. Dieser
Zwischenfall ist mir äußerst unangenehm, ich erwähne ihn
nur aus kompositorischen Gründen.

Damit ist sowohl das Kriegs- wie das Ehethema erschöpft,
und es werden fortan nur noch die Rosendüfte des Friedens
herrschen. Notwendigerweise noch – aus quantitativen
Gründen – zu erwähnende Kriegs- und Nachkriegselemente
werde ich stilisiert bieten: entweder in Jugendstil, Spitzweg-
oder Makart-Manier. Sie werden jedenfalls in Epochen der
Kunstgeschichte zurücktransponiert, die sie postkartenreif
machen. Dem Krieg gegenüber empfinde ich nicht gerade
wie als Teetrinker gegenüber dem Kaffeehandel, eher wie
ein Fußgänger gegenüber den Autos.

VII

Als solcher – wie ein Fußgänger gegenüber den Autos –
biete auch ich hier in einem besonderen Abschnitt etwas
zeitgeschichtliches Material. Ich biete es roh, nackt, werde
nicht meinen Bleistift, nur meine Schere damit befassen. Mag
jeder damit oder draus machen, was er will: für seine Kinder
Ornamente herausschneiden oder sich die Wände damit
tapezieren. Das Material ist auch nicht lückenlos, sondern
sehr lückenhaft; wer will, mag sich einen Papierdrachen zu-
sammenkleben und es hoch in die Lüfte steigen lassen oder
sich mit der Lupe darüberbeugen und die Spuren der Fliegen
zählen. Vergrößert oder verkleinert: das Material, das ich
biete, ist echt; was einer damit anfängt, geht mich nichts an.
Vielleicht eignet es sich gut, eine Art Trauerrand um die

Seiten des Malheftes daraus zu kleben. Ich nahm das alles damals zwar wahr, aber nicht für wirklich – und so überlasse ich es jedem, sich seine eigene Wirklichkeit daraus zu bilden.

In Aachen fand das erste Reichsschachturnier der NSG »Kraft durch Freude« statt. Ein gewisser John verteidigte sich dort französisch, ein gewisser Lehmann damenindisch, Zabienski holländisch. Ein gewisser Tiltju schlug einen gewissen Rüsken, der mit seiner sizilischen Verteidigung nicht zum Zug kam.

In London trafen sich deutsche und englische Frontkämpfer und drückten ihren gemeinsamen Wunsch, ihre Sehnsucht nach einem *wirklichen* Frieden aus.

In Berlin tagten Tierpsychologen. Es wurde während dieser Tagung festgestellt, daß die Tierpsychologen Bundes-, Kampf- und Arbeitsgenossen der Menschenpsychologie seien. Besonders nachdrücklich sprach ein Professor Jaensch zur Psychologie des Haushuhns und sagte, manche Probleme der Menschenpsychologie könnten von der Psychologie des Huhnes sehr stark gefördert werden, weil im Weltbild des Huhnes der Gesichtssinn ebenso das Leitende sei wie im Weltbild des Menschen. Das Huhn – sagte er – sei das Haustier des Psychologen, während man das Kaninchen als das Haustier des Physiologen bezeichnen könne.

Gleichzeitig fand in Berlin ein Kongreß für Heizung und Lüftung statt, in dessen Verlauf einige Lüftungsgrundsätze sowie die Lüftungsregeln des VDI eingehend besprochen wurden.

Bombenstimmung wie noch nie versprach in Köln ein Lokal, das sich Zillertal nannte. Millowitsch spielte »Das Ekel«, das Schauspielhaus »Der Widerspenstigen Zähmung«.

In Köln auch trafen an diesem Tag fünfunddreißig Hitler-Urlauber ein, die von irgendeinem Präsidenten herzlich begrüßt und drauf hingewiesen wurden, daß in diesen Tagen die Augen der ganzen Welt auf das Rheinland gerichtet seien.

Natürlich ging auch damals in Europa die Zahl der Geburten zurück.

Die Kameraden des ehem. I. R. 460 und der 237. I. D. kündigten ihr nächstes Treffen an. Im Salzrümpchen an der Rechtschule.

Was den Fußball betrifft, so stellte sich an diesem Tag die große Frage: Behaupten sich die Tabellenführer?

In einer flott geschriebenen Reportage wurde über den Fortgang der Befestigungsarbeiten im Westen des Reiches geschrieben:

Da wir um die Ecke biegen, nähert sich auch schon die von zwei kräftigen Pferden den Berg heraufgezogene dampfende Feldküche. Es riecht nach Sauerkraut und Wellfleisch.

Es ist nicht leicht, einen bestimmten Platz zu finden. Alles ist noch so neu hier. Niemand kann hier Auskunft geben. Denn der Arbeitsmann kennt nichts von der weiteren Umgebung. Er weiß seinen Arbeitsplatz, er weiß den Weg zu seinem Lager. Das genügt ihm. Jeder gibt auch nur ungern und zögernd Auskunft. Alle haben ein gesundes Mißtrauen.

Überall sind Lager, eine ganze Menge von ihnen haben wir schon an unserem Weg gelassen, aber wir wollen dahin, wo gestern Dr. Ley gewesen ist.

Dort drüben ist ein Gemeinschaftslager im wahrsten Sinne des Wortes. Männer aus allen deutschen Stämmen haben sich hier zusammengefunden: aus Mecklenburg, aus Pommern, Hamburg, Westfalen, Thüringen, Berlin und auch aus »Köln« eine stattliche Zahl. Wir wissen es aus dem Krieg, daß da immer Humor und gute Stim-

mung waren, wo in einem Truppenteil ein paar Kölner sich befanden. So ist es auch hier. Aber davon hängt es allein nicht ab. Die gute Stimmung hier, sagt der Chefkoch, ist das beste Zeichen dafür, daß die Leib- und Magenfrage gut geregelt ist. Wir glauben ihm das aufs Wort, denn der Rest des Mittagessens, das für uns übriggeblieben ist, schmeckt vorzüglich. Die Arbeitsfront hat die Verteilung der Lebensmittel in der Hand, sie beaufsichtigt diese Dinge genauso wie die ideelle Betreuung der Arbeitsmänner, und man muß zugeben, daß alles nur menschenmögliche getan wird. Jeder Mann bekommt je Tag: 125 Gramm Fleisch, 750 Gramm Kartoffeln, 250 bis 500 Gramm Gemüse je nach der Sorte, 750 Gramm Brot, 83 bis 70 Gramm Butter, 125 Gramm Wurst, Käse oder etwas Derartiges, außerdem zusätzlich Schokolade, Zigarren, Zigaretten oder Konserven.

Der Filmwagen ist dauernd unterwegs, in den Lagern ist für Rundfunk gesorgt, Büchereien sind vorhanden, Schach- und andere Gesellschaftsspiele, auch Sportgeräte.

Wir haben es doch mit eigenen Augen gesehen: unsre Front im Westen steht. Deutsche Arbeit steckt in diesem Werk. Es ist das ganze deutsche Volk, das sich hier einen Schutzwall baut.

Mit KDF nach Griechenland und Jugoslawien. Fünf Ozeanriesen fahren 1938/39 nach dem Süden. Die NS-Gemeinschaft »Kraft durch Freude« hat für den kommenden Winter 1938/39 ein Programm von Mittelmeerreisen aufgestellt, das alles bisher Dagewesene übertrifft.

Ein Oberst im Generalstab mit dem Namen Foertsch veröffentlichte eine grundsätzliche Betrachtung über den Sinn der Reserveübung. Er gab in nüchternen Worten zu bedenken, daß die *personelle Wehrkraft* eines Volkes vor allem in den ausgebildeten Reserven liege. Gewisse negative Augenblicksstimmungen bei denen, die zum Wiederholungsdienst aufgefordert würden, sagte er, würden schnell verflogen sein, wenn sich jene Erkenntnis wieder eingestellt habe, die am Heldengedenktag 1935 das ganze Volk *einmütig* aufatmen ließ, als es die Wiedereinführung der Wehrpflicht vernommen habe. Die Erkenntnis des *Sicherungsbedürfnisses* des Staates und der *Opferwille der Nation*, das seien die Pole, zwischen denen das Ausmaß für die Durchführung der Sicherung zu suchen sei. Wenn eine ganze Generation, so schrieb er weiter, vier Jahre eines unbeschreiblichen Heldenkampfes durchführen konnte, dann nur deswegen, weil dieser Generation vier Wochen Übungszeit auch in der Reserve nicht zuviel gewesen seien.

Das Amt für Rechtsberatungsstellen der DAF gab eine Entscheidung des Reichsarbeitsgerichts bekannt (Nr. 154/37), worin sich das Reichsarbeitsgericht mit der fristlosen Entlassung als Folge der *Ablehnung des Beitritts* zur DAF befaßt. Das Amt für Rechtsberatungsstellen stimmte dieser Entscheidung – daß fristlose Entlassung die Folge der Weigerung sein müsse – zu. Eine *fristgemäße* Kündigung wegen Nichtmitgliedschaft zur DAF werde ohnehin schon lange als unangreifbar erachtet, darüber hinaus sei auch eine *fristlose* Entlassung zulässig, wenn der Nichteintritt aus gemeinschaftsfeindlicher Einstellung zu erklären sei.

Ausschneiden · Aufbewahren · Aufkleben

Jedes Haus muß für die Brandbekämpfung im Luftschutz vorbereitet sein und mindestens über einfache Luftschutzgeräte verfügen.

1. Wassereimer in möglichst großer Zahl.
2. Wasserfaß mit mindestens 100 Liter Inhalt.
3. Feuerpatsche zum Ausschlagen der Flammen und Bekämpfung schwer erreichbarer Brandherde. Sie besteht aus einer Stange mit einem Stück Tuch, das vor Gebrauch ins Wasser getaucht wird.
4. Sandkiste mit mindestens ¼ Kubikmeter Sand oder Erde und einfacher Sandschaufel (z. B. Kohlenschaufel)
   oder

5. Schippen, Spaten, Schaufel.
6. Äxte und Beile.
7. Einreißstange (Holzstange mit Stahlhaken).
8. Leine (lange, kräftige Wäscheleine).

Solche Geräte sind größtenteils in den Haushalten vorhanden oder können ohne besondere Unkosten hergestellt werden. Bei Aufruf des Luftschutzes müssen die Geräte nach den Anweisungen des Luftschutzwartes im Treppenhaus verteilt aufgestellt werden.

Wetteraussichten: Bei schwachen bis mäßigen, um Süd drehenden Winden morgens stärker dunstig, sonst heiter, zeitweise wolkig und mäßig warm. Weitere Aussichten: Trocken und freundlich. An der Grenze zwischen subtropischer Warmluft und milder Meeresluft kam es gestern über dem nordwestlichen Frankreich und dem Kanalgebiet zu Niederschlägen. Diese schwache Störungslinie vermochte jedoch nicht, ihren Einfluß wesentlich nach Osten auszudehnen. Infolge allgemeinen Druckanstiegs über West- und Mitteleuropa konnte anderseits das osteuropäische Hochdruckgebiet weiter nach Westen vorgreifen. Die atlantische Störungstätigkeit, die sich heute morgen durch einen Sturmwirbel zwischen Irland und Neufundland kenntlich macht, wird vorerst auch für Westdeutschland nicht wetterwirksam.

Höchsttemperatur: 23,3 Grad, Tagesmittel: 19,2 Grad, Tiefsttemperatur der letzten Nacht: 15,4 Grad. Keine Niederschläge.

Ein Bildhauer legte Wert darauf, der Öffentlichkeit mitzuteilen, daß ein Adler-Hoheitszeichen, das im Auftrag des Heeresbauamts für ein Stabsgebäude entworfen, von einer altbewährten Kunstschlosserei erstellt wurde – von *ihm* aber entworfen worden war.

Um auch nichtrheinischen Lesern Einblick in damalige Mutter-Poesie zu geben, übersetze ich ein plattkölsch ge-

schriebenes Gedicht aus jenen Tagen in halbwegs annehm-
bares Hochdeutsch:

Junge, sieh dich in der Welt um,
es kann dir nichts schaden,
Mutter ist nicht traurig darum,
all deine Kameraden

sind längst aus dem Elternhaus,
sind nach Süden, nach Westen,
Mutter macht sich nichts draus.
»Junge, du warst der beste.

Wie es dir auch draußen geht,
nie darfst du vergessen,
wo dein Heimathäuschen steht,
und daß ich dich vermisse.«

Wie tapfer doch so eine Mutter ist,
tapferer als tausend Mann.
Dabei ist es ganz gewiß,
daß sie, wenn du draußen bist,
froh ist, wenn sie weinen kann.

Daß der Weltkongreß der Friseure in Köln angekündigt
wurde, daß zwanzig Nationen ihre Teilnahme zugesagt hatten, daß zum erstenmal die Weltmeisterschaft der Friseure
ausgetragen werden sollte, ein Wettbewerb um den von
Dr. Ley gestifteten Wanderpreis angekündigt wurde – wird
alle Bewohner wenigstens der Stadt Köln mit berechtigtem
Stolz erfüllen.

Wenn ich hier noch von gewissen Aktivitäten des Kanin-
chenzüchtervereins in Bergisch-Gladbach berichte, so geschieht das nicht, um diese redlichen Menschen dem Spott
auszuliefern. Auch nicht irgendwelcher Kompositionsüber-
legungen im Zusammenhang mit dem oben erwähnten Kongreß der Tierpsychologen wegen, sondern aus einem gewissen Gerechtigkeitsgefühl, und besonders, weil einige

meiner Freunde in diesem Städtchen wohnten. Der Kaninchenzüchterverein Bergisch-Gladbach kündigte seinen alljährlichen Familienausflug an, der diesmal ins Blaue führen sollte. Freunde und Gönner waren herzlich eingeladen, sich dem zu erwartenden Frohsinn nicht zu verschließen.

Daß fürs selbe Städtchen die Krieger- und Landwehrkameradschaft ihren Monatsappell ankündigte, die Ortsverwaltung der NS-Gemeinschaft Kraft durch Freude fröhliche und genußreiche Stunden versprach, erwähne ich nur der Vollständigkeit halber.

Noch einige Kleinigkeiten muß ich hier erwähnen, vorsichtshalber, denn obwohl sie »jedes Kind weiß«, besteht Grund zu der Annahme, daß nicht jeder Erwachsene sie weiß, und so notiere ich eben vorsichtshalber noch einmal, was »jedes Kind weiß«:

Daß in den Wochen um den 22. September herum, vielleicht gar an diesem Tag, im Kaiser-Wilhelm-Institut in Berlin-Dahlem jener neue Typus von Kernreaktionen entdeckt wurde, der uns allen bekannt ist. Wenige Monate später wurden mit aller Vorsicht, die der Wissenschaft eigen ist, die ersten Forschungsberichte publiziert, und wieder einen Monat später wußten die Kernphysiker in der ganzen Welt, daß die Atombombe technisch möglich war, ein neues Zeitalter sich ankündigte.

Daß an diesem Tag, dem 22. September 1938, der englische Premierminister Neville Chamberlain in Bad Godesberg eintraf, um über die sogenannte Sudetenkrise zu beraten, weiß nicht nur jedes Kind, fast schon jeder Säugling, ich wiederhole, bekräftige es hier nur für Erwachsene. *Als Chamberlain*, so schreibt ein Chronist jenes denkwürdigen Tages, *von Köln kommend eintraf, blickte er mit sichtlicher Freude aus seinem Fenster in das sonnenüberglänzte Rheintal hinaus und äußerte seine volle Zufriedenheit über die Wahl dieser sinnbildlich*

freien Aussicht. Er ließ sich mit jenem freundlichen und offenen
Lächeln fotografieren, das durch seinen kühnen Flug gewissermaßen
über Nacht in der ganzen Welt berühmt wurde.

VIII

Meine dreijährige Enkelin nennt mich nie Großvater, immer
nur Du oder Wilhelm; wenn sie mit anderen über mich
spricht, sagt sie »er hat« oder »Wilhelm hat«. So bin ich nie
gefaßt, wenn sie mich nach ihrer Großmutter fragt. Ich erzähle ihr dann, während wir am Leystapel, der Frankenwerft
entlang bis weit ans Kaiser-Friedrich-Ufer und zurückspazie-
ren (langsam, ich bin schwach auf den Beinen), von Anna
Bechtold, meiner Schwiegermutter: wie sie ihrer Händel mit
den Feldjägern wegen im Siegburger Zuchthaus saß, zweimal ausbrach, einmal sich bis Gremberghoven, das andere
Mal bis Köln-Deutz durchschlug, beide Male geschnappt
wurde. Ich mache das balladesk auf, erzähle es im Ton einer
Schinderhannes-Saga, lasse die niedersausenden Bomben
heulen, Granaten krachen, schildere die Feldjäger in ihrer
vollen abschreckenden Martialität. Dann zerrt die kleine
Hilde mir ungeduldig an der Hand, macht mich darauf aufmerksam, daß sie nicht von ihrer Urgroßmutter, sondern
von der Großmutter erzählt haben will. Ich klettere genea-
logisches Geäst hinauf und hinunter, bis ich den entsprechenden Zweig erreicht zu haben glaube, und erzähle ihr
von Katharina Berthen, der Mutter ihres Vaters, meines
Schwiegersohns, einer Dame, die ich möglichst meide, obwohl sie eine Schönheit, mir gleichaltrig ist und seinerzeit
Bestrebungen im Gange waren, mich mit ihr zu verkuppeln:
sie erinnert mich zu sehr an die neckische Schar meiner
Kusinen, deren Pfänderspiele mir in düsterer Erinnerung
sind, düsterer als das professionelle Liebesgemach jener
Dame Hertha, mit der ich so oft, wenn auch nicht in eigner
Sache, Briefe gewechselt hatte. Die ungeheuerliche Mattig-
keit professioneller Lasterhaftigkeit, nach fünf Berufsjahren

fast schon wieder etwas wie Unschuld. (Ist er wirklich tot?
Ja. Mit eigenen Augen gesehen? Ja. Wo? Ach – kein ge-
dämpfter Trommelklang. Und er aß so gern Karamelpudding.) »Natürlich, die Berthen entstammen einer ururalten
Kölner Familie, schon im . . .« Nein, mit beiden Händen
zerrt sie an meinem Arm wie an einem Glockenseil. Großmutter, das ist Hildegard. Es ist nicht leicht, sich vorzustellen, daß es jemand gibt, der an Hildegard als an seine Großmutter denkt. Was kann ich von ihr erzählen? Nichts. Daß
sie blond war und sehr lieb, Gardinen so gern hatte wie
Bücher und Geranien; daß sie bei Batteux immer mehr Eier
bekam als ihr zustanden? Wer vermag Unschuld zu schildern? Ich nicht. Wer vermag der Liebe Glück und Wonnen
zu schildern? Ich nicht. Soll ich meiner dreijährigen Enkelin
Hildegard wie einer Musterungskommission vorführen:
sauber gewaschen und nackt? Ohne mich. Etwa drei Dutzend Frühstücke einzeln aufführen? Ich nicht. Einem dreijährigen Kind zu erklären, was Entfernung von der Truppe
ist, ist gar nicht so schwer, aber von *welcher* Truppe, das
traue ich mir nicht zu. Daß Menschwerdung dann beginnt,
wenn einer sich von der jeweiligen Truppe entfernt, diese
Erfahrung gebe ich hier unumwunden als Ratschlag an spä-
tere Geschlechter. (Nur vorsichtig sein, wenn geschossen
wird! Es gibt Idioten, die zielen und treffen!) Meiner Enkelin
gegenüber beschränke ich mich auf eine Spitzweg-Variation:
eine hübsche junge Frau beugt sich aus ihrem Dachstübchen
auf die Fensterbank hinaus, begießt mit einer gelben Gieß-
kanne ihre Geranien. Im Hintergrund steht Dostojewskis
»Idiot« neben »Palma Kunkel«, den Grimmschen Märchen
und »Michael Kohlhaas« im Küchenschrank zwischen zwei
Porzellantöpfchen, auf denen REIS und ZUCKER zu lesen ist,
vor dem Schrank ein Kinderwagen, in dem ein Säugling
brabbelt, dem jemand (ich! ich schlage mir reuevoll an die
Brust!) aus Koppelschlössern und Hanfschnur eine Rassel
gemacht hat. Auf den Koppelschlössern könnte man mit
dem Fernglas des Schnüfflers einen von Ähren flankierten

Spaten erkennen. (War das meine Mutter? Ja.) Wenn ich statt Leystapel und Frankenwerft Holzmarkt und Bayenstraße als Spazierweg wähle, mich dann in die Allee am Ubierring drängen lasse, zerrt kindliche Beharrlichkeit mich unerbittlich in die Straße hinein, deren Namen ich einmal preisgab, deren Lage ich einmal verriet. (Wo stand das Haus? Da. Wo war euer Zimmer? Ungefähr da. Wieso ist meine Mutter nicht von der Bombe getroffen worden? Sie war bei der Großmutter. Du meinst Urgroßmutter? Ja.) Feierlich verspreche ich, was ich zu halten gedenke: ihr aus dem Idioten, aus Michael Kohlhaas und Palma Kunkel vorzulesen. Aus den Grimmschen Märchen habe ich ihr schon vorgelesen. Unsere Spaziergänge Richtung Bayenstraße enden meistens bei der Urgroßmutter. Es wird Kaffee getrunken (nicht von mir), es wird Kuchen gegessen (Rodon, der anderswo Gugelhupf heißt, nicht von mir), es werden Zigaretten geraucht (nicht von mir), Rosenkränze gebetet (nicht von mir). Ich verschränke währenddessen meine Hände auf dem Rücken, gehe ans Fenster, blicke aufs Severinstor. Wenn irgendwelche Flugzeuge über der Stadt erscheinen oder – wie die Zeitungen es so hübsch nennen – über diese hinweghuschen, überfällt mich jenes plötzliche, fast epileptische Zucken, das meine Gesundheit so umstritten macht, und spätestens hier weiß jeder, was kluge Leser längst heraushaben: daß ich Neurotiker bin. Diese Anfälle dauern oft lange, auf dem Heimweg fange ich an, die Beine nachzuschleppen, mit den Armen zu zucken. Neulich erklärte eine Mutter ihrem etwa fünfzehnjährigen Sohn, indem sie mit dem Finger auf mich zeigte, laut und vernehmlich: »Siehst du, das ist ein echter Parkinson« – was ich nicht bin. Daß ich manchmal beim Anblick von Baggern ins gleiche Zucken verfalle, vor mich hinflüstere »Arbeit macht frei«, veranlaßte neulich einen jungen Mann, hinter mir herzusagen: »Auch so einer.« Da ich – eine Folge der Kopfverletzung – auch noch stottere und nur Gesungenes mir glatt von den Lippen strömt, und was böte sich zum Singen

Geeigneteres als der Vers »Deutsche Frauen, deutsche Treue, deutscher Wein und deutscher Sang«, bleibt mir ohnehin manches »Auch so einer!« nicht erspart. Ich bin daran gewöhnt. Die meistens schmutzigen Fingernägel bei sauberen Händen, die Tatsache, daß ich keine Kriegsbeschädigtenrente beansprucht habe, also keinen Ausweis besitze, der die Herkunft meiner offensichtlichen Lädierungen bescheinigt, bringt mir zusätzliche »Auch so einer« ein. Hartnäckig verweigere ich diesen Tribut an den gesunden Menschenverstand.

Ratschläge nehme ich nur von meiner Schwiegermutter hin. »Du mußt dich rasieren. Kümmere dich mehr ums Geschäft. Ärgere dich nicht über diesen Berthen, den deine Tochter leider geheiratet hat. Näht dir denn keiner Knöpfe an? Komm her!«

Tatsächlich: im Nähen bin ich ungeschickt, und ich liefere gern ins Malheft für alle meine Lebensjahre zwischen einundzwanzig und achtundvierzig noch je ein Dutzend abgerissener Knöpfe, runde und längliche. Die runden mag der Leser so beliebig verwandeln und kolorieren wie die länglichen. Wenn ihm der Sinn danach steht, darf er die runden in Gänseblümchen oder Kamillenblüten verwandeln, er kann sie auch zu Münzen oder Uhren machen, zu Vollmonden, von oben gesehenen Zucker- oder Steckdosen, alles, was rund ist, sei seiner Phantasie als Knopfvariation erlaubt. Er kann Parteiabzeichen draus machen, SOS-Plaketten. Die länglichen Knöpfe, wie sie an Dufflecoats und einschlägigen Kleidungsstücken immer viel zu lose angenäht sind, eignen sich gut zur Verwandlung in Weinbrandbohnen, Halbmonde, Vanillekipferl oder Kommas, Christbaumschmuck oder Sicheln. Für jedes Lebensjahr bis 1949 rücke ich großzügig je ein Dutzend runder, für jedes Lebensjahr nach 1949 je ein halbes Dutzend runder und länglicher Knöpfe heraus und gebe noch einige abgerissene Reißverschlüsse drein, die sich vorzüglich zur Verwandlung in Dornengestrüpp oder Stacheldraht eignen. Winzige Hemdknöpfe – leider nur runde – streuen wir einfach noch – wie Zucker auf den fertigen Kuchen – ein paar Händevoll hinterdrein. Strumpflöcher, Hemdenlöcher, auch sogenannte Fünfen sind reichlich vorhanden, für Schnüffler besonders geeignet, denn wie jedes Kind weiß (ich sag's hier nur nochmal für Erwachsene, deren Gedächtnis so schwach ist), ist nichts so archäologieträchtig wie ein Loch. Ein Witwer, wie ich es bin, der sich immer so standhaft geweigert hat, Nähversuche zu machen, wie er sich standhaft geweigert hat, seine Schuhe zu putzen, hat Löcher genug zu bieten. Neulich sagte mir einer der wenigen Schuhputzer, die hier aufzutreiben sind, in vorwurfsvollem Ton: »Was ein gepflegter Schuh ist, scheinen Sie auch nicht zu wissen.« Sicher war er einmal Spieß, und erziehen müssen die Deutschen ja immer. Meine Schwiegermutter erzieht mich nicht, sie zupft nur an mir herum, nimmt Flusen vom Mantel, rückt meine Schultern gerade, indem sie die Wattebäusche in Rock und Mantel »zur Fasson bringt«, sie bückt sich, um meine Schuhriemen (nicht zu lösen, sondern) festzuziehen und einzustecken. Sie setzt mir den Hut auf, rückt ihn so, wie sie es für schick hält (damit meint sie, was in den Zwanzigern schick war), bricht unverhofft in Tränen aus, umarmt mich, küßt mich auf beide Wangen und behauptet, ich sei ihr immer mehr Sohn gewesen als alle ihre Söhne, außer Engel natürlich, »der viel mehr als ein Sohn war«. Ihren Sohn Johannes bezeichnet sie schlicht als »Miefer«, ihre Schwiegertöchter als »überflüssige Belästigung«, und ihren Mann als »abtrünnigen Proleten«, der, seit er sich auch noch einen Pudel zugelegt hat (gelbes Halsband, gelbe Leine), für sie vollkommen erledigt ist. »Wenn wir geschieden wären, könnten wir nicht geschiedener sein.« Und wenn sie hinzufügt: »Du bist immer noch von der Truppe entfernt«, dann weiß ich, was sie meint.

Hin und wieder lade ich sie zum Essen ein, spendiere ihr anschließend eine Taxifahrt durch Köln, um ihr so recht vor Augen zu führen, wie man eine zerstörte Stadt zerstören kann. Ich lasse mir Essen (sie hat einen gesegneten Appetit und weiß »was Gutes« zu schätzen) und Taxifahrt quittieren, schreibe auf die Quittung »Besprechung unter Geschäftsfreunden«. Mein so moralischer wie genauer Prokurist bekommt dann jedesmal eine kleine Gallenkolik, erstens, weil es heißen muß *mit* statt *unter*, zweitens, »weil es überhaupt unkorrekt ist«. Neulich im Taxi sah mich meine Schwiegermutter mit ihren dunklen Augen »durchdringend« an und sagte: »Weißt du, was du wirklich tun, was du anfangen könntest?« »Nein«, sagte ich beunruhigt. »Du könntest dein Studium wieder aufnehmen«, sagte sie. Und es gelang ihr somit, mich zum erstenmal seit achtzehn Jahren zum Lachen zu bringen, auf eine Art, die ich ohne jede Einschränkung als herzhaft bezeichnen möchte. Zum letztenmal lachte ich so herzhaft, als mich ein amerikanischer Leutnant als »focken German Nazi« bezeichnete. Wahrscheinlich haben beide recht (gehabt): meine Schwiegermutter und der amerikanische Leutnant. Ich sang damals mit halblauter Stimme vor mich hin, was ich jetzt fast schon zwanghaft oft vor mich hinsinge, besonders, wenn ich auf der Reichard-Terrasse sitze: »Deutsche Frauen, deutsche Treue, deutscher Wein und deutscher Sang . . .«

Manchmal sitzen wir auch miteinander auf der Reichard-Terrasse, und ich lasse sie, ohne Kommentare zu erwarten, zu geben oder gar Trost anzubieten, still vor sich hinweinen, über ihre verstorbenen Kinder und die Tatsache meditieren, daß keins ihrer toten Kinder auf einem Friedhof Ruhe gefunden hat. Kein Grab zu schmücken, nicht Traum und Täuschung jener sanften blumengeschmückten Stille, die Friedhöfe für Romantiker (wie mich) so anziehend macht, für Neurotiker (wie mich) zu wahren Sanatorien, wo sie unter Bäumen und Büschen im Anblick Unkraut jätender Witwen (merkwürdigerweise gibt es kaum Unkraut jätende Witwer) über die Vergänglichkeit des Menschen in seinem Gebein meditieren.

Just in front of the cathedral, auf der Terrasse des Café Reichard, habe ich allen Grund, mir zu wünschen, ich stünde auf dem Marktplatz von Ballaghadereen und könnte dort auf den nächsten Zirkus warten, der in etwa acht Monaten kommen wird.

Wenn meine Enkelin mich fragt, warum ihre Urgroßmutter denn weine, ist sie den Kellnern und deren Kundschaft, denen eine »merkwürdig angezogene, weinende alte Frau« peinlich ist, näher als uns, rückt uns mit einer solchen Frage in die Kategorie der Neandertaler. Meine Tochter und mein Schwiegersohn »weigern sich glatt«, mit uns auszugehen. Meine Tochter hat noch Respekt genug, die Gründe für diese Weigerung nicht zu analysieren, aber mein Schwiegersohn bezeichnet uns als »irgend etwas zwischen Schwachsinn und Assozialität«. Die Enkelin hat noch jene Unschuld, die uns für sie gesellschaftsfähig macht. Wollte ich ihre Frage beantworten und ihr erklären, daß hier zwei oder drei Meter von uns entfernt einer ihrer Großonkel erschossen worden ist, sie würde mir weniger glauben als ihren beiden Urgroßvätern, die ihre Ausgrabungsergebnisse so genau zu datieren wissen. Wollte ich ihr gar erklären, daß es Menschen gibt, die an Gräbern, an Hinrichtungsstätten weinen, besonders dann, wenn einer der Hingerichteten ihr Sohn war, so würde wahrscheinlich sogar die Kleine schon wissen, daß solche Gefühlsäußerungen nur auf Komplexen oder Ressentiments beruhen. Nicht einmal der Hinweis auf die heilige Maria, die am Kreuz geweint haben soll, würde meine Schwiegermutter vor solchen Vokabeln, die Erschießung meines Schwagers Anton vor irgendwelchen FilmAssoziationen retten. Nicht weil, sondern obwohl sie katholisch erzogen wird, ist auch die Kleine nicht mehr zu retten. Sie wird ihre Religion wie ein Spezialparfüm tragen, das in einigen Jahren Seltenheitswert haben wird.

Während meine Schwiegermutter leise vor sich hinweint, ihre Tränen mit einem viel zu großen Taschentuch trocknet, meine Enkelin Eis ißt, denke ich mir einen echt brasilianisch klingenden Namen für unsere Rechnung aus, die ich meinem gewissenhaften Prokuristen als Steuerbeleg auf den Schreibtisch zu legen gedenke. Ich schwanke zwischen Oliveira und Espinhaço, die ich hiermit zu Kaffeepflanzern oder Großhändlern ernenne und mit denen geschäftliche Besprechungen gehabt zu haben ich jederzeit beschwören werde. Ich werde den Schwurfinger heben, Oliveira oder Espinhaço aktenkundig machen. Wahrscheinlich werde ich ihm noch eine Margarita oder Juanita anhängen, der Blumen ins Hotel geschickt zu haben ich auch beschwören werde.

Muß ich, da ich schon bekannt habe, Teetrinker zu sein, mich noch dazu äußern, was mir der Kaffeehandel bedeutet? Nichts natürlich. Ich spüre nicht die geringste sittliche Bindung an diesen Geschäftszweig. Ich unterschreibe ungesehen alles, was mein Prokurist mir hinlegt. Hin und wieder nehme ich – notgedrungen – an Besprechungen teil mit Pflanzern, Großhändlern, Bankiers, und selbstverständlich habe ich für diese Zwecke im Schrank hängen, was man einen »schwarzen Anzug« nennt. Mein Stottern und mein nervöses Zucken wirken nicht nur attraktiv, sondern geradezu vornehm. Sie geben mir das Air einer gewissen Dekadenz, die durch die Tatsache, daß ich ostentativ Tee trinke, verstärkt wird. Auch nur andeutungsweise private Gespräche schneide ich mit einer kurzen Handbewegung und mit einer Miene ab, die das Beiwort angewidert verdient. Vertraulichkeiten sind mir immer unangenehm gewesen, und das »Menschlichwerden« erinnert mich zu sehr an Unmenschlichkeit. Mein Schwiegersohn, der an diesen Besprechungen teilnimmt, meinen Stil einerseits natürlich bewundert, andererseits aber (aus verständlichen Gründen) haßt, blickt mich dann an, als wäre ich eine ausgegrabene Statue, die sich überraschenderweise zu bewegen beginnt.

Bald werde ich ganz zu meiner Schwiegermutter ziehen, wahrscheinlich auch ihrem genialen Rat folgen, »meine Studien wieder aufzunehmen«. Ich muß nur noch abwarten, bis die Übergabe des Geschäfts an meinen Schwiegersohn rechtlich und faktisch vollzogen ist. Er selbst hat mich gewarnt, mir nahegelegt, die einzelnen Paragraphen unseres

Vertrages genau durchzulesen »und nicht auf eine Humanität zu vertrauen, die es im Geschäftsleben einfach nicht gibt«. Dieser Hinweis ist fast human, auf jeden Fall gewissenhaft, und da ich gewissenhaften Menschen, die keinen Stil haben, mißtraue, werde ich den Vertrag mit Vorsicht studieren. Der alte Bechtold hat sein Zimmer schon längst geräumt, doch es liegen dort noch Lederproben umher, und sein Schusterstuhl steht noch da (er hat ihn bei fünf Umzügen mitgeschleppt), obwohl er von dem Tag an, da ich mit seinen Söhnen um den Eintritt in die SA würfelte, keinen Schuh mehr repariert hat. Das Zimmer soll noch neu tapeziert, meine Möbel müssen noch aufgestellt werden. Für unser Zusammenleben hat Anna Bechtold ein Programm aufgestellt: »Von der Truppe entfernt studieren.« Ich habe ihr versprochen, endlich, nach mehr als zwanzig Jahren, herauszufinden, was es mit dem »rheinischen Gulden« auf sich hat, von dem Hildegard am Abend vor ihrem Tod, als sie die kleine Hildegard zur Großmutter brachte, so erregt gesprochen hat. Natürlich werden wir »Verwandtenbesuche empfangen«, wir haben, schon aus Versorgungsgründen, nicht vor, unseren Eingang zu vermauern. Johannes, der »Miefer«, wird kommen, die »lästigen Schwiegertöchter«, Enkelkinder, Urenkel. Mein Schwiegersohn wird hin und wieder kommen und mir durch ein pfiffiges Lächeln zu verstehen geben, daß es ihm doch gelungen ist, mich zu betrügen, und sein Gewissen wird ganz rein sein, weil er mich ja gewarnt hat. Sogar die romantischen Vorstellungen meiner Schwiegermutter über eine »Studentenbude« nehme ich hin. Da sie erfahren im Umgang mit »möblierten Herren« ist, übernehme ich, da ich selbst keine habe, ihre aus den Zwanzigern stammende Vorstellung von »schick«, die sie bisher nur an meinen Hüten hat praktizieren können. Sie hat sich sogar bereit erklärt, die Zubereitung von Tee zu studieren.

Habe ich schon notiert, daß sie zwar nicht Analphabetin ist, aber doch des Schreibens fast unkundig, und daß ich ausersehen bin, das Diktat ihrer Memoiren entgegenzunehmen:

mit möglichst schwarzer Tinte auf möglichst weißes Papier? Sollte ich es noch nicht notiert haben, so hole ich es hiermit nach.

IX

Mein Schwiegersohn bittet mich, da ich schon Familiengeheimnisse ausplaudere, um »etwas mehr Publicity, notfalls negative«, für sich und seine Frau. Meiner Tochter gegenüber bin ich in einer peinlichen Situation: bei Kriegsende, als sie vier Jahre alt war, hatte sie tausend Bombenangriffe hinter sich (meine Schwiegermutter hat sich geweigert, Köln zu verlassen, »gerade weil zwei meiner Kinder hier gestorben sind«) – und ich kann meiner Tochter einen gewissen Lebenshunger, der sich an der Oberfläche als nervöser Materialismus zeigt, nicht übelnehmen. Selbst ihre allerliebenswürdigsten Seiten – sie redet wenig, ist großzügig – sind mit Nervosität grundiert. Sie hat nicht viel Geduld mit mir (auf Grund gewisser Schädigungen bin ich langsam: beim Aus- und Ankleiden, beim Essen, und meine gelegentlichen Anfälle erfüllen sie mit Ekel, den sie nur schlecht verbirgt), aber ich bin nur zu sehr bereit, ihr für jeden Bombenangriff zehn Peinlichkeiten zu verzeihen, und so hat sie einen nie zu erschöpfenden Kredit. Die enttäuschende Tatsache, daß sie nicht Hildegard, sondern mir ähnelt (eine Tatsache, die ihr mehr Grund zum Ärger gibt als mir), erhöht ihren Kredit. Sie ist auch auf eine nervöse Weise religiös: genau, gesetzestreu, und auf Grund ihrer mischehelichen Situation gibt sie sich im Augenblick einer Konzilseuphorie hin, die nachlassen wird wie die Wirkung einer Droge. Das Lächeln, das wir tauschen, sooft wir uns begegnen, ist nur ein abgewandeltes Achselzucken. Sie steht ganz unter dem Einfluß meines Vaters, meines Schwiegervaters, sammelt schon fleißig »antike Möbelchen«, mit denen sie meine Räume ausstatten wird, wenn ich wegziehe. Mit Innenarchitektenblick räumt sie meine Möbel schon aus, setzt ihre mit den Augen rein, mißt Abstände, Wirkungen, kalkuliert Farben, und es würde mich weder wundern noch kränken, wenn ich sie mit dem Zollstock in der Hand ertappen würde, falls ich unverhofft hereinkomme. Das ist unwahrscheinlich, auf Grund meines Schrägganges, kombiniert mit einer Beinverletzung, bin ich beim Treppensteigen so langsam wie geräuschvoll und kündige mich also frühzeitig an. Im Zusammenhang mit meiner Treppensteigtechnik habe ich schon einige Male das Wort »Schnecke« gehört. Aber den Schneckensegen hat mir noch keiner erteilt, auch von Menschwerdung und Fäkalientragen ist noch nicht die Rede gewesen. Manchmal werde ich auch als »Idealist« bezeichnet, weil ich keine Kriegsbeschädigtenrente in Anspruch nehme. Ich bin der bescheidenen Meinung, daß meine Motive realistischer Natur sind, mit meinem Anankasmus zusammenhängen. Sogar das quantitativ wie qualitativ gleich gute, notgedrungen vorgenommene Studium männlicher Lächerlichkeit während des Krieges empfinde ich als unangenehme Bereicherung. Des Mitleids mit dieser männlichen Lächerlichkeit bin ich noch fähig, des Respekts davor nicht. Ich werde nicht resignieren, sondern studieren, was vielleicht – nicht nur, was mich betrifft – eine Erscheinungsform der Resignation ist.

Wer mich sucht, findet mich dort, wo man, ohne sich den Hals verrenken zu müssen, aufs Severinstor blicken kann.

Nachträge

Zum Juden gebrüllt, zum Deutschen geküßt, zum Christen getauft.
   1. *Umfassendes Geständnis* Es gelang mir nicht, den Gesichtsausdruck der beiden Bechtolds zu schildern, nachdem ich sie im Würfelspiel geschlagen hatte: Respekt, Erstaunen mischten sich mit hysterischer Verbitterung und Resignation, und als ich ihnen dann vorschlug, als Schwiegersohn die Funktion eines Sohnes zu übernehmen, in die SA einzutreten, schrien sie vor Wut: es lag ihnen daran,

Engel mit dem Makel der SA-Mitgliedschaft befleckt zu sehen.

Daß ich von meiner Mutter nicht viel mehr als ein, zwei Punkte liefere, hat seinen Grund: sie war zu zart, sie könnte zerbrechen oder zu sehr mißlingen, und so ist es mir lieber, jeder klebt sich irgendein Klischee oder eine Art Abziehbildchen ins Malheft: bürgerliche Dame um 1938, Mitte vierzig, zart, aber nicht etwa schmachtend. Angeekelt schon, doch nicht aus sozialen Gründen.

Daß ich Romantiker, Neurotiker, Idylliker bin, habe ich zwar schon gestanden, ich wiederhole es hier noch einmal für Erwachsene.

Ich weiß schon seit zwanzig Jahren, was es mit dem »rheinischen Gulden« auf sich hat, über den Hildegard so erregt gesprochen hat. Das Lager jener Zwangsgemeinschaft, in der ich den Schneckensegen empfing, zum Juden gebrüllt, zur Menschwerdung ins fäkalische Viertel verbannt wurde, Engel begegnete, lag tief in den Wäldern, aus denen viele der Grimmschen Märchen stammen. Die meisten Befehle, Verdammungen und Segenswünsche der Anführer dort empfing ich in dem Dialekt, den die Niederzwehrener Märchentante gesprochen haben muß, die den Brüdern Grimm die Märchen erzählt hat. Wer wundert sich da noch, daß ich Hildegard zur Hochzeit den Michael Kohlhaas und die Grimmschen Märchen geschenkt habe (den Idioten und Palma Kunkel brachte sie mit in die Ehe), daß sie viel darin las und das Märchen »Wie Kinder Schlachtens miteinander gespielt haben« ihr als das eindrucksvollste, sozusagen als das aktuellste erschien. Sie muß es auswendig gekannt haben, wenn sie immer wieder hartnäckig jenen Satz wiederholt hat, den meine Schwiegermutter nicht verstand: »Sie nehmen den rheinischen Gulden – den rheinischen Gulden nehmen sie.« Ich kenne also die Zusammenhänge, komplizierte – bringe es aber nicht über mich, sie meiner Schwiegermutter zu erklären. Manches ist auch bei mir nur *Vermutung*.

Die Aktualität des »rheinischen Guldens« jedenfalls steht für mich außer Frage: wer nähme schon den Apfel, wo jedes Kind weiß, daß man für einen Gulden wahrscheinlich hundert Äpfel kaufen könnte? Alle haben Schlachtens miteinander gespielt, waren nicht Kinder, und Unschuld ist keine Münze. Wenn ich hier noch hinzufüge, daß ich seit dem Tod meiner Frau keusch gelebt habe, so ist die Peinlichkeit wenigstens vollständig, und es darf aus vollem Herzen gelacht werden. Wenn ich noch hinzufüge, daß *mein* Lieblingsmärchen das vom »singenden Knochen« ist, verstärkt sich das Lachen.

2. *Moral* Es wird dringend zur Entfernung von der Truppe geraten. Zur Fahnenflucht und Desertation wird eher zu- als von ihr abgeraten, ich sagte ja schon: es gibt Idioten, die nicht nur zielen, auch treffen, und jeder muß wissen, was er riskiert. Schußwaffen sind völlig humorlose Instrumente. Ich erinnere an Engel, an Anton Bechtold.

Die Entfernung von irregulären Truppen ist besonders gefährlich, weil sie – die meisten denkenden Menschen denken nicht weit genug – sozusagen den automatischen Verdacht auslöst, der sich Entfernende wolle zu den regulären Truppen; also, Vorsicht.

3. *Interpretation*

a. Die den Nonnen geschenkten gestohlenen drei (weißen) Wehrmachtsoffizierstaschentücher sind verwandelte Lilien, wie man sie vor den Altären des heiligen Joseph, der heiligen Maria, jungfräulicher Kanonisierter überhaupt findet. Sie stehen in unmittelbarem Zusammenhang mit dem *möglichst* weißen Papier, mit dem Handwaschzwang und der Abneigung gegen Musterungen und eigenhändiges Schuhputzen, mit dem offensichtlichen Reinigungsbedürfnis. Wie käme einer sonst dazu, einiger Wannenbäder wegen Diebstahl an Heeresgut zu begehen – denn obwohl die Fettkohle lothringischen Ursprungs war, gehörte sie *rechtens* der deutschen Wehrmacht – und ausgerechnet mit Nonnen so komplizierte Verhandlungen zu führen, das läßt auf einen durchgehenden Platonismus schließen.

Andererseits die häufige Erwähnung von Fäkalien, schmutzigen Fingernägeln sowie die fast wonnige Schilderung der eigenen Hinfälligkeit: ans Epileptische grenzende Anfälle, starke Gehbehinderung, krankhafte Abneigung gegen Flugzeuggeräusche, die jene Anfälle auslöst – all das läßt den Schluß zu, daß der Erzähler sich zutreffenderweise als Neurotiker bezeichnet, sich zutreffenderweise auch als romantisch und resigniert deklariert. Auch sind die elitären Elemente – selbst wenn es sich um eine Elite von Fäkalienträgern handelt – unverkennbar. Ob die Abneigung gegen den »rheinischen Gulden« mit der (völlig unverständlichen) Weigerung zusammenhängt, für im Krieg erlittene Verletzungen und Schädigungen ihm »Zustehendes« zu beantragen und zu empfangen?

b. Die Erwähnung von Hänsel und Gretel ist auf einen eindeutig zu eruierenden Sachverhalt zurückzuführen: in jenen Wäldern entfernte sich der Erzähler einige Male von der arbeitenden Truppe, irrte umher, mit einem Stück Brot in der Tasche – und eben bei diesen Gelegenheiten vermißte er »Gretels tröstende Hand«. Daß er als drittes Märchen, als sein Lieblingsmärchen, »den singenden Knochen« erwähnt, läßt auf einen Zusammenhang mit dem »rheinischen Gulden« schließen.

c. Der Versuch, Studium und Resignation gleichzusetzen oder wenigstens deren Gleichsetzung nahezulegen, ist auf eine frühe, tief eingewurzelte Abneigung gegen Botanisiertrommeln zurückzuführen.

d. Engel(bert) ist kein Symbol für einen Engel, obwohl er so heißt, als so aussehend bezeichnet wird.

e. Der Erzähler verbirgt etwas. Was?

Heinrich Böll
Frauen vor Flußlandschaft

Roman

Bonn ist der Schauplatz des neuen Romans von
Heinrich Böll — ein Ort höchster politischer
Aktualität. Was Böll jedoch interessiert, ist nicht
die Tagespolitik, sondern das Netz der Beziehun-
gen und Geschichten hinter den Kulissen der
offiziellen Selbstdarstellung. Die Frauen der
Politiker, sonst nur gesellschaftliches Beiwerk
auf dem Bonner Parkett, rücken in den Vorder-
grund des Geschehens. Sie sind das heimliche
soziale Korrektiv in einer Welt der Ränke und
Skandale, die die Männer fast ausnahmslos
umtreibt.

Kiepenheuer&Witsch